P9-CPV-285

GRANDES MISTERIOS DEL MUNDO SIN RESOLVER

GRANDES MISTERIOS DEL MUNDO SIN RESOLVER

ROUND LAKE AREA
LIBRARY
906 HART ROAD
ROUND LAKE, IL 60073
(847) 546-7060

Lionel y Patricia Fanthorpe

Grupo Editorial Tomo, S. A. de C. V.
Nicolás San Juan 1043
03100 México, D. F.

1a. edición, noviembre 1999.
2a. edición, agosto 2005.

© *The World's Greatest Unsolved Mysteries*
Copyright © 1997 by Lionel and Patricia Fanthorpe
Spanish Translation Copyright © 1999 by
Grupo Editorial Tomo, S.A. de C.V.
Published by arragement with
Dundurm Press Limited
ALL RIGHTS RESERVED

Traducción: Graciela Frisbie

© 2005, Grupo Editorial Tomo, S.A. de C.V.
Nicolás San Juan 1043, Col. Del Valle
03100 México, D.F.
Tels. 5575-6615, 5575-8701 y 5575-0186
Fax. 5575-6695
http://www.grupotomo.com.mx
ISBN: 970-666-209-X
Miembro de la Cámara Nacional
de la Industria Editorial No 2961

Diseño de Portada: Emigdio Guevara
Diseño tipográfico: Rafael Rutiaga
Supervisor de producción: Leonardo Figueroa

Ninguna parte de esta publicación podrá ser reproducida
o transmitida en cualquier forma, o por cualquier medio
electrónico o mecánico, incluyendo fotocopiado, cassette, etc.,
sin autorización por escrito del editor titular del Copyright.

Impreso en México - *Printed in Mexico*

Dedicamos este libro con agradecimiento a nuestros muchos amigos de todo el mundo que tan generosamente aportaron su tiempo, energía y hospitalidad para ayudarnos durante los años en que investigamos estos misterios sin resolver.

Lionel y Patricia Fanthorpe
Cardiff, Gales, Reino Unido, 1997

PREFACIO

A todos nos gusta un buen misterio y quienes son capaces de escribirlo, y escribirlo bien, con toda seguridad siempre tendrán muchos lectores. La lista de estos escritores es larga y va desde Wilkie Collins a Arthur Conan Doyle, Dorothy L. Sayers, y la prolífica Agatha Christie. Los mejores entre ellos tienen la habilidad de entretejer una narración cuyo final deja perplejo al lector promedio hasta las últimas páginas del libro. El ingenio de estos autores para crear un misterio y luego resolverlo no tiene límites.

Lo que ellos nos dan es ficción. Nos presentan situaciones imaginadas y personajes inventados. El libro que tenemos aquí, por increíble que parezca, no es ficticio en absoluto. Relata hechos. Mucho de lo que hay en él es difícil de creer. En su mayor parte es un desafío al sentido común, y parece lejano tanto a la experiencia humana como a la realidad. Todo lo que leemos aquí ocurrió en realidad. Nada es imaginación; todo proviene de la vida.

El Reverendo Lionel Fanthorpe, con la ayuda de su esposa Patricia, ha logrado tres objetivos en este su libro, uno de los muchos que ha escrito en su muy diligente vida:

En primer lugar, ha puesto de relieve para sus lectores una selección de los sucesos más extraños que han ocurrido a lo largo de los años, algunos de los cuales se han tomado del mundo de la naturaleza, y otros, del carácter y el comportamiento humano. Ha identificado veinte "misterios" de este tipo y pudo haber compartido con nosotros muchos más si el espacio lo hubiese permitido. Obviamente, él no es el único investigador que ha estudiado estas extrañas narraciones al paso de los años. Ellas han fascinado a muchos otros y fascinarán a muchos más en el futuro. Tenemos una gran deuda con estos investigadores, con su mente inquisitiva, ya que abandonados a nuestros recursos, nosotros, mortales más comunes y ordinarios, nunca habríamos realizado ese esfuerzo. Nos habríamos contentado con creer que todas las personas y todas las cosas son tan normales y ordinarias como nosotros.

Por ejemplo, tal vez tenemos un amigo que es párroco. Lo vemos trabajar, visitar a los enfermos, predicar en su Iglesia, sepultar a los muertos. Será uno de los miles que viven la vida ordinaria de un párroco. En este libro, conoceremos a un párroco que fue muy diferente. Un sacerdote pobre, sin experiencia, que siendo joven llegó a una parroquia en malas condiciones, con un templo en ruinas, en una zona remota de Francia. De pronto se vuelve rico, capaz de financiar planes grandiosos y obras costosas. ¿De dónde vino su repentina riqueza? Mientras vivió, fue un misterio y lo sigue siendo. Se llevó su secreto a la tumba.

Sabemos que hay padres que abandonan a sus hijos. Tristemente esto ocurre en todas partes del mundo. Hace tiempo, el Dr. Barnardo encontró a muchos de estos jóvenes rechazados y los recibió en sus albergues. ¿Pero qué habría pensado, incluso el Dr. Barnardo, del joven Kaspar Hauser, sobre quien leeremos en este libro? Apareció repentinamente en Nuremberg, de más o menos dieciséis años, vestido en forma extraña, incapaz de hablar pero capaz de escribir su nombre. Nunca pudo explicar dónde había estado durante los primeros años de su vida y el único alimento que toleraba era pan y agua.

En este libro, las personas comunes como nosotros se enfrentan a lo extraordinario. Éste desafía, con muchas cosas que parecen estar por completo "fuera de este mundo", al comportamiento normal de cada día al que estamos acostumbrados. No podemos decir si el saber de personas poco usuales y de sucesos extraños enriquece o altera nuestras vidas. Este libro, al menos, nos hace conscientes de estas personas y sucesos.

El autor no sólo nos presenta ciertos acontecimientos extraños, los ha investigado minuciosamente. En éste, como en muchos otros aspectos, su esposa ha sido, sin duda, su mayor riqueza. Durante muchos años, él ha escrito y dado conferencias sobre lo extraño y lo paranormal; lo que recientemente le ha llevado a conducir una serie de programas de televisión que han fascinado a un gran numero de televidentes. Su comprensión de lo extraño de la vida es considerable, pero no brotó de la nada, por supuesto. Tuvo que trabajar para alcanzarla. Él y su esposa han viajado, han charlado con personas, han leído extensamente, han verificado todo de la manera más minuciosa. En este libro, por ejemplo, leemos sobre el pozo de dinero en Nueva Escocia. Se nos describe con toda claridad, pero no sólo basándose en los libros. Lionel Fanthorpe ha estado varias veces en Oak Island, donde está este pozo, y ha hablado con quienes todavía abrigan el anhelo de encontrar el tesoro que, de existir, yace en el fondo. Da la impresión de que él personalmente abriga ese deseo de desenterrarlo.

Incluso sin este libro, la mayoría de las personas saben algo acerca del *Mary Celeste*. Éste sigue siendo uno de los mayores misterios sin resolver de los mares. Aquí se da vida a ese barco: su construcción, su tamaño, su capitán, su tripulación, su cargamento, el curso que llevaba cuando fue abandonado. El destino del barco se vuelve aún más conmovedor para nosotros porque el autor nos ayuda a conocer a las personas que estaban a bordo en ese fatídico día.

De hecho, se requirieron muchos años de investigación para dar forma a esta obra, y los autores están orgullosos de ello.

Para terminar, ellos buscan hacer por nosotros lo que hacen los más grandes escritores de misterio novelístico. Explican por qué ocurrió el misterio y cuánto de lo que se sabe de él pudo haber ocurrido. Casi todos nosotros necesitamos esta ayuda. Somos parte de un mundo ordenado y sentimos que debe haber una respuesta lógica para todo. Donde existe un efecto, con toda seguridad debió haber una causa. Lionel y Patricia nos han dado lo mejor de sí mismos. Presentan las razones de estos raros misterios, con frecuencia no sólo una, sino muchas posibles razones para el mismo fenómeno. Se nos deja elegir nuestra propia razón, o rechazar todas y cada una de ellas y poner la nuestra en su lugar.

Sin duda, al paso de los años muchas personas disfrutarán la lectura de este libro. Ciertamente, el trabajo minucioso que ha requerido merece un gran número de atentos lectores. Aquí tenemos un sinfín de enigmas, acertijos y misterios. A lo largo de los años, todo tipo de narraciones de ficción han cautivado a los lectores y han mantenido activas a las bibliotecas. Estos libros, como dice la Biblia, "no tendrán fin". Este libro es diferente. Contiene hechos, no ficción, y en la ficción no hay nada que se les compare. Mark Twain tenía razón y le dejo la última palabra:

"La verdad es más extraña que la ficción. La ficción está obligada a apegarse a las posibilidades. La verdad no".

Stanley Mogford, MA
Cardiff, Wales, UK 1997[1]

---

[1] Los autores están muy agradecidos con Canon Stanley Mogford, uno de los mayores y más merecidamente respetados intelectuales de Wales, por su amabilidad para escribir este prefacio. Siempre es un honor y un privilegio para cualquier autor tener su apoyo.

INTRODUCCIÓN

Uno de los instintos más profundos de cada ser humano es la necesidad de descubrir cosas. Cuando el hombre primitivo bajaba de los árboles o se asomaba por la entrada de sus cuevas, quería saber qué había al otro lado del río, qué había detrás de la cascada y qué se encontraba al otro lado de la montaña.

Hoy en día viajamos en la "Web" y navegamos en la Red por la misma razón que ellos exploraron hace milenios: *porque está ahí.*

Si alguien produce, con una precisión imposible, un mapa antiguo de una costa que no pudo haber visto ya que estaba bajo una milla de hielo, *queremos saber cómo apareció.*

Cuando testigos honestos y confiables bajan de una travesía por las Montañas Rocosas diciendo que han visto *algo* que se parece a un ser humano, pero que mide casi tres metros y pesa 500 libras, *queremos saber qué es.*

Cuando una fuerza psíquica invisible arranca la puerta de un horno de hierro y la lanza por los aires, *queremos saber al respecto.*

Cuando unos féretros revestidos de plomo que pesan una tonelada cada uno, se mueven dentro de una tumba cerrada como si fueran hojas que vuelan en el otoño, *queremos investigar.*

Hemos tenido el privilegio de investigar un gran número de misterios sin resolver a lo largo de más de cuarenta años, y todavía estamos buscando respuestas. Lo recomendamos de todo corazón:

es *divertido* sin dejar de ser un reto, una experiencia emocionante, y en ocasiones algo muy *peligroso*. En las siguientes páginas, invitamos cordialmente al lector a venir con nosotros y unirse a nuestra búsqueda.

Lionel y Patricia Fanthorpe
Cardiff, Wales, UK
1997

LA ANTÁRTIDA Y LOS MAPAS ANTIGUOS

¿Floreció en la Antártida una civilización avanzada hace 15,000 años?

De vez en cuando surgen cosas extrañas que ensombrecen el complejo cuadro que la mayoría de nosotros está pintando diligentemente sobre los sutiles lienzos de una realidad basada en el sentido común (la cual nos oculta la *realidad última* que sabemos nos está esperando allá en algún lugar).

Tal vez sean fósiles anacrónicos, dibujos o esculturas extrañas que han sobrevivido miles de años, líneas enormes trazadas a lo largo de una planicie que son más comprensibles desde el aire que desde tierra firme, o narraciones casi legendarias, casi míticas de ángeles y demonios, de monstruos o semidioses, que podrían, mediante un leve giro en el texto, entenderse mejor como seres extraterrestres o como extraños sobrevivientes, vestigio de civilizaciones anteriores a la humana.

Existen edificios antiguos y laberintos subterráneos que difícilmente construiría la mejor maquinaria moderna; y existen mapas muy antiguos, que son copias de otros aún más antiguos, que muestran detalles de costas y elementos geográficos que han estado por completo inaccesibles durante milenios, cubiertos por una gruesa capa de hielo.

En julio de 1960, Harold Z. Ohlmeyer, Teniente Coronel de la Fuerza Aérea de los Estados Unidos, miembro del Octavo Escuadrón Técnico de Reconocimiento de Westover, Massachusetts, escribió una carta de importancia devastadora al Profesor Charles H. Hapgood. Hapgood le había pedido a Ohlmeyer que estudiara el mapa de Piri Reis, trazado por este famoso almirante turco de la antigüedad en 1513, y la respuesta de Ohlmeyer fue que el trabajo sísmico de la Expedición Anglo-Sueca de 1949 mostraba que la costa de Reis, que actualmente se encuentra bajo la capa helada de la Antártida, *era correcta*. Ohlmeyer llegó a la conclusión de que el mapa de esa costa se había trazado *antes* de que estuviera cubierta por hielo.

¿Quién fue Piri Reis, y cómo consiguió esa información geográfica tan precisa a principios del siglo XVI? Fue un oficial de alto rango en el Imperio Turco Otomano y, por lo que se puede juzgar, una persona particularmente honesta y abierta. No hizo ninguna declaración respecto a haber compilado este mapa por su propio esfuerzo y sin ayuda, o a partir de sus propias expediciones cartográficas, aunque fue un marino excelente que viajó extensamente y había escrito un libro de texto sobre navegación. Existen notas de su puño y letra que describen cómo compiló su mapa de muchas fuentes, algunas tan recientes como Cristobal Colón, otras que se remontaban por lo menos al año 400 antes de Cristo. De una u otra forma entró en conflicto con el alto mando Otomano y fue decapitado en 1555 aproximadamente. Su valioso mapa, trazado en piel de gacela, se volvió a descubrir en un antiguo palacio imperial de Constantinopla en 1929.

La obra de Hapgood en 1963, contempla a Reis trabajando incansablemente entre los documentos antiguos preservados en Constantinopla, que se basaban en fuentes incluso más antiguas... que se remontaban más allá del año 4,000 antes de Cristo. Este argumento suponía que en fechas mucho más distantes de lo que por lo general aceptan la mayoría de los prehistoriadores, había existido una civilización con una tecnología muy avanzada.

Hapgood siguió la pista de este canal de información geográfica y de navegación a través de las culturas minoica y fenicia, a través del antiguo Egipto y de períodos que se remontan a épocas mucho más lejanas.

Se podría considerar que un solo mapa, sin importar cuán interesante fuera su historia, y sin importar la precisión de sus detalles de la costa de Antártida, es sólo una coincidencia. Si *independientemente* surgiera *otro* mapa, el hecho sería mucho más significativo. Apareció dicho mapa: se le conoce como el mapa de Oronteus Finaeus y fue trazado en 1531-2. Muestra cordilleras trazadas con cuidado, además de una costa de la Antártida sorprendentemente precisa y verdaderos ríos que bajan por las montañas. También es significativo que la zona central más cercana al polo sur se haya dejado en blanco, como si el cartógrafo que trazó el mapa con tal precisión y honestidad estuviera reconociendo que esta región estaba oculta por el hielo y por eso no se podían explorar o medir los detalles de las montañas y de los ríos.

Una discrepancia importante en el mapa de Oronteus Finaeus es que la península de Antártida se extiende demasiado hacia el norte, tocando casi el Cabo de Hornos. Pero un examen más minucioso de *toda* la representación que hace Oronteus de la Antártida muestra que toda ella se extiende demasiado hacia el norte a partir del centro; de hecho se extiende así en todas direcciones. No es que le falte *precisión*; es simplemente que se trazó con una *escala incorrecta* en relación al resto del mapa de Finaeus. Sin importar quien haya cometido el error en la escala, se cometió en el pasado distante y fue copiado por una sucesión de cartógrafos, lo que incluye al mismo Piri Reis.

Los antiquísimos manuales de navegación de los que dependían los navegantes de la Edad Media no contenían una cuadrícula regular parecida a las líneas modernas que indican longitud y latitud. En lugar de eso, tendían a usar puntos centrales, colocados en diversas posiciones en el mapa, de los cuales salían líneas parecidas a los rayos en las ruedas de las bicicletas. Es posible que los centros hayan querido reproducir las direcciones de una primitiva brújula de marino, y tal vez la navegación progresó al tratar de reconocer la ubicación de un barco mediante la posición de diversos sitios geográficos como islas, acantilados, bahías y cabos. Habiendo establecido su posición en un momento dado, es posible que el navegante haya tratado de dirigir el curso de la nave por la línea que lo llevara lo más cerca posible al destino que quisiera alcanzar.

A. E. Nordenskiöld, que era una reconocida autoridad en este campo, compiló un atlas de los muchos manuales de navegación que estudió, y llegó a la conclusión de que se basaban en mapas mucho más antiguos y precisos. Afirmaba que en particular el Manual de Navegación Dulcert de 1339, tenía una precisión que superaba la capacidad de los navegantes y cartógrafos del siglo XIV. Su siguiente punto era que no se pudo observar ningún *desarrollo* en los mapas y tablas que aparecieron del siglo XIV al siglo XVI. Los doscientos años de navegación, exploración y descubrimiento no se reflejaron en los mapas. Llegó a la conclusión de que esto se debía a que alguien había descubierto un mapa de precisión excepcional a principios del siglo XIII, que estaba destinado a no ser superado al menos durante los siguientes dos siglos. También le parecía a Nordenskiöld que sólo existía un original de excelente calidad y que todos los manuales confiables y de buena calidad habían sido copiados de ahí.

Sus medidas revelaron que en lo que concierne al Mediterráneo y al Mar Negro, todos los manuales eran prácticamente idénticos, y en todos se utilizaba la misma escala.

Nordenskiöld se quedó perplejo al encontrar que la escala que se usaba no tenía una relación obvia con el usual sistema de medidas del Mediterráneo, excepto las que se encuentran en Cataluña. Sugirió que el lazo histórico entre los catalanes y los antiguos fenicios y cartagineses, bien podría explicarlo. Si el sistema de medidas y la escala fueran Cartagineses, entonces existía una gran posibilidad de que los Cartagineses también conocieran el preciso mapa original del que se habían copiado todos los buenos manuales de navegación, aunque ellos no lo hubieran originado.

Después, Nordenskiöld examinó el papel de Marinus de Tiro, un navegante que vivió en el siglo II de la era Cristiana y fue el predecesor del famoso Ptolomeo.

Teodoro Meliteniota de Bizancio, de quien proviene la mayor parte de la información sobre la vida del gran erudito, sugiere que Claudius Ptolomaus, comunmente conocido como Ptolomeo, nació en la ciudad griega de Ptolomais Hermii, y realizó la mayor parte de su trabajo científico, astronómico y de matemáticas en Alejandría. Ciertamente estaba llevando a cabo observaciones astrológicas entre los años 127 y 151 después de Cristo, y es posible que trabajara hasta una fecha tan tardía como el año 155. También existe una tradición árabe de que Ptolomeo murió a la edad de 78 años.

A partir de sus estudios de los manuales de navegación, Nordenskiöld sintió que sus unidades de medición no pudieron ser posteriores a la época de Marino de Tiro, y que probablemente eran mucho más tempranas. Al compararlas con la obra de Ptolomeo, vio con claridad que la fuente original de donde se copiaron los manuales de navegación era muy superior.

Para darle a Ptolomeo el crédito que con todo derecho merece, diremos que fue el geógrafo más famoso de su tiempo. Tuvo acceso a la biblioteca más grande del mundo antiguo, y a todos sus documentos y registros geográficos. Fue un buen matemático y tuvo una actitud científica moderna hacia los fenómenos que observaba y estudiaba. Como argumenta Hapgood con toda razón en *Maps of the Ancient Sea Kings (Mapas de los antiguos reyes del mar)*, es muy poco probable que durante el siglo XIV, los marineros medievales pudieran producir mapas superiores a los de Ptolomeo sin las ventajas de la biblioteca con que contaba Ptolomeo y de habilidades matemáticas de alto nivel.

Suponiendo que los Cartagineses y los Fenicios fueron quienes tuvieron acceso a mapas mucho más antiguos y precisos que los que Ptolomeo pudo producir, y suponiendo también que estos volvieron a aparecer después de un intervalo de más de mil años, para ser la base de los manuales de navegación, ¿por qué desaparecieron, y dónde pudieron estar ocultos? La respuesta podría estar en la severa lucha crónica entre Roma y Cártago que se conoce como las Guerras Púnicas.

Para entender el odio y la rivalidad entre estos dos grandes poderes de la antigüedad, es necesario analizar brevemente sus respectivas historias.

La primera leyenda de la fundación de Roma relata como Eneas, un príncipe de Troya, escapó de las ruinas de Troya, se casó con una princesa latina y fundó la ciudad de Roma y la Dinastía Juliana. La segunda leyenda se relaciona con Rómulo y Remo, descendientes de Eneas por parte de su madre, y en el mito, hijos de Marte, dios de la guerra. Lanzados al Tiber por el hostil Rey de Latium, fueron arrastrados hasta el Monte Palatino, fueron amamantados por una loba y fundaron Roma en el año 753 antes de Cristo, fecha en que tradicionalmente inicia la historia de Roma.

El origen histórico más probable es que grupos que se habían establecido en las siete colinas de Roma se unieron para formar una ciudad estado, aproximadamente mil años antes de Cristo.

Habiendo librado algunas batallas contra sus fieros vecinos celtas y con los galos, "¡Roma conquistó al mundo en defensa propia!".

El Imperio Romano fue una gran organización comercial, y la libertad de los mares era de vital importancia para ellos, tanto desde el punto de vista comercial como militar. Los cartagineses eran el mayor problema marítimo para los barcos romanos en el Mediterráneo. Era inevitable que uno de estos poderes fuera derrotado.

La historia de Cártago empieza con los colonizadores fenicios provenientes de Líbano y de Siria que se encuentra 1,000 millas al oriente. Al carecer de la población necesaria para formar grandes poblados, establecieron unas cuantas ciudades costeras como puestos comerciales. La plata y el estaño del sur de España les eran de sumo interés. Los fenicios buscaban lugares de fácil acceso desde el mar a los que no llegaran tribus hostiles del interior: buscaban islas cercanas a la costa, penínsulas rocosas y bahías arenosas para que les fuera fácil llevar sus barcos a la costa. Cártago se apegaba a este modelo. Además, tenía los recursos para expandirse y llegar a las zonas fértiles cercanas. Su nombre en sí se deriva de dos palabras fenicias *kart hadasht* que significan "ciudad nueva".

La actitud implacable que separaba a los dos grandes poderes del Mediterráneo se ilustra con las amargas palabras del siniestro senador romano Marco Poncio Cato (234 - 149 a. C.) *"Delenda es Carthago"*: "Cártago debe ser destruida".

La primera Guerra Púnica (264 - 261 a. C.) se inició a causa de problemas en Sicilia. La segunda (218 - 201) terminó con el triunfo de Scipio Africano sobre Aníbal, que era general cartaginés en ese tiempo, lo que convirtió la batalla de Zama en lo que hoy es Túnez. El tercero y último encuentro (149 - 146 a. C.) terminó con la destrucción completa de Cártago y de su gente.

¿Sobrevivieron los inapreciables mapas antiguos a la destrucción de Cártago, o estaban seguros a bordo de un barco cartaginés que de alguna manera evadió el bloqueo romano y navegó en dirección al oriente para regresar a las tierras fenicias de donde había brotado la desafortunada colonia de Cártago?

Es interesante especular que *si* el inapreciable mapa de alta precisión pudo regresar al Medio Oriente antes de la destrucción final de Cártago, bien podría haber vuelto a aparecer durante las Cruzadas, el periodo anterior a 1307 durante el cual los invencibles Templarios iban en ascenso. Eran grandes marineros al igual que grandes soldados, ¿sus éxitos en el mar se debieron en parte a que poseían mapas y cartas de navegación superiores, copiados de originales muy precisos cuya antigüedad rebasaba a los marinos fenicios y cartagineses?

De modo que un posible escenario sugiere que cierta fuente muy antigua y desconocida produjo mapas de alta calidad que llegaron a manos de los fenicios, y de ellos pasaron indirectamente a los Templarios y luego a los navegantes europeos de los siglos XIII y XIV.

¿De dónde pudo venir, en primer lugar, el avanzado conocimiento técnico en que se basan esos mapas? Suponiendo que las teorías que Graham Hancock investigó tan minuciosamente y razonó tan bien, tienen el sólido fundamento en la realidad que ciertamente parecen tener, entonces la Antártida sería un buen lugar para empezar.

Si son correctas las deducciones de Hapgood sobre la capacidad de las masas continentales para deslizarse sobre la superficie de la tierra, es decir, si la capa exterior de la tierra puede moverse independientemente de la parte central, entonces, lugares que alguna vez ocuparon zonas templadas, podrían llegar a encontrarse, con relativa velocidad, dentro de los círculos polares, y viceversa.

Hapgood y su colega, James Campbell, presentaron la teoría de que la capa exterior de la tierra descansa sobre una capa inferior muy débil, una capa que es virtualmente líquida. Basándose en una idea que les sugirió el ingeniero Hugh Auchincloss Brown, investigaron la posibilidad de que la masa de hielo polar en sí generara una fuerza suficientemente poderosa que moviera toda la capa exterior de la tierra sobre esta débil capa que es casi líquida, y que sus efectos centrífugos surgieran de la rotación de la tierra.

Por ejemplo, el centro de gravedad del casquete polar de la Antártida está aproximadamente a 500 millas del Polo Sur. "Al rotar la tierra", dice Hapgood, "la excentricidad crea un efecto centrífugo que opera en forma horizontal sobre la capa exterior, lo que tiende a desplazarla hacia el ecuador".

Einstein mismo apoyaba esta teoría: en la introducción del libro de Hapgood *Earth's Shifting Crust (La capa exterior de la tierra en desplazamiento)* Einstein escribió: "La idea de Hapgood es original, muy simple y, si sigue comprobándose, de gran importancia para todo lo relacionado con la historia de la superficie de la Tierra".

Siguiendo la hipótesis de Hapgood, si una civilización avanzada hubiera vivido en el continente que ahora conocemos como la Antártida, antes de que éste llegara a una posición polar, donde rápidamente quedaría cubierto de hielo, ¿que habrían hecho estas personas para salvarse, salvar a sus hijos y preservar su cultura?

Tal desplazamiento cataclísmico de la capa exterior de la Tierra estaría acompañado, inevitablemente, de dinámicos fenómenos geológicos y metereológicos. Habría terremotos, alteraciones volcánicas, feroces tormentas, vientos y marejadas destructivas. Los que pudieran, aquellos que tuvieran naves suficientemente resistentes y vigorosas para sobrevivir a la devastación y la inminente llegada del frío paralizante, se dirigirían al norte hacia zonas más cálidas. ¿Dónde habrían tocado tierra aquellos pocos y afortunados refugiados y sobrevivientes?

Viajando hacia el norte de todos los costados del continente de la Antártida destinado a congelarse, los desesperados viajeros llegarían al Cabo de Hornos, al Cabo de Buena Esperanza, a la Isla Sur de Nueva Zelanda, a la costa sur de Australia y, si alguien viajara a una distancia suficiente hacia el norte a lo largo de los 109 grados de longitud oeste, a los remotos misterios de la Isla de Pascua.

¿Existe la más remota posibilidad de que la indescifrable escritura *rongo-rongo* y las inexplicables cabezas de la Isla de Pascua sean miles de años más antiguas de lo que generalmente se cree?

Sólo supón que una vez haya florecido una civilización altamente avanzada en la tierra que ahora está cubierta por miles de metros del hielo de la Antártida. Aquellos de sus refugiados que hubieran viajado a lo largo de la costa de África finalmente habrían podido llegar a Egipto. ¿Fue tal vez su destreza la que diseñó y construyó la Esfinge y muchas de las otras estructuras masivas que todavía desafían al tiempo?

¿Llegaría otro grupo a América del Sur para dejar también ahí huellas indelebles de su conocimiento arquitectónico y de su pericia para erigir estructuras?

Cuando los aborígenes australianos más antiguos hablan de la *Época de los Sueños*, ¿se remonta su misticismo directamente a otro lugar que se recuerda a medias del cual llegaron hace milenios, y algún día se descubrirán bajo el hielo pinturas de la Antártida con un misterioso parecido con el arte australiano de las rocas y las cuevas?

Por todo el mundo persisten leyendas enigmáticas de civilizaciones perdidas. La desaparición de lo que una vez fue la gran civilización de la Antártida que yace bajo el hielo de lo que hoy es el Polo Sur, podría revelar la historia en que se basan estas leyendas.

EL "SASQUATCH" CANADIENSE Y OTROS EXTRAÑOS ANTROPOIDES

Algo vive en las cumbres más altas y solitarias, ¿podría ser de origen extraterrestre?

Existe una diferencia sutil entre preguntar si Pie Grande o "Sasquatch" es real y preguntar si es real el fenómeno que se asocia con este nombre. El fenómeno ciertamente es real. Casi a diario se tienen nuevos informes de haberlo visto, o de haber encontrado sus huellas. Alguien o algo, sea una entidad psíquica, una aberración mental, un ser extraterrestre o una forma física desconocida, es la causa de los avistamientos. Alguien o algo está dejando esas huellas. Se está acumulando mucha evidencia relacionada con el "Sasquatch" en la zona noroeste de Canadá y en los Estados Unidos.

El 20 de octubre de 1967, exactamente a la 1:00 p.m., Bob Gimlin y Roger Patterson lograron captar en 956 cuadros de película de 16 milímetros a *un ser* que tenía la apariencia de un humanoide muy alto y cubierto de pelo. La existencia de esta película elimina dos teorías: lo que vieron no fue una alucinación ni el resultado de autosugestión, autohipnosis, o cualquier tipo de truco mental de naturaleza psicosociológica de la que por accidente hubiesen sido víctimas. Es bien sabido que las cámaras no pueden registrar imágenes que sólo existen en la mente de quien las usa.

La filmación no fue perfecta, pero fue suficientemente buena para descartar otra teoría: lo que se ve en la película de Gimlin y Patterson no es una especie zoológica comunmente conocida que se haya identificado en forma equivocada. No fue un tipo de oso o simio visto en condiciones extrañas o desde una perspectiva fuera de lo común. Pudo haber sido una de estas dos cosas: un fraude o cierta clase de criatura desconocida con un tipo de realidad objetiva capaz de dejar un registro fotográfico.

Las tribus indias de Canadá y América del Norte tienen historias culturales y tradicionales sobre Pie Grande que datan de varios siglos atrás. Los registros escritos más antiguos tienen más de 200 años y los avistamientos de ningún modo se relacionan con una cultura específica. Gente de tribus indias, al igual que inmigrantes europeos, africanos y asiáticos se han visto involucrados en episodios relacionados con Pie Grande.

Un análisis estadístico arroja correlaciones interesantes. Por ejemplo, existen más de 600 nombres de lugares en los estados del noroeste de los Estados Unidos que se piensa tienen relación con las leyendas de Pie Grande o "Sasquatch". Los nombres de estos lugares no se relacionan con la densidad de población. Si los responsables de esto fueran charlatanes, existiría la posibilidad de que prefirieran actuar en zonas de mayor población, pero este no es el caso. Con lo que *sí* parecen relacionarse los avistamientos y los nombres de los lugares, son cordilleras y cumbres de montañas. En otras palabras, si en realidad existe el "Sasquatch" o Pie Grande, está muy relacionado con lugares altos e inaccesibles, tal como el "Yeti" del Tibet y Nepal.

Si analizamos, como ejemplo, uno de los miles de informes, dos cazadores de Stewart, Columbia Británica, viajaban a una altura de más de 1,500 metros, siguiendo un sendero de acceso a una mina. Al ponerse el sol, viraron en una curva y saltaron del camión pensando que habían visto un oso avanzando delante de ellos. Se lanzaron en su persecusión y notaron que caminaba erecto. Se dio cuenta de que lo seguían e inmediatamente se dio la vuelta y los miró directamente. Giró los hombros y toda la parte superior del cuerpo como si no tuviera cuello.

Estos cazadores describieron un rostro oscuro con una pequeña barba y nariz chata. Parecía estar tan sorprendido de verlos como ellos de verlo a él. Lo último que vieron de él fue que desaparecía entre los árboles. En particular, notaron que era muy alto, medía más de dos metros; era corpulento y despedía un mal olor muy penetrante. También observaron que sus manos colgaban más abajo de sus rodillas.

Albert Ostman tuvo un encuentro mucho más cercano que los cazadores de Stewart. Informó que en 1924 estaba explorando la ensenada de Toba en la Columbia Británica cuando un "Sasquatch" de dos metros y medio lo levantó como si fuera una mochila y lo cargó dentro de su saco de dormir durante aproximadamente tres horas. Cuando amaneció, descubrió que estaba en lo que podría considerarse el "hogar" de un "Sasquatch", en el que estaba el macho adulto que lo había secuestrado, una hembra adulta y dos jóvenes. Aunque impidieron que escapara durante varios días, Ostman no quiso utilizar su arma para atacarlos porque no le habían causado ningún daño. Finalmente escapó engañando al macho adulto con algo de tabaco para masticar que llevaba en su mochila. Mientras éste salía corriendo a buscar algo de agua para aliviar la irritación, Ostman escapó.

El Dr. W. Henner Farenbach llevó a cabo un interesante análisis estadístico con un gran número de muestras de huellas de "Sasquatch". El tamaño de las huellas de cualquier especie animal natural, lo que incluye al ser humano, tiende a caer dentro de una curva normal de distribución. Por ejemplo, la mayoría de los seres humanos usan zapatos más grandes que el 4 (en el sistema británico de medidas de zapatos), pero más chicos que el 11. La gran mayoría (el punto más alto de la curva normal de distribución) usa zapatos del 6 al 9. Unas cuantas personas de pie chico usan zapatos del 2 y del 3, y un número igualmente reducido de personas de pie grande usan zapatos del 11 y del 12.

Cuando Farenbach realizó sus cálculos, descubrió que las huellas del "Sasquatch" se conformaban a este patrón normal y natural. Si este fenómeno fuera obra de charlatanes no es muy probable que se hubieran confabulado a través de tan grandes distancias y a lo largo de tantos años para producir una curva estadística tan realista.

Además de huellas y algunas muestras de pelaje, existen grabaciones sonoras. Al Berry y Ron Morehead lograron algunas de las más interesantes en la Sierra Nevada. De hecho se pueden encontrar en su site de Internet "Sierra Sounds", y ellos pueden proporcionar discos compactos y cintas.

Otra pregunta que con frecuencia hacen quienes investigan al "Sasquatch" con seriedad es ¿por qué algunos prominentes científicos ortodoxos no se han unido a ellos con un interés perceptible? Tal vez se podría argumentar que sí lo han hecho, pero que los medios oficiales académicos que son tradicionalistas y bastante cautelosos, todavía se niegan a dar mucho espacio o importancia a las investigaciones sobre el "Sasquatch".

La información que está disponible en Internet y en la World Wide Web, a través del site "Virtual Bigfoot Conference" (Conferencia Virtual sobre Pie Grande), organizado por Henry Franzoni, sugiere que parte del problema se encuentra en la sospecha que tienen algunos investigadores de que Pie Grande parece poseer cierto tipo de sexto sentido paranormal, y tal vez otras habilidades sobrehumanas adicionales. ¿De que otra forma, nos podíamos preguntar, se las ha arreglado para evitar el contacto con el *homo sapiens* durante tanto tiempo?

En cuanto surge la cuestión de un sexto sentido, advierte Franzoni, los científicos ortodoxos empiezan a sentir miedo de profundizar en el fenómeno. Es probable que la razón de esto sea que tienen fuertes prejuicios que favorecen la filosofía mecanista de la ciencia que parece haber sido una influencia dominante a partir del siglo XVII, y el impacto imperecedero de René Descartes.

La obra el Dr. Rupert Sheldrake, que es profunda y al mismo tiempo muy fácil de leer, *Why Puzzling Powers of Animals have been Neglected (Por qué se han desatendido los poderes misterio-*

sos de los animales) declara que la biología académica ha heredado de la ciencia del siglo XVII una fe firme en el reduccionismo, una técnica para explicar sistemas complejos tomando partes más pequeñas y más simples de ellos. Por ejemplo, en una época se creía que los átomos formaban la base fundamental de todas las explicaciones físicas, pero la investigación subatómica reciente ha demostrado que los átomos en sí se pueden considerar modelos de vibración dentro de campos. Lo que prácticamente hace desaparecer los fundamentos de la ciencia materialista al estilo antiguo.

Karl Popper, el gran filósofo de la ciencia, ha dicho: "A través de la física moderna, el materialismo se ha superado a sí mismo". Lo que parece haber revolucionado la filosofía de la ciencia, en lo que concierne a la física, aún no ha conquistado al materialismo pertinaz que aún persiste en algunas áreas de la biología. Cómo declara el Dr. Sheldrake: "Los campos de investigación que son inherentemente holísticos tienen una categoría baja en la jerarquía de la ciencia".

Sin embargo existe otra filosofía biológica de la ciencia conocida como *vitalismo* que parece indicar que los organismos vivos *realmente* están vivos, mientras que las teorías mecanista y materialista los consideran meramente como algo inanimado y carente de alma.

Como el vitalismo admite la existencia de principios vitales desconocidos, sus seguidores tienden a aceptar posibilidades de fenómenos que no se pueden explicar con medios mecánicos. Los vitalistas se interesan en estudiar los poderes psíquicos de los seres humanos y los poderes misteriosos de los animales, como lo que parece ser el sexto sentido del "Sasquatch".

J. W. Burns trabajó durante muchos años como profesor entre los indígenas Chehalis del Río Harrison, cerca de los manantiales Harrison de aguas termales. Ha escuchado muchas narraciones sobre el "Sasquatch" de sus amigos Chehalis, no como enormes seres semihumanos parecidos a los simios, sino como una raza de gigantes dotada mágicamente: tenían ropa, fuego, armas, tecnología básica y vivían en aldeas. También tenían habilidades paranormales.

Esos seres habrían sido similares a los que aparecen en el informe de Union Town, Pennsylvania, publicado en un artículo que Stan Gordon presentó en el Simposio de OVNIs de 1974. Una mujer estaba sentada en casa viendo la televisión cuando se levantó a investigar un ruido extraño en el portal. Pensando que podía haber algo peligroso allá afuera, antes de salir tomó un rifle cargado. Cuando encendió la luz del portal y salió de la casa para mirar, vio una criatura de dos metros de altura, cubierta de pelaje y a sólo dos metros de donde ella estaba. La criatura levantó las manos sobre su cabeza, ella pensó que la iba a atacar y le disparó directamente al cuerpo. Hubo una luz repentina y la criatura simplemente se desvaneció: no hubo sangre, no apareció un cadáver, nada.

Tal vez sea poco amable sugerir que quizá los mecanistas lo son *porque* temen al vitalismo y sus implicaciones, pero con frecuencia parece que lo estuvieran. Como argumenta el Dr. Sheldrake, para ellos, el admitir la realidad de cualquier cosa misteriosa o mística en la vida, significaría abandonar su fe en las certezas alcanzadas tan arduamente por la ciencia.

Entonces, algunos fenómenos vergonzosos son atacados o ignorados, no porque no sean ortodoxos, porque sean falsos o ridículos, sino sólo porque no se conforman a la consoladora teoría mecanista que explica el universo y todo lo que contiene.

Sheldrake sostiene que se ha desarrollado una alternativa más amplia para la teoría mecanista en forma de una filosofía de la naturaleza que es holística u organísmica. El todo es *más* que la suma de sus partes. La naturaleza está compuesta por organismos, no por máquinas.

Con base en este fundamento filosófico-biológico más liberal, el "Sasquatch" y el Yeti, su primo del Himalaya, tienen una mejor oportunidad de salir a la luz.

Lakpa Sherpani, una joven de 19 años de edad, informó de un sorprendente encuentro en 1974. Dijo que su rebaño de yaks fue atacado por un yeti de poca estatura pero inmensamente poderoso, que mató a cinco yaks torciéndoles los cuernos y que a ella la golpeó dejándola inconsciente. El incidente ocurrió a una altitud de casi 5,000 metros en las cercanías del Monte Everest.

En 1957, el profesor V. K. Leontiev estaba en las montañas del Cáucaso cerca del nacimiento del Río Jurmut, cuando vio huellas extrañas en la nieve. Esa noche escuchó sonidos inexplicables y al día siguiente vio una criatura desconocida. La describió como de más de dos metros de altura y muy corpulenta. Su cuerpo estaba cubierto de pelo y caminaba erecta, sin tocar la tierra con las manos. El profesor se refirió a ella como Kaptar, el nombre que se le da en la localidad. Luego de que la criatura se fue, el profesor examinó las huellas con cuidado y las describió diciendo que eran distintas a las de cualquier animal con que jamás se hubiera topado antes.

En julio de 1924, un equipo de mineros fue atacado por un grupo de "Sasquatch" en el distrito del Río Lewis en el Monte Santa Elena, Washington. Los mineros habían escuchado sonidos aterradores por más de una semana antes de que los "Sasquatch" los atacaran. Vieron una extraña criatura de más de dos metros de altura y le dispararon, luego corrieron a su cabaña y se encerraron. Durante toda la noche, los "Sasquatch" lanzaron rocas a la cabaña y trataron de derribar la puerta, que se mantuvo firme a pesar de su enorme fuerza. Periodistas del *Portland Oregonian* fueron a investigar y encontraron huellas enormes alrededor de la cabaña de los mineros. Después del ataque, a ese lugar se le dio el nombre de "Ape Canyon" (Cañón de los Simios), y así se le conoce hasta nuestros días.

Ivan Wally, de Vancouver, iba conduciendo su camioneta por la autopista Trans-Canadá cerca del Río Thompson, tres o cuatro millas el este de Lytton. Era el atardecer del 20 de noviembre de 1969. Cuando su vehículo subió por la colina, vio una criatura en la carretera, delante de él. Tenía una altura aproximada de más de dos metros; sus piernas se veían largas en comparación con su cuerpo, e Ivan calculó que pesaba más de 300 libras. La criatura tenía todo el cuerpo cubierto de un pelaje corto de color marrón grisaceo. Al aproximársele la camioneta, la criatura se volvió para mirarla y levantó los brazos. Más tarde, Ivan dijo que su rostro le recordaba a un anciano demacrado. Algo en ella hizo que el perro de Ivan, que estaba en el asiento contiguo, se volviera medio loco de miedo o de furia, o tal vez de una combinacion de ambos. En ese momento, la criatura se alejó corriendo. Ivan condujo de regreso a Lytton donde informó del incidente a la RCMP, que lo tomó en serio y fue a buscar huellas. Por desgracia, como las huellas no se marcaron en la grava de la carretera, no encontraron ninguna.

Sería fácil llenar volúmenes de incidentes similares: cientos, tal vez miles de testigos sensatos y confiables de Canadá, Estados Unidos, Tíbet, Nepal, China y Rusia han informado una y otra vez haber visto extrañas criaturas parecidas a hombres muy corpulentos y cubiertos de pelo. ¿Qué podrían ser? Un número importante de informes indican que hay algo paranormal en ellos. ¿Son simplemente algún antropoide perfectamente normal y natural? De ser así, ¿por qué nunca encontramos sus restos? Tal vez sepulten a sus muertos. Tal vez busquen un paraje solitario y desolado, quizá una cueva oculta en las montañas, donde puedan morir con dignidad, en privado y en secreto, cuando sienten que se acerca su fin. La teoría más extraña es que tienen una enorme longevidad.

En el Valle Hunza, en lo alto del Himalaya, los habitantes humanos normales tienen una salud excepcional y larga vida, lo que posiblemente se puede atribuir al aire libre de contaminación y a una dieta rica en albaricoque y aceite de albaricoque. Si el "Sasquatch", el Yeti y sus parientes de las cordilleras de todo el mundo, también disfrutan del aire libre de contaminación que hay en esas altitudes, tal vez su vida sea mucho más larga que la nuestra.

Algunos investigadores suponen que podrían tener origen extraterrestre, lo que no se ha comprobado.

Es poco probable que el "Sasquatch" y sus parientes cercanos sean sólo un mito, una leyenda, un fraude o producto de la imaginación. Se han recibido tantos informes sobre estos enigmáticos gigantes cubiertos de pelo que simplemente *debe* haber algo o alguien allá arriba en las montañas, el mayor misterio sin resolver es *qué*.

EL MISTERIO DE LOS TEMPLARIOS DE SINCLAIR

Existe una gran posibilidad de que los Caballeros Templarios hayan traído un misterioso tesoro antiguo a Nueva Escocia

La familia Sinclair de Orkeney por mucho tiempo ha merecido la reputación de ser noble, valiente y hospitalaria. El personaje central de esta aventura de los Sinclair es uno de los mejores entre ellos: Henry Sinclair, el Navegante, amigo de los hermanos Zeno de Venecia, y el candidato más probable para el papel de Glooscap, el legendario héroe de los Micmac de Nueva Escocia.

Henry fue el hijo mayor de Sir William Sinclair, escrito también como St. Clair, y se deriva de una frase latina que significa *la santa luz*. Sus primeros ancestros habían sido noruegos y se les conocía como Møre. Habían controlado tierras alrededor de la costa de Noruega, y las Islas Orcadia y Caithness en Escocia. El famoso Conde Rognvald fue uno de ellos, y de él desciende Rolf, Duque de Normandía, antecesor de Guillermo el Conquistador.

Cuando nació Henry Sinclair, el Navegante, sus padres vivían a las orillas del Río Esk en el Castillo Rosslyn, que había sido construido en 1304. La misteriosa Capilla Rosslyn, que contiene parte de la más compleja simbología templaria y masónica del mundo, fue construida por otro Conde, William Sinclair, a mediados del siglo XV. En las bóvedas cerradas que se encuentran debajo de ella, yacen como dormidos los Caballeros Sinclair, aún con sus armaduras.

Henry Sinclair, el Navegante, nació en 1345 y se convirtió en el primer Sinclair que fue conde de Orcadas, por parte de su madre Isabel, hija de Malise, Conde de Strathearn, Caithness y Orcadas. Al morir su padre el 28 de mayo de 1344, entregó un documento sellado declarándola heredera de su Condado de Orcadas, a menos que hubiera algún heredero varón. No lo hubo. Este documento de vital importancia convirtió al joven Henry en conde de muchas islas, pero sujeto a que el rey de Noruega lo aceptara.

Quien fuera heredero de un condado de este tipo, tendría que gobernarlo navegando, y su habilidad marina sería tan importante para él como el uso de la espada o la habilidad para cabalgar.

Los famosos *Cuentos de Canterbury* de Chaucer contienen una descripción contemporánea de un caballero típico de este período:

Había un caballero, y era un hombre digno,
y desde el primer día que salió a cabalgar
fue caballeroso,
veraz y honorable. Era cortés con todos y
defensor de su libertad.
Luchó bien en las guerras de su Señor,
y cabalgó más lejos que ningún soldado a su servicio...
Más que en ninguna otra nación, había luchado en Prusia...
Nunca habló con maldad ni hizo nada malo
a nadie durante toda su vida.
Fue un ejemplo perfecto de lo que un caballero debe ser.

Sir William, padre de Henry, murió luchando valientemente junto a sus aliados prusianos en 1358, y es muy posible que haya conocido a Chaucer al pasar por Londres para tomar un barco hacia Prusia. ¿Fue Sir William Sinclair quien inspiró al antiguo poeta del Siglo XIV en su descripción del caballero en los *Cuentos de Canterbury*? Difícilmente habría encontrado un modelo mejor.

Después de la muerte de su padre en batalla, el joven Henry, siendo apenas un adolescente, tuvo que asumir grandes responsabilidades. Pero las responsabilidades siempre les han sentado bien a los Sinclair. Su abuelo, llamado tambien Sir William, había sido amigo leal y compañero de Sir James Douglas y murió luchando a su lado mientras trataban de cumplir su promesa de sepultar el corazón de Robert the Bruce en su sarcófago de plata en Tierra Santa.

También existían lazos muy fuertes y persistentes entre la familia Sinclair y los invencibles Caballeros Templarios.

El nombre completo en latín de los Templarios era *paupers commilitones Christi templique Salomonici:* Caballeros pobres de Cristo y del Templo de Salomón. Godfroi de St. Omer y Hugues de Payns, originarios de Borgoña fueron a Jerusalén en 1119 con el supuesto propósito de abandonar el mundo y vivir como una orden monástica en la probreza, castidad y obediencia. También declararon que tenían la intención de vigilar los caminos para que los peregrinos pudieran viajar sin peligro a los diversos templos y lugares sagrados. Baldwin II fue rey de Jerusalén de 1118 a 1131, y dio a los Templarios permiso de usar parte de su palacio. Su sede estaba muy cerca de la Mesquita al-Haska, comunmente llamada el Templo de Salomón, y de ahí tomaron su título.

El sobresaliente estudio de Graham Hancock, *The Sign and the Seal* (El signo y el sello), parece indicar que Godfroi, Hugues y sus compañeros guerreros tenían otros motivos para establecer su sede en ese lugar. Argumenta que un puñado de caballeros, sin importar lo poderosos que fueran en batalla, habrían sido una fuerza insignificante para proteger el camino de los peregrinos. Según Graham, Hugues y compañía estaban excavando en secreto el sitio donde supuestamente había estado el Templo de Salomón con la esperanza de encontrar secretos perdidos o un tesoro oculto.

Una de las teorías más probables relacionadas con Renes-le-Château es que el Padre Bérenger Saunière había adquirido deliberadamente el mantenimiento de esa remota y oscura montaña con el fin de poder buscar el tesoro perdido que creía estaba escondido ahí; de la misma manera que los Templarios habían tenido acceso a lo que estuviera sepultado bajo su sede en Jerusalén.

El misterioso Pilar del Aprendiz en la Capilla Rosslyn de los Templarios, se dice que fue esculpido por un artesano de las Islas Orcadas de Sinclair.

Cualesquiera que hayan sido en realidad los descubrimientos extraños y esotéricos de los Templarios, no hay duda de que también adquirieron grandes riquezas durante el período de su dominio.

Sin embargo, su gran Orden fue víctima del desastre en 1307 cuando el ambicioso y malvado Felipe V, que irónicamente ha sido llamado *Philip le Bel*, se puso en su contra. Sin embargo, no todos los Templarios sucumbieron. A lo largo de los años, pequeños grupos de sus guerreros más valientes se abrieron camino a través de los dominios de Felipe y finalmente llegaron a Orcadas, donde Henry Sinclair les recibió con cordialidad y les ayudó con generosidad.

Además de sus habilidades militares, su destreza en la construcción de iglesias y sus hazañas guerreras, los Templarios eran también expertos como marinos y navegantes. Por lo tanto, Henry pudo combinar tres grandes tradiciones naúticas al consultar a los Templarios y también a sus colegas venecianos, los hermanos Zeno.

Esta familia Zen, conocida también como Zenone o Zeno en italiano, y como Geno o Genus en latín, había estado en Venecia desde su fundación. Estuvieron antes en Bizancio y su antepasado, el gran Zeno de Alejandría, fue quien creó la famosa paradoja matemática de la carrera mítica entre Aquiles y la tortuga.

La Capilla de Roslin o Rosslyn, bajo la que yacen Caballeros Templarios, sepultados en una bóveda sellada.

Se le dieron a la tortuga 100 pasos de ventaja. A la cuenta de 10, Aquiles pudo cubrir esa distancia con facilidad, pero la tortuga sólo había podido avanzar cinco pasos. La paradoja argumenta que cada vez que Aquiles llegaba al lugar donde *estaba* la tortuga, esta había avanzado la vigésima parte de la distancia que había avanzado Aquiles, y por lo tanto siempre estaba adelante de él, aunque la distancia entre ellos llegara a ser muy pequeña. Ese tipo de problemas matemáticos fue un antecedente familiar ideal para los descendientes de Zeno que estaban destinados a convertirse en unos de los mejores navegantes del siglo XIV.

Hasta que los Templarios y otras órdenes militares construyeron sus propias flotas, los peregrinos y soldados que iban al este del Mediterráneo rentaban los resistentes barcos venecianos con sus hábiles marinos.

Carlo Zen fue un prominente y poderoso estadista veneciano a finales del siglo XIV, y tenía dos hermanos, ambos capitanes expertos y hábiles navegantes. Ellos dos, Nicolò y Antonio, salieron del Mediterráneo y navegaron a los fríos mares de Sinclair en el norte. La gran pregunta que surge aquí es por qué se pudo prescindir de dos capitanes tan importantes para que navegaran al norte en épocas tan turbulentas donde cada marino veneciano era necesario en los mares cercanos a Venecia. Es una pregunta aterradora que ensombrece tanto la *Narración Zeno* como el *Mapa Zeno*, que no se publicaron hasta el siglo XVI. Sin embargo, existe una respuesta razonable.

Los Templarios, los cruzados y los peregrinos sabían que los musulmanes habían perdido el reino de Jerusalén y el acceso de los cristianos a los santuarios más sagrados para el futuro predecible. La dedicación y el idealismo de los sacerdotes guerreros de las órdenes militares, y en especial, de los Templarios, empezaron a enfocarse a una Nueva Jerusalén, una Nueva Tierra Santa, hacia el norte y el occidente. Abundaban relatos oscuros de dicha tierra, y cada vez que se narraban tendían a exagerarse y a volverse más sensacionales.

El sueño del Reino Cristiano de Jerusalén se estaba reemplazando lenta pero seguramente por el sueño de una Nueva Jerusalén situada lejos, hacia el noreste, más allá de los Pilares de Hércules y al otro lado de las vastas y peligrosas aguas del Océano Atlántico.

Ahora los tres cordones se entrelazan con fuerza: Henry Sinclair, el Navegante, Conde de Orcadas, muestra total simpatía con las esperanzas y aspiraciones de sus protegidos Templarios. Ellos han rescatado algo infinitamente precioso de los tesoros de su Orden y desean esconderlo en una tierra nueva, lejos del alcance de los sucesores de Felipe le Bel y sus otros enemigos europeos. Los hermanos Zeno desean compartir sus conocimientos de navegación y adquirir conocimientos adicionales por parte de Sinclair y sus Templarios. También quieren encontrar la Nueva Jerusalén al otro lado del Atlántico. Quieren expandir su conocimiento de las rutas marinas del mundo. Venecia sobrevivía gracias al comercio; así que, entre otras cosas, los hermanos Zeno esperaban encontrar nuevas oportunidades de comercio entre los habitantes de las tierras extrañas, que pudieran descubrir en el lejano occidente.

Sarcófago de piedra de un Caballero Templario del siglo XIII en la Capilla Rosslyn, cerca de Edimburgo, Escocia.

Los Templarios iban con la misión de ocultar *algo* de inmenso valor e importancia, que alguna vez fue un componente central de sus tesoros. Sinclair quería aumentar sus conocimientos de navegación y ayudar a sus amigos Templarios. Los hermanos Zeno querían descubrir lo que la Nueva Jerusalén les ofrecería en cuanto a un mayor potencial comercial para su amada Venecia.

La expedición salió y cruzó el Atlántico con éxito, desembarcó en Nueva Escocia, y permaneció ahí por uno o dos años. En ese año surgieron las fascinantes tradiciones culturales Micmac, sobre su gran dios bueno, Glooscap.

En términos generales, Glooscap es una figura similar a Hiawatha, un maestro sabio y bondadoso que enseña a su pueblo a mejorar la calidad física de su vida mejorando su dieta, y a mejorar sus cualidades culturales y espirituales al comportarse en forma ética unos con otros.

Existe evidencia arqueológica de que hubo cambios repentinos e importantes en la dieta de los Micmac más o menos a fines del siglo XIV. Antes de eso, el pescado había sido una porción mínima de su dieta. De pronto se convirtió en una parte muy importante de ella. El relato Micmac sobre Glooscap dice cómo le enseñó a la gente a hacer redes y usarlas para atrapar cantidades de peces mucho mayores que antes.

Entre las máximas y aforismos que dejó Glooscap tenemos:

Nunca hables para alabarte.
Escucha con cuidado y piensa mucho
todo lo que se te dice.
Controla tu carácter.
El punto central de la Ley es que te ocupes sólo de controlar tu propia vida: no interfieras con la vida y felicidad de otros.

Quienes lo conocieron, se expresaron favorablemente de él. Algunos lo describieron como "sobrio, serio y bueno". Otros sentían que "podía ver dentro del corazón, podía ver la mente de los hombres y leer su pensamiento".

Los Micmac decían que Glooscap era un gran rey o príncipe en su propia tierra y que había navegado los mares. Cuentan que les dijo que su hogar estaba en una ciudad o isla muy lejana, y que había llegado a su país pasando por Terranova.

Las tradiciones Micmac cuentan que Glooscap los encontró por primera vez en Pictou. Su arma era una "filosa espada", lo que parece indicar que llegó a Nueva Escocia antes de que las armas de fuego fuera comunes o eficaces. Al responder las preguntas de los Micmac sobre su familia, Glooscap les dijo que tenía tres hijas. Como lo admiraban tanto, los jóvenes jefes Micmac estaban más interesados en saber algo sobre sus hijas que sobre sus hijos, ya que tenían esperanzas de desposarlas y llegar a ser parte de su familia. Cuentan las leyendas que Glooscap era un explorador entusiasta, que permaneció en Nueva Escocia sólo durante una larga estación invernal, y que se alejó navegando cuando mejoró el clima.

Esta narración Micmac relacionada con Glooscap, se enlaza muy de cerca con lo que se sabe sobre el viaje de Henry Sinclair en 1398. Sinclair tenía tres hijas: Elizabeth, Mary y Jean. Sinclear llegó por Terranova y desembarcó en Pictou. Su hogar estaba en una población de Orcadas. Glooscap les dijo a los Micmac que regresaría algún día. Sinclair era un hombre de palabra, pero Glooscap nunca regresó. ¿Qué sucedió?

En el verano de 1400, Enrique IV de Inglaterra invadió Escocia, y parte de su flota atacó Orcadas. Utilizando Scapa Flow como protección natural, los barcos del Rey se acercaron a Kirkswall y sus hombres desembarcaron ocultos en la oscuridad. Las noticias llegaron a Henry Sinclair, que se enfureció al saber que su Condado estaba siendo invadido. Impetuosamente, decidió contraatacar de inmediato, en lugar de esperar prudentemente a que el ataque de los ingleses fracasara al llegar a los fuertes muros de su castillo. Un relato contemporáneo describe cómo Sinclair fue vencido totalmente y fue muerto a causa de su desventaja ante el atacante inglés. Por consiguiente, Glooscap nunca tuvo oportunidad de cumplir su promesa y regresar con sus amigos Micmac.

Hay una observación interesante en un relato donde Glooscap ayuda a Mikmwesu. Después de que este joven y su amigo han tenido muchas aventuras en una canoa especial "semejante a una isla" que les prestó Glooscap, regresan a verlo para darle las gracias por su ayuda. Él sonríe y les dice que ya conoce todas sus aventuras porque tiene un poder especial de *ver*. Después, al final del relato, dice: *"Si alguna vez me necesitan, piensen en mí y vendré"*.

Suponiendo que Henry Sinclair, el navegante y amigo de los Templarios, fuera Glooscap, y que regresó a casa después de una corta estancia en Nueva Escocia, ¿que pasó con los refugiados Templarios que trajo consigo? Algunos pudieron regresar con él, por supuesto, pero otros pudieron quedarse para realizar otra tarea. La bondad de Glooscap (o Sinclair) y sus poderes carismáticos de liderazgo causaron una fuerte impresión positiva en los Micmac.

Sus amigos Templarios habrían sido recibidos entre ellos en su nombre. ¿Qué pudo convencer a los Templarios para que permanecieran en Nueva Escocia? Supongamos que tenían la intención de trabajar en su gran proyecto de ocultar su inapreciable tesoro de tal manera que ningún enemigo pudiera recuperarlo jamás. Los Templarios que se quedaron a trabajar en Nueva Escocia confiaban en Sinclair. Si él les hubiera dicho que regresaría por ellos dentro de uno o dos años, eso haría; o como su galante antecesor que prometió sepultar el corazón de Robert the Bruce, moriría en el intento. Sus esperanzas de rescate murieron con Henry en Kirkwall. ¿Qué ocultaron esos invencibles y dedicados Templarios? ¿Será posible que sea el Pozo de Dinero de Oak Island con su defensa impenetrable de túneles que se inundan? ¿Y qué fue de ellos después? Los Micmac son un pueblo atractivo y amigable: los Templarios, habiendo llevado a cabo su gran misión y sin esperanzas de regresar jamás a Escocia, ¿abandonarían sus votos de castidad y se casarían con mujeres Micmac? ¿Algo de su antigua y orgullosa sangre escocesa Templaria corre aún por las venas de la gente de Nueva Escocia hoy en día?

EL ENIGMA DE RENNES-LE-CHÂTEAU

Hace un siglo, un sacerdote francés, al parecer de pocos recursos, descubrió un secreto asombroso que lo hizo inmensamente rico.

Rennes-le-Château es una pequeña aldea construida sobre una colina en el suroeste de Francia, que descansa en las laderas de los Pirineos. En la actualidad, hay unas cuantas tiendas y restaurantes; un pequeño museo; el antiguo Château Hautpoul que pertenece a Monsieur Fatin, el escultor, y su hermana; la antigua y misteriosa iglesia de Santa María Magdalena, donde aún podrían estar enterrados muchos secretos perdidos; una solitaria torre vigía con una puerta de acero; y la imponente Villa Betania, que fue propiedad de Bérenger Saunière y su ama de llaves, Marie Dénarnaud.

Rennes-le Château presenta tres preguntas intrigantes: la primera, *¿dónde* encontraron Bérenger y Marie el dinero para hacer todo lo que hicieron en la aldea de 1885 a 1917, muriendo él en lo que se dice fueron circunstancias siniestras? Un segundo enigma, aún mayor, es la desconocida fuente de la misteriosa riqueza que ellos descubrieron. La tercera pregunta, y la más importante de todas es: *¿Dónde está ahora?*

Existen por lo menos diez teorías importantes relacionadas con los orígenes de la repentina riqueza de Saunière. Algunos investigadores creen que se puede explicar mediante donativos anónimos, la venta de misas, o simplemente por recibir dinero de visitantes, peregrinos y feligreses agradecidos. Pero incluso después de realizar auditorías a todos los libros de contabilidad de Saunière y escudriñar todos los documentos legales relacionados con las violentas batallas de Saunière con el displicente y obsesivamente burocrático Obispo Beauséjour, parece haber un vacío importante de credibilidad. Llevando el argumento a su nivel más fundamental: *Saunière parece haber gastado mucho más dinero de lo que pudo recibir como supuestos regalos y pagos por misas.* De manera que si esa primera "explicación" fundamental de la fortuna de Saunière y sus enormes gastos, basada en el sentido común, no es adecuada, ¿de qué otra manera se podría explicar su innegable y visible poder para gastar? Desde los tiempos del Nuevo Testamento, quienes se oponen al Cristianismo han tratado de desacreditar la resurrección de Cristo, aunque hasta la fecha no han tenido éxito. Hace dos mil años, el Sumo Sacerdote y sus secuaces incluso trataron de sobornar a los guardias romanos para que testificaran que los discípulos de Jesucristo habían robado el cuerpo del sepulcro de piedra, mientras los soldados dormían cuando deberían haber estado vigilando.

Esta antiquísima y muy deteriorada pista falsa se ha revivido, disfrazada con mostaza del sur de Francia; oculta tras el camuflaje de curry oriental; disfrazada bajo el barniz de especies sintéticas contemporáneas y seudocientíficas; sazonada con sabores arómaticos y luego se ha exportado con presteza a Rennes-le-Château.

Existen algunas variantes extrañas de esta hipótesis que son por completo insostenibles. Pero, en esencia, proponen que Jesús se casó en secreto con María Magdalena y finalmente huyó con ella y sus hijos al sur de Francia, donde sus descendientes llegaron a ser parte de la Dinastía Merovingia. Se argumenta que Jesucristo se recuperó después de la crucificción o permitió que otro muriera en su lugar; Simón de Cirene es el candidato favorito para este altruista y poco envidiable papel.

Las ruinas del Château Hautpoul en Rennes-le-Château. Una torre es llamada "La Torre de la Alquimia".

Además se dice que dos milenios más tarde Saunière encontró cierta "evidencia" condenatoria, contraria a la resurrección, oculta en Rennes o cerca de ahí. Quienes proponen esta idea parecen implicar que se trata del cuerpo momificado de Jesucristo; cuidadosamente identificado, por supuesto, ya que un meticuloso embalsamador del gobierno Franco del Siglo I lo verificó como auténtico. Por supuesto, podríamos preguntar: ¿Existen actas de nacimiento, matrimonio y defunción de Jesucristo, testificadas por Pedro, Santiago y Juan, y luego firmadas por el Rabi de la localidad y un respetable notario público romano?

Después, la teoría sugiere que Saunière de inmediato utilizó lo que encontró para chantajear a la Iglesia. Todo esto se hunde con más rapidez que el Titanic cuando choca con el inconveniente iceberg de los hechos.

Es obvio que la evidencia histórica hace polvo incluso los restos de un barco hundido. Si los discípulos y la iglesia primitiva hubieran tenido la menor duda de que Jesús en realidad fuera quien dijo ser, y de que realmente hubiera resucitado de entre los muertos, nunca se habrían enfrentado a la persecusión y a la muerte por su fe. Un hombre o una mujer valientes están dispuestos a morir por la verdad, o por una persona muy querida. Nadie muere a sabiendas por una mentira.

Después tenemos la *personalidad* de Jesús mismo: brilla en forma radiante pero realista a través de todos los relatos contemporáneos que contienen los Evangelios, los Actos de los Apóstoles y las Epístolas. Este Dios hecho Hombre generoso y dedicado tenía un valor inmenso y los principios morales más altos. Nunca se habría dado por vencido. Nunca habría permitido que otro muriera en su lugar mientras él escapaba deshonrosamente a Francia.

Es históricamente posible (pero tal vez poco probable) que María Magdalena, María de Betania y "la mujer pecadora" que ungió los pies de Jesucristo con perfume y lágrimas y luego los secó con su cabello, sean la misma persona, y que *esa mujer se haya casado con Jesucristo.* También pudo haber sido "la mujer adúltera" que los enemigos de Jesús le presentaron para ver si cumplía con la antigua ley de Moisés que decía que se le debía lapidar, o en lugar de eso decidía obedecer la ley romana vigente en esa época que prohibía la pena de muerte sin el permiso de Roma. Era una situacion imposible para él. Cualquier respuesta le habría traído un decidido fracaso socio-político. Sin embargo, habría sido mucho peor para él si sus enemigos hubieran descubierto a *su amada esposa* en el acto de adulterio, y con cinismo se la hubieran presentado para que él emitiera un juicio.

La intensa misión pública de Jesucristo no le habría dejado tiempo para ser un amoroso y atento esposo y padre. Y este es el argumento más poderoso (y el único aceptable) de que nunca se haya casado. Pero, ¿qué tal si hubiera sido su amada esposa, María Magdalena o María de Betania, la que estaba ahora en manos de estos puritanos hostiles e hipócritas, esperando a sus pies un juicio de vida o muerte? Supongamos por un instante que sus comprensibles sentimientos humanos de soledad y descuido la hubieran llevado a una relación adúltera casi fatalmente desastroza.

La comprensión total de Jesucristo y su perdón inmediato; su habilidad para hacer a un lado a quienes querían ser sus verdugos, con la inolvidable frase: *"El que esté libre de culpa lance sobre ella la primera piedra"*... Todos estos factores harían muy lógico que después ella le embalsamara los pies y derramara lágrimas de gratitud.

Y además, si ellos *hubiesen* estado casados, ¿sería por una iniciativa de Jesús, su precavida disposición por el futuro de su familia, que ella después se llevó a sus hijos a la relativa seguridad del suroeste de Francia después de su crucificción y resurrección? Después de todo, María *fue* la primera persona que lo vio vivo en el jardín. ¿Fue esa afirmación realmente milagrosa y esa especial despedida terrenal el privilegio único de una amante esposa?

Otro momento de reflexión hace surgir varias preguntas sobre la *naturaleza* de la evidencia que encontró el osado y aventurero sacerdote de la aldea, y con la cual "supuestamente chantajeó a la Iglesia".

Habría sido muy fácil para quienes se oponían al Cristianismo proclamar que casi cualquier cuerpo masculino crucificado, de aproximadamente la misma estatura y edad era el cuerpo de Jesús. Si Saunière sólo hubiera presentado unos restos mortales mal preservados *implicando* que se trataba del cuerpo de Jesucristo, eso no habría constituido ninguna prueba. Los registros de los investigadores de seguros contienen muchos reclamos fraudulentos que se basan en la esperanza de que el cuerpo en cuestión no pueda ser identificado. Saunière no pudo haber encontrado "pruebas" contundentes de que la resurrección de Cristo nunca ocurrió *simplemente porque dicha prueba no podría existir.*

El displicente Obispo Beauséjour y sus superiores tenían sus faltas, pero no eran tontos. Habría sido mil veces más fácil y un millón de veces más barato para las autoridades eclesiásticas rebatir las demandas insustanciales de Saunière que someterse al chantaje. En la escala de probabilidades, es infinitamente más probable que se descubriera el cuerpo momificado del Pato Donald en Rennes y no que el cuerpo de Jesús estuviera escondido ahí.

El hecho de que Saunière haya usado el chantaje es también otra teoría que se presenta de vez en cuando. Algunos investigadores sugieren que traicionó el Secreto de la Confesión e hizo que algunos penitentes ricos, pero indiscretos, pagaran caro por su mala conducta del pasado. Admitimos que es una posibilidad, pero no encaja con lo que sabemos del *carácter* de Saunière, después de veinte años de investigación. El perfil es totalmente erróneo.

Saunière surge como un hombre extravagante, ambicioso y resuelto. Era física y mentalmente poderoso, independiente, sin temores y poco convencional. Si se le hubiera provocado o amenazado lo suficiente, podía haber matado a su oponente de manera impulsiva, como Moisés derribó al capataz egipcio que estaba maltratando a un esclavo hebreo.

Saunière era también romántico y valeroso: fácilmente pudo sucumbir al atractivo de Marie Dénarnaud, su joven y casadera ama de llaves, o entregarse a una aventura amorosa con Emma Calvé, la sofisticada estrella de la ópera, como lo han sugerido algunos investigadores. Pero los pecados característicos de Saunière habrían sido los impetuosos y comprensibles pecados de la carne, no los pecados despreciables, crueles, calculadores y premeditados de un chantajista profesional sin corazón.

Una posibilidad mucho más fuerte es que Bérenger encontró un tesoro o algún extraño secreto de la antiguedad que hizo posible que *creara* una fortuna. Aunque en la actualidad Rennes sólo es una pequeña aldea en la cumbre de una colina, existe evidencia de que alguna vez fue una importante ciudadela visigoda, defendida por una guardia de 2,000 hombres.

Existe una gran cantidad de posibles fuentes de un tesoro. Los visigodos saquearon Roma en el año 410. ¿Dónde si no esconder lo mejor de su botín romano que en su propia ciudadela de Rennes? Los Templarios tenían fuertes en el área, y cuando su galante Orden fue vencida por el Rey Felipe le Bel en 1307, es posible, e incluso probable, que un tesoro Templario se haya ocultado en Rennes o en sus cercanías: tal vez incluso en la antigua iglesia de Santa María Magdalena o debajo de ella.

Rostros misteriosos grabados en la pared de una antigua casa en Rennes-le-Château. ¿Su simbolismo en clave proporciona información sobre el tesoro?

La casi impenetrable fortaleza de Cathar de Montségur fue derrotada por los Cruzados Católicos en 1244, pero justo antes de que el desastre final abrumara a quienes la defendían, cuatro de sus mejores montañistas descendieron por el precipicio, que está bajo la fortaleza, llevando consigo "los tesoros de su fe", que se describen en los registros latinos de la Inquisición como "pecuniam infinitam", literalmente *dinero infinito o ilimitado.* ¿Esos montañistas temerarios y fanáticos escondieron su preciado secreto en algún lugar cerca de Rennes? ¿Fue eso lo que Saunière encontró seis siglos después?

Había antiguas minas de oro cerca de Rennes, y existen extrañas leyendas medievales de *cierto* fundamento real, que hablan de grupos de trabajadores que laboraban en *algo,* en una parte del laberinto subterráneo de piedra caliza cerca de la aldea.

También está la persistente leyenda semi-histórica del desafortunado pastorcillo, Ignace Paris. Buscando una oveja perdida, Ignace entró tras ella a una grieta en la piedra caliza y encontró un túnel. Lo siguió y descubrió una cueva donde había esqueletos con armaduras entre grandes cofres llenos de monedas de oro. Casi sin creer su buena fortuna, Ignace puso tanto oro como pudo en sus túnicas y regresó a Rennes para decir a sus amigos y vecinos lo que había encontrado. Minutos después el Señor del lugar estaba ahí. Atacó al muchacho con furia, hizo caso omiso de toda explicación y lo colgó como ladrón *antes de que pudiera revelar la ubicación exacta del tesoro.* La teoría del tesoro enterrado ciertamente tiene mucho a su favor.

Otro aspecto de la hipótesis del tesoro escondido se relaciona con ciertos pergaminos secretos que se cree descubrió Saunière. Existen dos versiones contradictorias de su descubrimiento. En la primera, una acaudalada benefactora llegó a Rennes poco después de que Saunière fuera nombrado párroco. Ella ofreció pagar cierto trabajo de restauración. La antigua iglesia se había descuidado durante siglos. Le faltaban ventanas, el techo tenía goteras, el altar se estaba cayendo. Bérenguer le pidió unos cuantos francos para enderezar el altar. Según esta versión, un pilar visigodo hueco contenía unos pergaminos en latín y griego, escritos en clave. Los albañiles que los descubrieron se los llevaron directamente al párroco. Minutos después entró a la iglesia y les dijo que dejaran de trabajar y que los mandaría llamar de nuevo cuando los necesitara. El primer manuscrito era corto y fácil de entender: ciertas letras estaban un poco elevadas y decían: *"A Dagobert II roi et a Sion est ce tresor et il est la mort".* (Que se traduce literalmente como: Para Dagoberto II y para Sion es este tesoro y él está muerto allá.) ¿Qué significaba? Sion fue una vez la ciudadela del Rey David en Jerusalén, o la clave podía referirse a una supuesta sociedad secreta conocida como *El priorato de Sion.* Se dice que Dagoberto II fue un antiguo rey francés de la línea Merovingia. ¿Se enterró algo valioso con él, o tal vez en un escondite secreto en Jerusalén debajo del Templo de Salomón, donde los primeros Caballeros Templarios tenían su sede en la época del Rey Baldwin?

Quizá el misterioso Priorato de Sion lo había escondido en la zona de Rennes. ¿O *il est la morte* significa "Es la muerte"? ¿El pergamino indicaba no tanto que el tesoro estuviera en la tumba real de Dagoberto II, sino como el legendario tesoro de Tutankhamen, que traería muerte y destrucción a quienes trataran de tomarlo? ¿Fue la maldición del tesoro lo que mató a Ignace Paris?

La teoría más intrigante, sin embargo, lleva el misterio de Rennes muy atrás en la niebla del tiempo. La brillante investigación de Graham Hancock y sus convincentes argumentos que se encuentran en *Fingerprints of the Gods* (Huellas digitales de los dioses), y otros de sus excelentes libros y artículos, se relaciona con este tipo de misterios y con la ubicación del Arca de la Alianza, y proporcionan evidencia sustancial de la existencia de una civilización muy culta y tecnológicamente competente, que pudo haber florecido hace aproximadamente 15,000 años en lo que actualmente es el continente de Antártida, hoy cubierto de hielo. Es posible que existan rastros de ellos esperando que se les descubra debajo de esa formidable capa de hielo. Al sobrevenir el hielo, podemos imaginar a un grupo de colonos bien equipados avanzando hacia el norte rumbo al calor y seguridad del este de África, Egipto y el Golfo.

Si Hancock está en lo correcto, la tecnología que trajeron consigo pudo bien ser responsable de la creación de la Esfinge, milenios antes de que subieran al poder los faraones a quienes la atribuyen los egiptólogos.

El tiempo pasa. La *gente misteriosa del lejano sur* se une en matrimonio y se mezcla con los pueblos de Egipto y el noreste de África. La jerarquía interna de los sacerdotes y cortesanos egipcios, a cuyos rangos estaba destinado a pertenecer Moisés, preserva cuidadosamente algunos de sus grandes secretos culturales y tecnológicos. Bajo el liderazgo de Moisés, se inició el gran Éxodo de los hebreos. Cuando Moisés se marchó, se llevó consigo *algo* de gran importancia.

Al principio, el Faraón está feliz de haberse librado de "una nación dentro de otra nación", pero de pronto se da cuenta de que este *algo* vital se fue con Moisés. ¿Este descubrimiento traumático explica por qué mandó a sus mejores hombres a recuperar este *objeto* misterioso e infinitamente precioso a toda costa, arriesgando un desastre militar al cruzar el peligroso fondo del mar para recuperarlo?

Este *objeto* misterioso acompaña a los hebreos en su peregrinar. Tal vez haya estado dentro de su Arca Sagrada junto a las Tablas de la Ley del Sinaí. Después lo protegen en su tabernáculo y luego en el Templo de Salomón. Pasan siglos. Los invasores vienen y se van. ¿Se lo llevaron los romanos y los conquistadores visigodos, encabezados por Alaric, a la seguridad de su remota ciudadela en Rennes-le-Château? ¿O está en dos o más partes, y al menos una de ellas permanece oculta en un lugar secreto bajo las ruinas del Templo de Salomón? ¿Fue eso lo que los Caballeros Templarios encontraron cuando excavaron ese lugar? ¿Lo trajeron a alguna de sus comandancias Templarias cerca de Rennes? ¿Y Saunière logró encontrar y volver a unir esas partes después de tantos siglos de estar separadas? ¿Fue ese el secreto que aprendió de los manuscritos?

Además, ¿qué revelaban los manuscritos más largos con claves mucho más difíciles? Esto está rodeado en la actualidad por la controversia más feroz, pero empezaremos *suponiendo* que los manuscritos son antiguos y genuinos, con el fin de aclarar el relato básico. Sólo el proceso para descifrar la clave es, por derecho propio, un misterio sin resolver. El criptógrafo debe empezar encontrando 128 letras que no pertenecen al resto del texto. Se les debe extender en forma sistemática en dos tableros de ajedrez. El siguiente paso es usar esas letras como *mors epée* (que se traduce como "espada de la muerte") como clave de otro proceso para descifrar que se llama la Tableau Vigenère. Aquí los alfabetos, cada uno empezando con una letra distinta, se arreglan en forma de cuadrado, y se selecciona uno o el otro utilizando las letras de las palabras clave *mort epée.* Para resolver las claves laberínticas del pergamino más largo, se necesitan otros cambios alfabéticos, y finalmente emerge el mensaje, sin acentos ni puntuación, debido al proceso para descifrarlo:

Bergere pas de tentation que poussin teniers gardent la clef pax dclxxxi par la croix et ce cheval de dieux jacheve ce daemon de gardien a midi pommes bleues.

La traducción literal es: "Pastora sin tentación de lo que Pousin y Teniers tienen la clave de paz 681 cerca de la cruz y este jinete de Dios ha conquistado el demonio guardián al medio día de manzanas azules."

Ahora el investigador se enfrenta a docenas de posibilidades. Está la pastora en el centro de la famosa pintura de Nicholas Poussin, artista famoso del siglo XVII. Está de pie con tres pastores junto a una tumba en un paisaje extraño, un paisaje que sólo *podría* estar cerca de Rennes-le Château. Una réplica de esa misma tumba y los personajes que la rodean se encuentra en Shugborough Hall

a casa donde nació Bérenguer Saunière, el sacerdote buscador de tesoros, en Couiza ontazels, justo frente al valle de Rennes-le-Château.

en Staffordshire, Reino Unido; los libros se refieren a ella como el Monumento de los Pastores. Hay una interesante inscripción en la piedra que está debajo de esta reproducción. Las letras son: D. O. U. O. S. V. A. V. V. M. La primera y la última letras están abajo de las demás y hay un punto, como un punto decimal, colocado entre letra y letra. Al paso de los años se han propuesto diversas sugerencias relacionadas con su significado, pero hasta la fecha no se ha dado una solución definitiva al acertijo de Shugborough.

La gran mansión de Staffordshire perteneció alguna vez a los Anson, y uno de los más antiguos fue contemporáneo del misterioso Francis Bacon, quien en ocasiones se ha dicho ser el verdadero autor de las obras que se atribuyen a Shakespeare. Francis Bacon tenía un hermano llamado Anthony que trabajaba en Francia para la inteligencia de la Reina Isabel I. Los hermanos Bacon tenían una relación muy cercana. Al parecer, también pertenecían a grupos marginales de dos sociedades secretas del siglo XVII. ¿Existía en esa época el misterioso Priorato de Sion? ¿Sabía éste algo importante sobre el tesoro de Rennes, y lo consiguieron los hermanos Bacon?

El misterioso aventurero, el Almirante George Anson (1697 - 1762) visitaba con frecuencia la casa de la familia en Shugborough. Navegaba alrededor del mundo y regresaba con suficiente oro para pagar la deuda nacional si lo hubiera deseado. ¿Ese oro era en realidad producto de asaltos a los españoles, o la fuente de la enorme riqueza de George era algo más antiguo y más siniestro? Existen lazos entre el misterio de Rennes y el igualmente intrigante acertijo de Oak Island en Nueva Escocia. ¿La información en clave de Rennes, que llegó a él a través de sus ancestros Anson y sus amigos los Bacon, ayudó a George a explotar *algo* de enorme valor que estaba oculto en Oak Island?

Las intrigas continentales que involucraron a los hermanos Bacon nos recuerdan a otros hermanos famosos, los Fouquet, que tenían una ocupación similar. Nicolás, el mayor, fue Ministro de Francia durante el reinado del excepcionalmente poderoso y exitoso Luis XIV, "el Rey Sol". En la cúspide de su inmenso poder, parecía no haber casi nada que Luis no pudiera lograr, y sin embargo muchos decían que en esa época Nicolás Fouquet era el *verdadero* poder en Francia.

Una carta que su hermano menor le escribió nos dice cómo conoció al pintor Nicolás Poussin en Roma, y que Poussin tenía un secreto extraordinario que estaba dispuesto a compartir con los hermanos Fouquet. Poco después, el mayor de los Fouquet perdió su puesto y fue reemplazado por el odioso Colbert. Luis XIV adquirió la extraña pintura de Poussin, Los Pastores de Arcadia, con mensajes en clave y la conserva en sus apartamentos reales de Versalles. ¿Existe la remota posibilidad de que el mayor de los Fouquet fuera el desafortunado hombre de la máscara de hierro? Es difícil entender por qué Luis mantuvo con vida a este famoso prisionero, a menos de que, sea quien fuere, haya tenido un secreto vital que Luis deseaba con desesperación. Supongamos que el hombre de la máscara de hierro *fuera* Fouquet. Luis no se atrevía a dejarlo ir o arriesgarse a que se comunicara con sus muchos amigos poderosos. Si Luis hubiese creído que el secreto que Fouquet había escuchado de Poussin le proporcionaría suficiente poder para amenazar a Luis y a su trono, lo natural habría sido que le quitara la vida, por supuesto. Pero si lo hubiera hecho, Luis sabía que nunca tendría acceso al secreto que tanto deseaba. De ahí, que por una parte tengamos el inexplicable y largo alejamiento del rey y el gobernador de la prisión en quien tanto confiaba, y por otra, el misterioso prisionero (¿Fouquet?). El prisionero, políticamente astuto, sabe que una vez que le entregue al rey la información que desea, su única recompensa será la muerte. Luis sabe que el prisionero enmascarado es su única ruta a un gran secreto que desea controlar con desesperación. Si le quita la vida al enmascarado, sacrifica toda oportunidad de conocer el secreto.

Cuanto más extrañas y descabelladas son las teorías sobre Rennes, parecen volverse más intrigantes. Una torre en las ruinas del Château Houtpoul, que le da su nombre a Rennes, es llamada

La Torre de la Alquimia. Los que ahora viven ahí, la familia Fatin, amablemente nos mostraron su histórica casa. El Sr. Fatin, un escultor talentoso, tiene la teoría de que todo Rennes de Château es un gran monumento a un rey muerto hace mucho o a algún gran líder guerrero de la antiguedad. Los diagramas de la aldea, hábilmente dibujados por él, ciertamente muestran el bosquejo de lo que bien pudo ser la clásica *Nave de los Muertos.* Elizabeth van Buren, descendiente del Presidente van Buren de los Estados Unidos, ha vivido en esa zona y ha estudiado el misterio de Rennes por muchos años. Es una persona físicamente sensible y muy perceptiva, y considera la misteriosa aldea y sus alrededores como "una puerta a lo invisible", y podría tener razón. Sus teorías incluyen la idea de que hay un enorme zodiaco en la tierra debajo de Rennes y sus alrededores. Según su investigación parece posible que el Rey Arturo y los Bretones estén bajo esta enigmática aldea francesa.

Otras teorías incluyen la idea de que un pentágono "mágico", formado en forma natural por varios hitos de Rennes, ha convertido la zona en un lugar especialmente potente para que funcionen los "encantamientos".

Bremma Howells, que escribe excelentes libros eruditos bajo el pseudónimo de Rosie Malone, es una reconocida experta en magia, paganismo y religiones antiguas. Ha investigado cuidadosamente la hipótesis de que Saunière y Marie Dérarnaud estuvieran practicando un ritual de adivinación y magia mediante sexo, conocido como *Convocar a Venus*, en el que los protagonistas dicen ser capaces de predecir el futuro con una exactitud asombrosa.

Suponiendo por un momento que la teoría de Bremma fuera correcta, entonces la riqueza de Saunière pudo provenir de la venta de profecías exactas, como las de Nostradamus, o las de Mother Shipton, la Mujer sabia de Yorkshire.

Nuestra propia investigación sobre Rennes se remonta a un cuarto de siglo y todavía está surgiendo información nueva. Como cualquier otro equipo de investigadores, podríamos estar equivocados, por supuesto, pero con la evidencia disponible a la fecha, y otorgando la atención debida a todas las teorías rivales, la mejor probabilidad y la más emocionante parece inclinarse a la atrevida hipótesis sobre la Antártida presentada por Graham Hancock. ¿Será posible que el tesoro de Rennes, *sin importar lo que resulte ser al final,* sea un artefacto misterioso, con poderes casi mágicos, que se originó en esa cultura anterior a la Edad del Hielo? De Antártida a África... del antiguo Egipto a Israel... De Israel a Roma... de Roma a Rennes-le-Château... De Rennes a Oak Island, cerca de las costas de Nueva Escocia... ¿Y sus guardianes, igualmente misteriosos, a quienes se ha llamado el Priorato de Sion, han estado cerca de él por siglos?

Lo que se conoce como el tesoro de Rennes-le-Château es probablemente mucho más antiguo y extraño de lo que imagina la mayoría.

EL MISTERIO DE LA POZA DE DINERO EN OAK ISLAND

Hace siglos, un desconocido genio de la ingeniería escondió algo de valor inapreciable en el laberinto que se encuentra debajo de Oak Island, Nueva Escocia.

La parte moderna del relato de Oak Island empezó, de manera inocua, un día de verano de 1795. Se había dado a tres jóvenes, David McGinnis, John Smith y Anthony Vaughan un día de descanso del pesado trabajo manual de los pioneros de Nueva Escocia: pescar, atender la granja y cortar leña. La vida era difícil para los canadienses del siglo XVIII, pero tenían la voluntad, la fuerza y la tenacidad para enfrentarse a ella. Cuando se les presentaba una pequeña oportunidad para alejarse de su arduo trabajo, la disfrutaban aún más. Estos tres jóvenes pasaron ese día explorando Oak Island, una de los cientos de islas esparcidas por Mahone Bay en la costa del Atlántico. Esta isla en particular, con forma de maní, tenía 1,600 kilómetros de largo y 400 de ancho en su punto más angosto. Sus dos extremos tenían una altura de diez metros sobre el nivel del mar, pero la parte central y más angosta era baja y estaba cubierta de pantanos. Es obvio que al paso de los siglos, Oak Island estaba destinada a convertirse en dos islas más pequeñas.

Lo primero que atrajo la atención de los muchachos fue un claro cerca del extremo de la isla que mira al Atlántico. En medio de este claro había una depresión en forma de plato que indicaba claramente que alguien había excavado ahí y que después la tierra se había asentado. Junto al hundimiento de tierra había un enorme roble. Una rama gruesa, cuya parte superior se había podado deliberadamente, se extendía sobre el círculo del hundimiento. De esa rama colgaban partes de un antiguo navío. De inmediato, los muchachos llegaron a una emocionante conclusión: unos piratas o corsarios habían enterrado ahí un tesoro.

Oak Island estaba sólo a unos cuantos metros de tierra firme, pero su prolífico bosque de robles habría ocultado cualquier cosa sospechosa de quienes vivían en Chester, una pequeña aldea de pescadores. Además, la isla tenía una reputación siniestra de inhospitalidad. Los ancianos de la comunidad local recordaban un horrible episodio de hacía muchos años: un grupo de pescadores había remado a la isla para investigar unas luces misteriosas que se habían visto ahí una noche. Nunca regresaron.

Existía en la costa de Nueva Escocia, un gran número de relatos sobre piratas y contrabandistas. El nombre de Mahone Bay en sí, se deriva del inglés *mahone* (mahona), un tipo de embarcación que tradicionalmente preferían los corsarios. Se afirma que el inmerecidamente notable William Kidd enterró ahí su tesoro; pero al parecer una investigación detallada indica que nunca tuvo nada de verdadero valor que pudiera enterrar. En 1795, sin embargo, los relatos sobre las grandes riquezas que supuestamente acumularon los piratas como Kidd, Blackbeard (barba negra) y Morgan, o los aventureros atrevidos como Anson y Drake, llenaban la mente de los jóvenes de Nueva Escocia, como Smith, Vaughan y McGinnis. La esperanza de descubrir un tesoro enterrado era una de las cosas que aligeraba su ardua vida de trabajo. Desenterrar el oro de los piratas significaba un escape rápido y casi milagroso del trabajo monótono hacia el lujo, la comodidad y el ocio.

Ansiosamente, los muchachos empezaron a excavar el círculo de tierra hundida debajo del roble.

Uno de los muchos pozos de exploración que ahora llenan Oak Island en Mahone Bay, Nueva Escocia. Es casi seguro que algo muy antiguo y de gran valor está oculto en el laberinto que se encuentra aquí.

Lo primero que les dio ánimo fue la facilidad con que salía la tierra: era obvio que ya había sido removida antes. Al estarla sacando, podían ver los lados originales de un tunel: arcilla impenetrable, dura como ladrillo, que todavía tenía las marcas de los picos de quienes la excavaron por primera vez. Lo que encontraron no era simplemente un pozo natural o un respiradero. Es indudable que alguien lo había excavado deliberadamente en el pasado. Más o menos a un metro de profundidad se toparon con una capa de piedras planas, similares a las que se usan para pavimentar, pero ese material no era el tipo de piedra que se encuentra en Oak Island. Parecía haberse traído de Gold River que está a varios kilómetros de distancia. ¿Era eso una clave de que en Oak Island se había enterrado oro sacado de Gold River? Animados por haber encontrado las piedras, los muchachos siguieron excavando. Casi tres metros abajo de las piedras, encontraron un gran obstáculo: una capa horizontal de troncos de roble había sido clavada de lado a lado en el pozo. Sería muy difícil sacarla, pero los jóvenes de Nueva Escocia eran fuertes y estaban muy motivados; finalmente quitaron la plataforma de troncos, pero el tesoro que esperaban no estaba ahí. La tierra se había asentado y había bajado a una distancia de 45 centímetros, pero eso era todo. Desconsolados, siguieron excavando la tierra suelta que llenaba el pozo, pensando que cualquiera que se hubiera tomado la molestia de excavar tan profundamente, y de taparlo además con una plataforma de roble, debió haber enterrado *algo en verdad muy valioso.* Mentalmente, evaluaron de nuevo el esperado tesoro: ¿cientos o miles? *¿incluso millones?* Con este entusiasmo siguieron excavando hasta que a un nivel de aproximadamente seis metros encontraron otra plataforma de roble y la sacaron. Aún no encontraban cofres de tesoros, sólo más tierra. Podemos imaginarlos viéndose unos a otros desconsolados y aceptando que la tarea era más de lo que ellos tres podían hacer. De mala gana aceptaron que se necesitarían varios hombres con herramienta especial, y sobre todo, con suficientes recursos financieros para pagar por el tiempo invertido en excavar, alejándose de su trabajo normal.

Cuidadosamente, pusieron una marca en el lugar y se fueron de la isla. Las exigencias de la vida diaria hicieron que pasaran no sólo meses, sino años, para que se realizara el primer asalto total a la Poza de Dinero de Oak Island. Lo organizó Simeón Lynds, de Truro o la cercana Onslow. Mientras visitaba la zona de Mahone Bay, Simeón escuchó hablar a los tres jóvenes de la misteriosa poza, y fue a la isla con ellos. Un artículo sobre Oak Island publicado más de medio siglo después en *The Colonist* (El Colonizador) el 2 de enero de 1864, se refiere a él como "...el finado Simeón Lynds..." y lo describe como un pariente de Anthony Vaughan a quien se le había revelado el secreto por ser de la familia. Lynds organizó un consorcio de profesionistas y hombres de negocios para formar la Compañía Onslow. Entre ellos, el Alguacil Tom Harris, el Coronel Archiblad, el Secretario del Ayuntamiento y un Juez de Paz.

Los hombres de Onslow trabajaron mucho y con eficiencia. La poza se volvía cada vez más profunda y encontraron no sólo una plataforma de troncos de roble tras otra, a intervalos regulares de aproximadamente tres metros, sino capas inexplicables de pasta selladora de barco, fibra de coco y carbón. Hiram Walker, un carpintero de barcos que vivía en Chester en esa época y que trabajó con la Compañía Onslow, le dijo a su bisnieta, la Sra. Cottnam Smith, que había visto que sacaban montones y más montones de fibra de coco. El relato de otro testigo ocular menciona que se sacó de la poza tanta pasta para barco que con ella se habrían podido fijar las ventanas de veinte casas del pueblo.

Cerca de una profundidad de aproximadamente 30 metros, los hombres de Onslow encontraron una extraña piedra con inscripciones, hecha de una roca dura y poco usual color verde oliva, un tipo de piedra volcánica que no se parecía a nada que se pudiera encontrar en esa zona. En esa época, nadie fue capaz de descifrar el extraño alfabeto en que estaba escrita la inscripción. No obstante, muchos años después, el Profesor Barry Fell comentó que era una forma de la antigua escritura Cóptica, y que el mensaje era de naturaleza religiosa: esto llevó a la teoría de que el pozo de Oak Island y el trabajo que se había realizado en él era la obra de un grupo de refugiados religiosos de la región oriental del Mediterráneo. Otro criptógrafo descifró el mensaje como "13 metros más abajo están enterrados dos millones de libras". Sin embargo, se sospechaba que esas marcas se habían puesto encima de la inscripción original después de que la piedra había estado en manos de un equipo buscador de tesoros más reciente. Por desgracia, la piedra ya ha desaparecido.

Cuando el equipo de Onslow retiró las piedras que estaban a una profundidad de 30 metros, notaron otra cosa: el pozo se volvía incómodamente húmedo. Sacaban un barril de agua por cada dos barriles de tierra, y eso preocupaba mucho a los excavadores que estaban en el fondo del pozo. El agua era un problema serio para los mineros y constructores de túneles de principios del siglo XIX. Se decidió suspender el trabajo durante la noche y reanudarlo al amanecer. Sin embargo, antes de retirarse, uno de los trabajadores introdujo una palanca larga en el suelo lodoso e informó que había golpeado algo sólido. ¿Era sólo otra plataforma de troncos, o tal vez la tapa de un cofre de tesoros? Esto les dio a todos algo en qué pensar con optimismo hasta el amanecer.

El amanecer les trajo una sorpresa desagradable: el pozo estaba lleno de agua hasta una profundidad de 20 metros. El agua subía y bajaba suavemente al ritmo de la marea. Un relato no confirmado cuenta que un trabajador se inclinó demasiado y cayó. Cuando sus compañeros lo sacaron, sus primeras palabras fueron: "¡Es agua salada!" Ese fue el primer indicio de los asombrosos túneles llenos de agua que se descubrieron muchos años después. Los niveles más bajos de la Poza de Dinero de Oak Island estaban conectados con astucia a por lo menos dos túneles llenos de agua potencialmente letales. Quien haya construido el sistema, también creó una playa artificial en Smith's Cove, en el extremo de la isla. Bajo esa playa había un sistema de drenaje en forma de abanico que alimentaba el primer tunel que se llenaba de agua. Estos dos túneles, ingeniosamente rodeados de piedras para evitar derrumbes o bloqueos, y sin embargo permitir que el agua fluyera con facilidad, introducían a la Poza de Dinero el inmenso poder hidráulico del Atlántico en sí.

Los hombres de Onslow trataron de sacar el agua con cubos y bombas, pero como uno de ellos declaró entonces "...era como tratar de comer sopa con un tenedor...". Se acabó el dinero. Había trabajo que hacer en casa, y esto les obligó a suspender la tarea por el momento, pero estaban más convencidos que nunca que había un gran tesoro allá abajo... Si sólo se descubriera la manera de vencer al agua. Lo volvieron a intentar un año después. En esta ocasión, su plan era excavar un pozo paralelo y luego unirlos horizontalmente y tratar de sacar el tesoro por debajo de la parte inundada. Era un plan desesperado, pero funcionó hasta cierto punto. Llegaron a una profundidad de 40 metros y empezaron a construir el tunel horizontal. Casi de inmediato, el agua lo inundó y casi mueren los excavadores. Ese fue el fin para la Compañía Onslow. El tesoro de Oak Island y su guardián acuático fueron abandonados por el momento.

El misterioso Gold River cerca de Oak Island, en Chester, Nueva Escocia. ¿Es oro de una mina secreta en esta zona lo que está oculto en el fondo de la siniestra Poza de Dinero?

Daniel McGinnis había muerto y, Smith y Vaughan tenían más de setenta años cuando se organizó otra expedición a Oak Island. Fue la Compañía Truro que empezó a trabajar en la Poza de Dinero en 1849. Smith y Vaughan participaron en el trabajo, al igual que el Dr. David Barnes Lynds, hijo o tal vez nieto de Simeón Lynds quien había dirigido a los hombres de Onslow casi medio siglo antes. Este factor de continuidad es importante. Las compañías que buscaron el tesoro de Oak Island que se formaron al paso de los años, casi invariablemente incluían veteranos de intentos anteriores en la Poza de Dinero. Esto fue de vital importancia para elementos básicos como confirmar la ubicación exacta del pozo; lo que no era fácil cuando se habían hecho tantas excavaciones, bombeados y acarreo de agua a su alrededor.

Bajo la dirección de Jotham McCully, se utilizó una perforadora con una barrena de canaleta recta para explorar las profundidades inundadas de la Poza de Dinero. Se hicieron algunos descubrimientos sorprendentes. A una profundidad de 33 metros, donde años antes los hombres de Onslow pensaron que los encontrarían, la perforadora atravezó capas de troncos de roble y luego trozos sueltos de *algo* (¿metales o joyas?) que se resistían a ascender por la barrena de canaleta. Los hombres de Truro estaban convencidos de que estaban perforando dos cofres de tesoros, uno encima del otro.

No mucho tiempo después, pensando que nadie lo observaba, James Pitblado, un capataz de perforaciones, tomó *algo* de la punta de la perforadora, lo examinó con cuidado y lo puso en su bolsillo. Pero lo había visto John Gammell, un accionista importante de la aventura Truto, y de inmediato lo retó. Pitblado se rehusó obstinadamente a mostráselo y dijo que era tan importante que sólo lo mostraría en una reunión de todos los accionistas.

Nunca lo hizo. Abandonó la isla esa noche y no regresó. Él y su socio, Charles Archibald de la Fundición Acadia, se esforzaron mucho por obtener del gobierno una licencia apropiada para buscar tesoros, e incluso trataron de comprar toda la isla, pero sin éxito. Poco después, Archibald se fue de Nueva Escocia para establecerse en el Reino Unido y Pitblado murió en un accidente de trabajo, llevándose el secreto del fragmento encontrado en la punta de la perforadora. Lo que haya sido, fue suficiente para convencerlo y convencer a Archibald que había algo muy valioso allá abajo.

Cuando se les acabaron los fondos a los hombres de Truro, la exploración posterior pasó a manos de una nueva compañía llamada The Oak Island Association, que se estableció en abril de 1861. Jotham McCully y otros miembros del grupo de 1849-50 de nuevo proporcionaron continuidad. John Smith, último sobreviviente de los tres primeros descubridores, pasó sus tierras en Oak Island a sus hijos antes de morir. Ellos se las vendieron a Henry Stevens, y él a su vez se las vendió a Anthony Graves, quien era entonces el propietario principal de Oak Island. Graves hizo un buen trato con

The Oak Island Association, que le daba derecho a la tercera parte de lo que se descubriera en sus tierras.

George Mitchell era ahora el capataz en la isla, y el plan de la Asociación era controlar el flujo de agua antes de intentar ninguna otra cosa. Con casi 100 hombres y caballos para realizar el trabajo, Mitchell y su equipo trataron de interceptar y bloquear el túnel que se inundaba. No lo lograron. Después, aunque parezca increíble, Mitchell optó por algo que había probado ser desastroso en las expediciones anteriores: trató de perforar un tunel paralelo a la Poza de Dinero y luego hacer un tunel horizontal. Abbot y Costello, Los tres chiflados y El gordo y el flaco habrían podido elegir otra opción en lugar de volver a intentar eso.

Dos de los intrépidos perforadores de túneles de Mitchell estaban excavando el tunel horizontal hacia la Poza de Dinero inundada, desde el fondo de su pozo paralelo recién perforado, cuando se desató el infierno en la poza totalmente inundada a la que se dirigían. Los testigos oculares describieron el ruido de la Poza de Dinero como "...un terremoto o una bomba al explotar...". Una gran ola de lodo que avanzaba con rapidez arrastró a los hombres y casi pierden la vida. Algo, que tal vez era la cámara del tesoro y que se había detectado antes con la barrena de canaleta recta, se derrumbó y cayó a las profundidades desconocidas de la Poza de Dinero. Tras ella cayeron miles de metros de marcos de madera que sostenían el pozo. El agua echaba espuma y hervía con fuerza; los niveles inferiores eran ahora una ruina caótica. Entre los fragmentos que se sacaron después de esta confusión cataclísmica, había unos trozos de roble, enegrecidos por el tiempo, y definitivamente mucho más antiguos que los maderos recientes que se habían derrumbado en forma tan dramática. ¿Esta madera tan antigua, había sido parte de la cámara del tesoro original? También se encontraron otros trozos muy antiguos, anteriores al siglo XIX. Contenían marcas de taladros y herramientas que también ayudaron a confirmar las conclusiones a que se llegó después de ver las muestras tomadas por la barrena de canaleta recta.

Casi un cuarto de siglo después de que se realizó este pequeño trabajo en busca del tesoro en la isla, ocurrió un accidente extraño e importante. Sophia Sellers, hija de Anthony Graves, estaba trabajando con un arado de bueyes apenas a unos treinta metros de la Poza de Dinero, cuando las pobres bestias y el arado cayeron a un gran hoyo y casi arrastraron a Sophia con ellos. Más tarde se recuperaron los animales y el arado, milagrosamente sanos y salvos, pero el misterioso hoyo (llamado el Pozo Derrumbado) presentó otro intrigante problema a los investigadores de Oak Island. Henry, esposo de Sophia, lo llenó de piedras por precaución, y no se hizo nada más al respecto hasta que el incansable Fred Blair entró en escena en 1893.

Fred fue uno de los exploradores más dedicados y eficaces que se han enfrentado al misterio de Oak Island, y trabajó ahí de 1893 a 1951. En una ocasión dinamitó los túneles inundados tratando de detener el agua; pero incluso eso sólo tuvo un éxito parcial y temporal, y es probable que no se lograra nada, excepto esparcir los restos del contenido de la supuesta cámara del tesoro que se había derrumbado en 1861.

Blair perforó buscando muestras como las encontradas por el equipo de McCully cincuenta años antes. Su perforadora dio contra lo que parecía ser una boveda de cemento con refuerzos inpenetrables de hierro, a una profundidad de 50 metros. En algún lugar dentro de este misterioso espacio el comportamiento de la perforadora indicó que había más cajas llenas de metal suelto, que la perforadora de McCully no pudo subir.

Otro descubrimiento extraño fue un fragmento de pergamino antiguo que subió con muestras de sondaje: Tenía sólo dos letras "VI" pero era evidente que era parte de un documento más grande. La existencia de este pergamino abrió todo un nuevo campo de especulación.

Al paso de los años, Franklin D. Roosvelt, futuro presidente de los Estados Unidos, se interesó en la obra, y fue uno de los accionistas de la Compañía del Capitán Bowdoin, que realizó un intento fallido en la Poza de Dinero en 1909. Más tarde, Bowdoin, descorazonado y descontento, escribió que allá abajo no había ningún tesoro y nunca había existido.

Mel Chappell fue un investigador posterior, mucho más diligente y persistente. Su padre había sido miembro de la expedición en que se encontró el pergamino. Mel y Blair trabajaron juntos en 1931. Se excavó otro gran pozo, pero no se descubrió nada de importancia. ¿Su constante uso de dinamita, las inundaciones y los bombeos dispersaron el tesoro de tal manera que ya no hay una esperanza razonable de recuperarlo?

Gibbert Hedden también merece ser mencionado entre los héroes del Salón de la Fama de Oak Island. Tenía una excelente experiencia en los campos de ingeniería y dirección, y planificaba con cuidado. Contrató a Sprague y Henwood de Pennsylvania para el trabajo de perforación y limpieza y lo realizaron de manera impecable. A una profundidad de 50 metros y más abajo, la perforadora encontró trozos de roble de diversos tamaños, lo que seguramente indicaba que los restos de la cámara del antiguo tesoro y sus soportes se encontraban en algún lugar allá abajo. El equipo de Hedden también descubrió en Smith's Cove, los restos de una rampa marina, un rompeolas o dique, en el lugar donde también se encuentra la playa artificial y los túneles que producían las inundaciones. Los viejos maderos que descubrió Hedden eran enormes. Además estaban marcados con números romanos. Nunca se ha dado una explicación satisfactoria al respecto.

Por desgracia, como tantos otros antes que él, Hedden se topó con dificultades financieras que entorpecieron su trabajo en Oak Island.

El siguiente participante de importancia fue el Profesor Hamilton, maestro de ingeniería en la Universidad de Nueva York. Realizó exploraciones meticulosas en muchos de los antiguos túneles, y perforó hasta el lecho de piedra caliza a una profundidad de más de 60 metros, donde astillas de roble seguían subiendo por la perforadora. Sin embargo, no hubo ninguna otra señal del escurridizo tesoro.

George Greene, un rudo petrolero texano de esos que mascan tabaco, realizó un intento en 1955, pero la destreza y determinación que le habían traído éxito en el negocio del petróleo, no lo hicieron en Oak Island.

Robert y Mildred Restall eran personalidades atrevidas y emocionantes de la farándula. Cuando se casaron en 1931, Robert era motociclista acrobático y Mildred una hermosa bailarina de 17 años. Con un capital modesto proporcionado por amistades leales del mundo de la farándula, los Restall llegaron a trabajar a Oak Island en 1959. Robert y su hijo murieron en un trágico accidente en 1965, cuando un misterioso gas venenoso hizo que Robert cayera a un pozo inundado en el que estaban trabajando. Su hijo murió tratando de rescatarlo. Dos de sus amigos también murieron tratando de sacarlos.

Tomando en cuenta los accidentes anteriores, eran hasta ese momento un total de seis muertos, pero la siniestra leyenda de Oak Island profetizaba que morirían *siete* hombres y el último roble caería antes de que se recuperara el misterioso tesoro. El último roble ya ha caído...

Bob Dunfield fue el siguiente que se enfrentó a la Poza de Dinero, y lo hizo como los elefantes de Anibal atacando al ejército romano en la Batalla de Zama, ¡con tan poco éxito como el que tuvo Anibal contra Roma! Con enormes recursos financieros y una dedicación sin límites, Dunfield construyó un camino para que su enorme perforadora llegara a sacarle el corazón a Oak Island. Para el 17 de octubre de 1965, Oak Island se había unido al territorio continental de Nueva Escocia. La máquina de Dunfield hizo un hoyo de más de 30 metros de ancho y 50 de profundidad en el lugar donde había estado la Poza de Dinero. Creó algo que parecía una miniatura del campo de batalla de Somme, es decir el sitio de una batalla de tanques durante un monzón: destruyó pistas de gran valor y evidencias arqueológicas que los investigadores posteriores habrían considerado invaluables. Toda su inversión y energía no lograron absolutamente nada. En la primavera de 1966, se dio por vencido y abandonó la isla. Murió en Encino en 1980.

Fred Nolan, un hábil y talentoso topógrafo, ha trabajado en la isla por muchos años y ha descubierto un gran número de piedras extrañas, algunas de las cuales forman claramente una Cruz Templaria de enormes proporciones. Él cree que es más probable que el tesoro esté oculto debajo del pantano que en las profundidades

Un camino construido por el buscador de tesoros Bob Dunfield en 1965, que todavía une a Oak Island con Crandall's Point en el territorio continental de Nueva Escocia.

de la Poza de Dinero. Su hipótesis es que los que hundieron el túnel, lo hicieron ascender de nuevo en diversos ángulos, y ocultaron el tesoro en diferentes lugares que se podrían encontrar desde la superficie si los excavadores tuvieran las direcciones correctas. Piensa que las misteriosas piedras que encontró, junto con un antiguo triángulo de piedra que se destruyó como resultado del trabajo de Dunfield, podría tener la clave de esas ubicaciones.

Luego aparece en escena una combinación formidable de expertos que trabajan bajo el nombre de Triton Alliance, y el más rudo y formidable de ellos es nuestro buen amigo Dan Blankenship, héroe de guerra de 1939 a 1945. Si una combinación de valor, imaginación, iniciativa e ingeniería va a resolver alguna vez el misterio de la Poza de Dinero de Oak Island, Dan tiene ese perfil.

Poco faltó para que llegara a ser la séptima víctima de la maldición de Oak Island cuando el túnel de acero dentro del que estaba trabajando se colapsó bajo el peso colosal y la presión del lodo que la rodeaba. La fuerza y determinación de su hijo fueron factores vitales en el rescate, ya que accionó el torno de cable que salvó a Dan en pocos segundos. Ni siquiera ese escape tan peligroso desanimó a Dan y a su equipo.

Su trabajo aún continúa: y cuando el secreto de Oak Island llegue a revelarse, bien podría ser la octava maravilla del mundo. ¿Qué podrá ser, y quién lo pondría ahí, en primer lugar?

Una de las mejores teorías viene de otro de nuestros amigos cercanos de Nueva Escocia, George Young, un topógrafo retirado y Oficial de la Real Marina Canadiense. Por su combinación única de conocimientos profesionales tanto sobre la tierra como sobre el mar, sus conocimientos linguísticos de la antigua lengua Ogham, y su interés general en fenómenos sin explicación, siempre vale la pena considerar las teorías de George. Se pregunta si la Poza de Dinero y sus formidables defensas no tienen el propósito de ocultar un tesoro sino que son una sepultura bien protegida. Si el profesor Barry Fell estaba en lo correcto y la antigua piedra que se encontró a una profundidad de 30 metros contenía una inscripción religiosa, ¿será posible que una comunidad de refugiados religiosos del este del Mediterráneo se abriera camino a través del Estrecho de Gibraltar y llegara al otro lado del mar hasta la costa de Nueva Escocia hace mucho tiempo?

Los estudios de George sobre los vientos predominantes, las mareas y las corrientes muestran que esta conclusión podría ser posible. Al menos en teoría, esta travesía sería posible.

Las sólidas plataformas de roble a intervalos de tres metros, se explican como escudos para evitar que el peso de la tierra aplastara el cuerpo del *arif*, el reverenciado líder cuya comunidad sepultó ahí. La playa artificial con drenajes y túneles también se puede ver como una precaución contra ladrones y profanadores de tumbas. Lo que atravesó la perforadora no era una cámara de tesoros que contenía cofres de monedas y joyas, sino una bóveda sepulcral que contenía ataúdes.

En el fascinante museo de Yarmouth, Nueva Escocia, está la famosa Piedra de Yarmouth, que un doctor de la localidad descubrió en la playa en 1812. Tiene grabadas lo que parecen ser inscripciones rúnicas que indican que una antigua expedición vikinga llegó a Nueva Escocia siglos antes de que Colón llegara a América. ¿Entonces, hay un tesoro vikingo en el fondo de la Poza de Dinero? ¿Descansaba ahí un antiguo rey y navegante noruego, con su armadura, sus armas y su tesoro?

El problema al tratar de decidir quiénes fueron los primeros que excavaron la poza y sus túneles inundados, y construyeron la playa artificial y el sistema de drenaje, es que debió llevarle mucho tiempo a un gran grupo de personas fuertes, inteligentes y disciplinadas completar el trabajo. Sin importar qué otra cosa sea, el pozo no es la obra rápida, casual y al azar de piratas fanfarrones: un agujero de dos metros bajo un árbol y unas cuantas medidas simples sobre el boceto de un mapa, serían más congruentes con el estilo tradicional de los piratas.

Otra teoría fascinante se relaciona con los Caballeros Templarios refugiados. Salieron de Francia después de que el traicionero Felipe IV trató de destruir su valerosa Orden en 1307. Existen evidencias de que el noble y hospitalario Henry Sinclair, gobernante de Orcadas, los recibió y después les proporcionó transporte para cruzar el Atlántico. Consiguió la ayuda de los hermanos Zeno de Venecia, que estaban entre los mejores navegantes de su tiempo.

Los Templarios eran tan famosos por su destreza aqruitectónica (algunas de sus fortificaciones medievales están entre la arquitectura militar más importante de todos los tiempos) como por su valor y pericia en la guerra. Habrían tenido los conocimientos de ingeniería, el tiempo, la dedicación y la disciplina para construir la Poza de Dinero. También habrían tenido un tesoro de gran valor y reliquias sagradas de Palestina y la tierra Sarracena para ocultarlos ahí. En el Siglo XIV, un viaje a través del Atlántico era una empresa tan rara y atrevida como en la actualidad sería un viaje a la luna. ¿Los indomables Templarios llegaron a la conclusión de que el lugar más seguro para su tesoro, el escondite más lejano posible de Felipe le Bel y sus sucesores, estaba al otro lado del Atlántico?

¿O fue esto obra de Francis Bacon? ¿Este enigmático estadista y letrado Isabelino ocultó ahí manuscritos secretos con la intención de que la posteridad finalmente los descubriera, y se les diera lo que él consideraba el lugar que merecen en la historia? Bacon, un científico pionero y hombre de muchos talentos, tenía una teoría relacionada con la preservación de documentos en mercurio. Entre las cosas extrañas que se han encontrado recientemente en Oak Island están muchos frascos de barro que aún tienen restos del mercurio que contenían. ¿Era ese pequeño trozo de pergamino con las letras "VI", (que se recuperó en la Poza de Dinero en 1893) un fragmento de los manuscritos de Bacon?

Otra teoría sostenible se relaciona con el Rey George III. Antes de perder la cordura, era un hombre inteligente y ambicioso. Quería reinar con supremacía, como un verdadero monarca que toma decisiones, no como una figura democratizada y restringida por una constitución. Había aprendido las lecciones de Charles I y sabía muy bien que para tener poder primero hay que tener dinero. Suficiente dinero compraría suficientes mercenarios para subyugar al reino. Existe cierta evidencia de que con la ayuda de una camarilla secreta de estadistas, entre ellos el misterioso e incalculablemente rico Almirante Anson de Shugborough, George III había arreglado que su Cofre de Guerra se guardara con seguridad en Oak Island, para tomar de él según fuera necesario cuando empezara la lucha del poder contra el parlamento y se necesitaran mercenarios. La demencia lo atacó primero: varios miembros de la camarilla que eran de vital importancia murieron o le retiraron su apoyo. Todo terminó en un fracaso vergonzoso: ¿Pero está el tesoro de George III aún oculto en el fondo de la Poza de Dinero?

Una teoría muy cercana indica que ingenieros militares franceses o británicos construyeron esa enorme "caja fuerte" subterránea con túneles que se inundan como "cerraduras", para guardar la nómina del ejército fuera del alcance de sus enemigos durantes las guerras americanas de mediados del siglo XVIII. Los ingenieros militares ciertamente se ajustan al perfil en lo que se refiere a destreza y disciplina.

Abundan las teorías emocionantes. La más asombrosa es la posibilidad de que parte de un antiguo tesoro secreto de Arcadia que se ocultó en Rennes-le-Château fue trasladado a Canadá y sepultado bajo Oak Island.

Esto establecería un lazo entre el extraño hecho geográfico de que hay dos Oak Islands unidas a la península de Nueva Escocia: una del lado de Fundy, la otra del lado del Atlántico. Se ha sugerido que quienes han conocido el secreto a lo largo de los siglos plantaron robles deliberadamente para marcar la isla en beneficio de viajeros posteriores de su arcana organización. Cerca de cada una de estas islas hay un río que fluye desde el centro de la península. Existe cierta evidencia arqueológica (aunque controvertida) de que en la región central existió un poblado o una fortaleza. Algunos extraños rastros de ella aún permanecen ahí.

Después, la teoría sugiere que algo de inmenso valor e importancia, que tal vez vino originalmente de la antigua cultura anterior a la edad de hielo que se supone floreció en la helada tierra que hoy es Antártida, sobre la que Graham Hancock presenta fuertes argumentos en *"Fingerprints of the Gods"* (Huellas digitales de los dioses). Este tesoro llegó primero a Egipto, luego a Palestina con Moisés, más tarde a Roma y de ahí a la fortaleza visigoda de Rennes-le-Château. Los Templarios, o los sucesores de otros guardianes más antiguos, fueron después responsables de ocultar parte de este tesoro en Oak Island. Existen indicaciones de que era algo tan poderoso que se consideraba más seguro tenerlo en dos lugares separados: como guardar la pistola en una caja de acero y las balas en otra. ¿Se plantaron los robles en forma deliberada hace mucho tiempo en esas dos islas de Nueva Escocia que ahora están unidas estrechamente a tierra firme? ¿Se plantaron con la intención de mostrar a los viajeros del Viejo Mundo que estaban en el lugar correcto, y que sólo necesitaban navegar por el río adyacente para encontrar el poblado donde otros miembros de su grupo los recibirían y los protegerían?

La solución definitiva al misterio de Oak Island todavía tiene que ser revelado: sin duda será algo realmente trascendental.

EL FENÓMENO POLTERGEIST DE AMHERST

¿Qué terror paranormal casi destruyó a Esther Cox y su familia?

En la noche del 4 de septiembre de 1878, Esther Cox saltó de la cama gritando que había un ratón en el colchón; un principio casi cómico de uno de los casos poltergeist más siniestros y espectaculares que se han registrado. Esther compartía una recámara con Jennie, su hermana mayor, que tenía 22 años de edad; Esther tenía 19. Las dos muchachas estaban hospedadas en casa de su hermana Olive, que estaba casada. La casa estaba en la calle Princess en Amherst. El esposo de Olive, Daniel Teed trabajaba como capataz en la fábrica de calzado de la localidad; tenían dos hijos, William de cinco años y el pequeño George de año y medio. Para ayudar a solventar sus gastos, otros dos familiares vivían ahí y pagaban su hospedaje.

Uno era John Teed, hermano de Daniel, y el otro era William Cox, hermano de Olive, Jennie y Esther. En ese fatídico 4 de septiembre, Jennie ayudó a Esther a buscar el supuesto ratón. No lo encontraron y regresaron a la cama. La noche siguiente, Esther volvió a sentirse segura de que *algo* se movía dentro el colchón.

Cuando realizaron una nueva búsqueda, vieron que una caja de cartón que estaba debajo de la cama parecía moverse sola. Convencidas de que ahí estaba el escurridizo ratón, Jennie y Esther se arrodillaron junto a la caja para atraparlo. Para su asombro, la caja se elevó en el aire y luego cayó hacia un lado. A pesar del susto y la sorpresa, buscaron dentro de la caja con mucho cuidado: *no había ningún ratón.* Turbadas por estos hechos sin mayor importancia, pero totalmente inexplicables, las dos hermanas decidieron no mencionárselos a nadie más.

Pero la noche siguiente, las cosas en realidad empezaron a ponerse graves. Esther, que ya estaba acostada, empezó a gritar desesperadamente. Jennie despertó sobresaltada y trató de ayudarla, pero no había nada que pudiera hacer. El cuerpo de Esther se estaba hinchando y poniéndose color rojo ladrillo.

Observación: En 1957, cuando los autores estaban viviendo en un búngalo a las orillas de un territorio llamado Neatherd Moor en Dereham, Norfolk; Inglaterra, a Lionel le estaban administrando una serie de inyecciones contra la alergia. La teoría médica contemporánea era que si a un paciente se le administraba una serie de inyecciones de aquello que le estaba causando la reacción alérgica, se desarrollaría inmunidad a esa alergia. En el caso de Lionel, la causa del problema era una mezcla de pólenes. En lugar de la inmunidad a la alergia, presentó una reacción sistémica a la inyección de polen, se puso color rojo ladrillo y empezó a hincharse en forma espectacular, hasta quedar casi irreconocible. ¡Sobra decir que abandonó ese tratamiento! Lo importante de ese recuerdo es que el cuerpo humano puede reaccionar a ciertos estímulos hinchándose en forma repentina y dramática. ¿Cuál fue la causa de que esto le ocurriera a Esther?

Se escuchó un penetrante sonido explosivo como si se hubiera disparado un cañón muy cerca de donde estaban las muchachas. A esto siguieron otros tres sonidos y luego la hinchazón de Esther desapareció casi tan repentinamente como había empezado. Dejó de gritar de dolor y se quedó dormida pacíficamente.

El 10 de septiembre regresó la hinchazón pero no llegó a tener las mismas proporciones aterrorizantes. Las sábanas de Esther se desgarraron como por obra de unas poderosas manos invisibles y cayeron en el último rincón de la habitación. En ese momento, habiendo despertado por los gritos de alarma de su hermana, Olive Teed entró a la recámara y trató de volver a hacer la cama de Esther. Apenas acababa de colocar las sábanas y las mantas, cuando volvieron a ser arrojadas lejos de la cama.

John Teed llegó a ayudar. La almohada que estaba bajo la cabeza de Esther, se deslizó por debajo de ella, voló por los aires y golpeó a John directamente en el rostro. Inmediatamente después, dos o tres de esos extraños ruidos explosivos salieron del piso, o tal vez de debajo de la cama. Después todo volvió a la normalidad y toda la atmósfera de la habitación pareció cambiar: fue casi como si una especie de tormenta psíquica hubiera terminado por el momento.

Sin saber qué hacer después, o a quién pedirle ayuda, los Teed llamaron al Dr. Carritte, su médico familiar. Cuando llegó, la noche del 11 de septiembre, Esther ya se había ido a la cama. Mientras Carritte observaba, su almohada se deslizó por debajo de ella, casi como un cajón que alguien abriera. Luego se volvió a deslizar a su lugar. El doctor estaba asombrado, pero eso no fue lo único que sucedió. La almohada volvió a deslizarse en forma horizontal, en esta ocasión John Teed trató de agarrarla pero algo más fuerte que él la volvió a poner bajo la cabeza de Esther. Se escucharon explosiones por todo el cuarto y parecían estar persiguiendo al Dr. Carritte.

Las sábanas saltaron al aire como lo habían hecho antes, y se escuchó un siniestro sonido metálico como de rasguños; como si alguien estuviera usando la punta de un cuchillo para marcar un mensaje en la pared. El instrumento que producía el ruido no era visible, pero las letras en la pared eran: "Esther Cox, eres mía y te mataré".

Observación: El Rey Belshazzar de Babilonia (Daniel 5) vio una mano misteriosa escribiendo las palabras: "Mene, mene, tekel upharsin" en la pared de su palacio. El profeta Daniel lo tradujo como "Has sido puesto en la balanza y se te encontró culpable. Tu Reino será dividido entre los Medos y los Persas". *Esa misma noche murió el Rey Belshazzar.*

El Dr. Carritte siguió ayudando a la familia Teed en todo lo que pudo durante los días traumáticos que siguieron. En una ocasión dijo haber visto que un cubo de agua fría que estaba sobre la mesa de la cocina empezaba a hervir ¡aunque no había una fuente de calor cerca de ella!

Poco después, el poltergeist, o lo que estaba asediando a Esther, empezó a hablarle. Su lenguaje era obsceno y sus amenazas aterradoras. Una de las más persistentes era que iba a quemar la casa y a matar a todos los que estuvieran en ella; y no fue en balde. Cerillos encendidos empezaron a caer de la nada. Empezaron a verse pequeñas llamaradas por toda la casa. Sólo una constante vigilancia y rápida acción evitaron un desastre mayor.

Después el ser que los estaba atormentando se volvió visible, pero sólo para Esther. De nuevo amenazó con incendiar la casa y quemarlos a todos si Esther no se iba. Por el bien de su familia, Esther, aunque reacia, estuvo de acuerdo en hacerlo.

John White era un gran amigo de la familia Teed. Era dueño de una taberna-restaurante en Amherst, y ofreció hospedar a Esther para protegerla. Las cosas parecieron calmarse durante más o menos un mes, y luego una daga que pertenecía a John White, voló por los aires y se clavó en la espalda de Esther. Aterrorizado de que lo culparan de habérsela lanzado, White la retiró suavemente de la espalda de la muchacha herida, pero algo inmensamente poderoso, pero totalmente invisible, la arrancó de sus manos y la volvió a clavar en la misma herida. Los gritos de dolor de Esther hicieron venir al resto de la familia y finalmente se pudo retirar la daga de su espalda.

Ya sea que el perseguidor poltergeist de Esther lo causara, o que haya sido el proceso normal de una infección, ella tuvo un ataque casi fatal de difteria en diciembre. Pasaron casi tres semanas para que pudiera levantarse de la cama. Aunque parezca extraño, mientras sufrió de una extrema debilidad a causa de la enfermedad *no hubo manifestaciones poltergeist de ningún tipo.*

Cuando se recuperó lo suficiente para viajar, la familia envió a Esther a terminar su convalescencia a casa de otra de sus hermanas casadas, la Sra. de John Snowden, que vivía en

Sackville, New Brunswick. No hubo actividad poltergeist durante el tiempo que estuvo ahí.

Cuando regresó a Amherst, se le dio a Esther otra habitación con la esperanza de impedir o inhibir las actividades poltergeist, pero no fue así. De nuevo cayeron cerillos encendidos y también se repitieron los sonidos explosivos. Esto le dio una idea a Daniel Teed. Tratando de descubrir si el poltergeist era un tipo de entidad inteligente que podía entender y responder una pregunta, le pidió que diera un golpe por cada persona que había en la habitación. Había seis personas presentes y el poltergeist dio seis golpes fuertes. A diferencia del procedimiento tradicional que se usa en las sesiones espiritistas, en que un golpe significa "sí" y dos "no", o viceversa, el poltergeist de Amherst daba un golpe para decir "no", dos cuando no sabía la respuesta y tres para decir "sí". Daniel estaba muy preocupado de que la casa se incendiara. Cuando le preguntó al poltergeist si quemaría su casa, recibió dos golpes como respuesta. Un poder invisible jaló uno de los vestidos de Olive de su gancho y lo lanzó bajo la cama. En un momento estaba ardiendo. Daniel logró sacarlo y apagar las llamas antes de que causara un daño mayor.

Además, como lo describe un investigador, "...cuando el fantasma entraba al abdomen de Esther y se movía dentro de él..." la lastimaba físicamente, la avergonzaba y la humillaba. Esto producía esa hinchazón anormal y muy dolorosa que había experimentado antes.

John White la rescató de nuevo, llevándosela a su restaurante. El poltergeist la siguió allá y se volvieron a manifestar sus extraños e inexplicables poderes. Una mañana, a plena luz del día, la puerta de hierro forjado de un gran horno de la época Victoriana se separó de sus bisagras y voló por la cocina. Desafiante, John White la volvió a colocar en su lugar y la cerró con el mango de un hacha. La puerta volvió a volar por la cocina con todo y el mango. White lo volvió a intentar, y una vez más la puerta y el mango se desprendieron de la estufa. John salió tratando de encontrar un testigo independiente y confiable. Vio a W. H. Rogers, un inspector de pescaderías del gobierno, caminando fuera del restaurante. Rogers aceptó entrar, intrigado por la extraña historia que John le acababa de relatar. Se colocó de nuevo la puerta en su lugar sujeta con el mango: ante los ojos de Rogers, una vez más voló por los aires, con todo y el mango.

Tiempo después, Esther estaba sentada en un restaurante cuando unos clavos de hierro se materializaron de la nada y aparecieron en su regazo. En unos minutos se empezaron a calentar y al poco rato ya estaban demasiado calientes para tocarlos. Segundos después estaban al rojo vivo. Antes de que la aterrorizada Esther pudiera saltar y tirarlos para que no le quemaran el delantal, volaron por el restaurante y cayeron a una distancia de veinte pies. Entre los testigos que estaban en el restaurante podemos mencionar a Robert Hutchinson, J. Albert Black, Editor del *Amherst Gazette,* Daniel Morrison, y William Hillson, todos residentes muy conocidos y respetables de Amherst.

Walter Hubbell fue un actor de cierta fama a finales del siglo XIX; también era mago y en general se decicaba a conducir programas de entretenimiento. Supuso que podría sacar algo de dinero con el poltergeist de Amherst, y sin duda estaba familiarizado con la fortuna que P.T. Barnum había ganado con "El Espectáculo más Grande del Mundo". Hubbell supuso que se reunirían multitudes para ver un poltergeist verdadero llevando a cabo actos sobrenaturales en vivo en un escenario. Tendría todo el atractivo de un programa de magia *sin ser una ilusión.*

Sin embargo, en un principio pensó que los fenómenos de Amherst eran un fraude, y llegó a la casa de la calle Princess con toda la intención de desenmascarar a Esther y a sus supuestos cómplices. Una semana de investigación fue suficiente para convencerlo de que Esther y su poltergeist eran absolutamente genuinos.

Trabajando con Esther y con John White, Hubbell preparó el primer escenario para lo que esperaba sería un recorrido teatral que los volvería ricos. Fue un desastre: los poltergeist se niegan con terquedad a actuar cuando se les ordena. Además Hubbell tuvo otros problemas. Otro empresario trató de persuadir a Esther para que hiciera un recorrido con él bajo su patrocinio, pero ella no aceptó. Este frustrado y amargado rival estaba decidido a hacer todo lo posible para sabotear las actividades de Hubbell. Cuando Esther y sus dos acompañantes salieron de Amherst para su primer programa en Moncton, es muy probable que el saboteador haya viajado en el mismo tren con la intención de causar problemas.

Cuando Hubbell, White y Esther se registraron en el American House Hotel, el polteirgeist se puso a trabajar con una vieja mecedora. Pensaron que era una buena señal. Parecía que los fenómenos iban a acompañarlos en el escenario.

El *Moncton Despatch* del 18 de junio de 1879 publicó todo el acontecimiento: el poltergeist había estado totalmente inactivo cuando querían que actuara en el escenario, pero causó movimientos tan violentos estando en la Iglesia Bautista el domingo por la noche, que Esther y sus dos amigos tuvieron que retirarse.

Cuando regresaron a la casa de la calle Wesley en que se hospedaban, el poltergeist realizó otro ataque contra Esther. Llamaron a un doctor de la localidad y dijo que parecía estar sufriendo cierto tipo de problema cardiaco, producido por ataques o por nerviosismo. Tenía un hipo incontrolable y su cuerpo se hinchaba como en ocasiones anteriores. Los latidos de su corazón eran demasiado rápidos y sus pulmones parecían estar congestionados. Antes de que pasara el ataque, Esther estaba vomitando sangre.

Se recuperó después de un día de descanso y al parecer su salud era normal. Se sentó junto a la ventana abierta de su habitación y el abanico que tenía en la mano se resbaló y cayó en el pavimento. Esther bajó por él, pero cuando regresó a su habitación unos minutos más tarde, un sillón pesado estaba boca arriba junto a la puerta. Según el *Moncton Despatch* era casi como si el sillón hubiera tratado de seguirla. Sin embargo, el *Despatch* añadió cautelosamente que Esther había sido el único testigo de este suceso.

Otro aspecto interesante del caso era que Esther podía producir escritura automática en un estilo distinto al suyo. De hecho podía ver en dirección opuesta al papel y la pluma mientras aparecían las palabras. Un testigo le pidió al "escritor psíquico" que revelara su identidad y la pluma aseguró estar bajo el control de una joven muerta llamada Maggie Fisher que había estudiado en una escuela a la que Esther había asistido en una ocasión, la vieja escuela roja que estaba en la colina en Upper Stewiacke.

Los reportajes que aparecieron en el *Presbyterian Witness* de Halifax en junio de 1879, fueron una fuerte crítica contra Hubbell por exhibir "las debilidades de Esther en público", y el espectáculo no fue bien recibido en Chatham, New Brunswick. Es posible que el vengativo rival de Hubbell haya manipulado al público con anticipación, el hecho es que un anciano que asistió al espectáculo levantó su bastón contra Hubbell cuando estaba hablando al público y gritó, "¡Joven, tenga cuidado!".

Esther hizo una reverencia. El telón se cerró y se escucharon sonidos de enojo entre el público. Esther y sus dos amigos trataron de salir del teatro sin ser vistos, pero una multitud enfurecida los persiguió por las calles, gritando contra ellos y lanzándoles piedras. Pudieron llegar a su hotel sin lesiones, pero una vez ahí, un amigo les advirtió que se estaba preparando otra demostración más grande y más hostil. Abandonaron el viaje y regresaron avergonzados a Amherst en el siguiente tren. Es interesante especular sobre los factores que contribuyeron al desastre. ¿El público simplemente se desilusionó porque no había pasado nada paranormal en el teatro? ¿El rival de Hubbell incitó la mayor parte de los problemas? ¿O el culpable fue en cierta forma el poltergeist? Pero la multitud hostil de Chatham no fue el único peligro que enfrentó Esther. El Dr. Nathan Tupper que era un puritano estricto, con ideas similares a las del sádico Matthew Hopkins, que se autonombró "Localizador general de brujas" en Inglaterra, ya había recomendado que Esther fuera azotada para "expulsar al demonio de ella".

De regreso en Amherst, los fenómenos se reanudaron. Macetas con plantas y cubetas llenas de agua se deslizaban y caían de las ventanas llegando a la mitad del piso. Uno de los "fantasmas" que aseguraban estar presentes, golpeaba a Esther en la cara causándole mucho dolor. El más peligroso y malvado de estos "espíritus" aseguraba ser un antiguo zapatero de Amherst llamado Bob Nickle. Lo acompañaban Eliza MacNeal, Maggie Fisher (que había estado involucrada en el episodio de la escritura automática), Peter Teed y John Nickle.

Los fenómenos continuaron con movimientos de la puerta del desván, levantaban y dejaban caer al aterrorizado gato de la casa, desgarraban los camisones de Esther y de Jennie, y lanzaban cuchillos por la casa. Al parecer, Bob Nickle, que era el siniestro autor de estos ataques, le clavaba alfileres a Esther. ¡Hubbell mencionó que eran tantos que pasó horas sacándolos!

Los fenómenos se excedieron a tal grado que, al ser ya tan familiares, provocaban desprecio en vez de miedo. En una ocasión Hubbell llenó su pipa y exclamó en broma: "¡Bob enciéndela!". Según el relato de Hubbell, casi de inmediato cayó sobre él un chubasco de cerillos encendidos.

Finalmente, el Sr. Bliss, dueño de la casa que rentaba Teed, insistió en que Esther se fuera, porque ya no podía tolerar el riesgo de que su casa se quemara. Esther fue a trabajar como empleada doméstica a la casa de Arthur Davison y su esposa. El Sr. Davison trabajaba en el tribunal del Condado de Amherst. Había estado ahí sólo unos cuantos meses cuando se incendió su granero. Sentenciaron a Esther a cuatro meses de prisión por haber causado el incendio, porque el juez no creyó en la explicación de sus poderes psíquicos. Sin embargo, el público simpatizaba con Esther y fue liberada en un mes.

Arthur Davison escribió una relación sobre el tiempo que Esther estuvo con ellos. Testificó que era una muchacha buena y trabajadora, pero con una educación muy limitada. Lo que le intrigaba en particular era la forma en que parecía deslizarse o volar por las escaleras. No creía en fantasmas ni en poltergeist como tales, pero estaba convencido de que había algo paranormal en Esther que era genuino. Su relación incluía informes de su esposa que había sido testigo de que los cepillos y trapeadores se movían por sí mismos cuando Esther estaba presente, y él había visto como un cepillo "...corría por el suelo del establo..." hacia él cuando Esther estaba cerca. En otra ocasión, una jarra de agua cayó sobre él y lo mojó. La jarra se movió sola cuando el Sr. Davison estaba de pie junto a Esther.

Al comentar el libro de Hubbell sobre Esther, Davison reconoció que el actor pudo haber exagerado uno o dos sucesos, "dándoles más color" como dijo textualmente, con el fin de estimular las ventas, pero en general Arthur apoyó casi todo lo que Hubbell había escrito sobre Esther: "Los hechos estaban ahí", dijo.

Las actividades poltergeist se redujeron poco a poco, y Esther se fue a otra ciudad y se casó. Su primer esposo fue un hombre llamado Adams que era de Springdale, Nueva Escocia. Murió unos años después y Esther se volvió a casar con un hombre llamado Shanahan. Pasó sus últimos años en Brockton, Massachusetts, donde vivió hasta su muerte en 1912, a la edad de cincuenta y dos años.

Al tratar de analizar este misterio, Walter Hubbell pensó que los problemas de Esther se habían iniciado a causa de una experiencia traumática el 28 de agosto de 1878, sólo una semana antes de que empezaran los fenómenos poltergeist. En esa época ella salía con Bob McNeal, un joven zapatero de Amherst que no tenía muy buena reputación en esa zona. Él la había llevado a dar un paseo en su carreta y le sugirió que se bajaran en un lugar solitario. Esther no quiso y McNeal se enfureció con ella. Sacó un revólver y amenazó con matarla si no iba al bosque con él. Al ser interrumpido por un carro que pasaba, cambió de opinión y condujo la carreta a toda velocidad a la calle Princess. A pesar de la lluvia torrencial, se negó a subir la capota. Sacó a Esther de la carreta a empujones y la abandonó cerca de la casa de Teed, empapada y llorando amargamente.

Las pesquisas e investigaciones posteriores de Hubbell lo llevaron a concluir que el joven MacNeal tenía trastornos mentales. Por ejemplo, se sospechaba que era responsable de la sádica muerte de varios gatos de Amherst. Tanto MacNeal como el difunto Bob Nickle (cuyo fantasma fue supuestamente el responsable de haber atormentado a Esther) habían sido zapateros. La teoría de Hubbell se centraba en la idea de que al fantasma maligno de Bob Nickle le había sido fácil apoderarse de la personalidad trastornada de MacNeal e inducirlo a tratar de atacar a Esther la tarde del 28 de agosto de 1879. Hubbell extendió su teoría diciendo que una vez que

Esther recibió este impacto y se debilitó a causa del intento de violación de MacNeal, se volvió vulnerable y fue invadida por la maligna fuerza psíquica que había sido Bob Nickle.

Existe algo de lógica en la teoría de Hubbell, pero toda la experiencia poltergeist se debe analizar con mucho cuidado antes de presentar explicaciones de estos fenómenos que, según se dijo, habían sido tan persistentes.

Rara vez se ve a un poltergeist; lo que se ve son sus actividades. Casi invariablemente se relacionan con jovencitas que están en la pubertad o experimentan traumas sexuales, frustración sexual crónica, o las dos cosas. (Es más raro que se relacionen con muchachos). Hubbell detectó un ciclo de 28 días en sus observaciones de los problemas de Esther relacionados con el poltergeist. Lo atribuyó a las fases de la luna: otros investigadores podrían preguntarse si su ciclo menstrual producía importantes cambios psicosomáticos, algunos de los cuales hacían que pudiera actuar con más facilidad como centro de actividades poltergeist. Incluso los investigadores más actualizados en el campo de la neurología, saben muy poco sobre el poder potencial de la mente sobre la materia, en especial a un nivel subconsciente. Existen montañas de evidencias respetables sobre fenómenos extrasensoriales, telepatía y psicoquinesis. Es *posible* que Esther haya creado (sin querer hacerlo en forma deliberada) todos los extraños fenómenos poltergeist de 1878 y 1879 dentro de su propia mente traumatizada e infeliz. También es posible que alguna fuerza invisible o entidad psíquica (que llamamos poltergeist a falta de un mejor nombre) flotaba en otra dimensión, en algún reino vecino, esperando una oportunidad para ocupar a un ser humano debilitado.

En algunas de las narraciones de esa época se dijo que llamaron a un curandero sabio, un anciano indio americano, tal vez miembro de la Nación Micmac de Nueva Escocia, para que ayudara a Esther. Según este relato, él logró expulsar la maligna presencia psíquica de Bob Nickle, y le hizo prometer que nunca regresaría a molestar a Esther. También hubo rumores de que después de que Esther se curó, Bob MacNeal, que ya no vivía en Amherst, empeoró mucho;

casi como si la entidad maligna que había sido expulsada de Esther en cierta forma hubiera llegado hasta Bob.

Los problemas psíquicos y las dificultades paranormales no son, de ninguna manera, ajenos unos a los otros. Así como no lo son los problemas físicos. El reumatismo crónico no impide que el paciente tenga catarro. ¿Fue Esther víctima de varias experiencias paranormales distintas en forma simultánea? ¿Un poltergeist y un grupo de espíritus hostiles actuaron contra ella al mismo tiempo que sus propios traumas psicosexuales creaban fenómenos psicoquinéticos a su alrededor con el poder de su propio subconsciente? Puede ser importante que todos los sucesos paranormales cesaron cuando Esther se casó.

Existen también dos secuelas interesantes relacionadas con el misterio sin resolver del poltergeist de Amherst. Walter Hubbell regresó a Amherst treinta años después y habló con dieciséis ciudadanos importantes y confiables que recordaban los sucesos de 1878 y 1879. Todos habían leído con cuidado el libro de Hubbell y voluntariamente firmaron una declaración formal en su favor, diciendo que todos los hechos que había registrado sobre Esther Cox y los sucesos paranormales que la rodeaban eran verdaderos.

La segunda secuela se relaciona con Frederick L. Blair, uno de los personajes más importantes y decididos que participaron en la búsqueda del tesoro de Oak Island. Fred era amigo del escritor Edward Rowe Snow y en una ocasión le dijo a Snow que había sido testigo de algunos de los fenómenos de Amherst. "Sé que el misterio de Amherst es verdadero", testificó Blair.

LA RECTORÍA DE BORLEY Y OTROS CASOS DE APARICIONES

La Rectoría de Borley fue descrita en una ocasión como "la casa más asediada por los fantasmas en Inglaterra"...

La Rectoría de Borley estaba en la ribera norte del Río Stour en la zona de East Anglia donde Suffolk colinda con Essex. La Rectoría, que era un edificio de ladrillos rojos, tenía más o menos 23 habitaciones y fue construida en 1863 para el Reverendo Henry Dawson Ellis Bull. Se dice que casi tan pronto como él y su familia se mudaron, empezaron extraños disturbios. Se informó de tantos supuestos fenómenos que se requerirían muchos volúmenes para enumerarlos todos en detalle. De hecho, Vincent O'Neill, que tiene un excelente site en Internet con el nombre de *Son of Borley*, ha compilado una bibliografia muy completa y basada en una investigación sólida, que abarca varias páginas y sin duda seguirá creciendo.

Se escuchaban pasos. Durante la noche había golpes ligeros. Sonaban campanas, como cincuenta años antes en Bealings. Se escuchaban voces extrañas, etc., etc., etc.

El primer Reverendo Harry Bull y su esposa Carolina Sarah Foyster, tuvieron una familia muy grande: catorce hijos, y ellos también declararon haber experimentado estos extraños e inexplicables fenómenos. Uno de ellos, por ejemplo, fue despertado una noche con una bofetada en la cara, al parecer propinada por un atacante que no era humano. Otra de las hijas informó haber visto a un hombre vestido a la antigua de pie junto a su cama. A lo largo de los años, un gran número de testigos han informado haber visto un fantasma sin cabeza, un carruaje de caballos espectral, una monja y una mujer vestida de blanco.

Se decía que en el sitio donde se construyó la Rectoría había estado un monasterio medieval, aunque la evidencia histórica y arqueológica de su existencia no es muy sólida.

El primer Harry Bull murió en 1892 y su sucesor fue su hijo, también llamado Harry, quien tomó la Rectoría ese mismo año. Permaneció ahí hasta su muerte en 1927. Durante su ejercicio hubo también informes persistentes de fenómenos psíquicos. Se veía la sombría figura de un hombre con sombrero de copa. Cuatro de las hermanas Bull dijeron haber visto la forma del fantasma de una monja, y en diversas ocasiones una cocinera informó que al parecer, una puerta que había cerrado con cuidado se abría sola durante la noche. Por alguna razón, con frecuencia la encontraba abierta temprano por la mañana.

Los fenómenos poltergeist empezaban a registrarse poco antes de que hubiera un cambio de ejercicio.

El Reverendo G. Eric Smith llegó a Borley en 1928 y escribió al *Daily Mirror* sobre los sucesos paranormales que había en la Rectoría. Ellos enviaron a V. C. Wall a investigar y también se pusieron en contacto con Harry Price. Él visitó Borley en dos o tres ocasiones antes de 1930. En Julio de 1929, por ejemplo, estuvo ahí con su secretaria, la Señorita Kaye y con Lord Charles Hope, cuando se informó de varios fenómenos.

Los Smith dejaron la Rectoría para vivir con más tranquilidad y seguridad en Norfolk, y en 1930 el primo del finado Harry Bull, el Reverendo Lionel Algernon Foyster y su esposa Marianne se mudaron a la Rectoría. Informaron que ellos también habían tenido experiencias perturbadoras en ese extraño y antiguo edificio. Aparecían en la pared mensajes pidiéndole a Marianne que consiguiera ayuda.

Harry Price y su equipo de investigadores relataron cómo habían sido testigos de numerosos fenómenos extraños: se encendían fuegos de manera inexplicable, caían pedernales y los termómetros registraban temperaturas de menos de diez grados.

Entre los investigadores distinguidos que visitaron la Rectoría está el Dr. C. E. M. Joad, el Comandante A. B. Campbell, filósofo que transmitía el programa de la BBC "Brains Trust" (Confianza en el Cerebro).

Después de aproximadamente cinco años de soportar estos extraños fenómenos psíquicos, los Foyster y su hija adoptiva, Adelaide, partieron de ahí con gusto. Entonces el Capitán Gregson compró la Rectoría. Se incendió en 1939 y se dice que la figura fantasmagórica de una jovencita apareció en una ventana de los pisos superiores, mientras que otras inexplicables figuras con capas habían abandonado la conflagración sanas y salvas, como Shadrach, Meshach y Abednego en la hoguera de la Biblia. Se pensó que ningún ser humano, excepto el dueño, estaba ahí en ese momento.

Durante la Segunda Guerra Mundial, los guardias con frecuencia debían investigar informes de luces misteriosas que se veían entre las ruinas de la Rectoría de Borley. En 1943, se excavaron esas ruinas y se encontraron huesos humanos bajo el piso de lo que Harry Price llamaba un antiguo sótano, junto con algunos artículos de joyería religiosa. En una sesión espiritista se recibieron mensajes que supuestamente daban información de que se había convencido a una joven monja francesa llamada Marie Lairre para que abandonara su convento, cerca de Le Havre, y se casara con un miembro de la familia Waldegrave, que eran dueños de las tierras de Borley en el siglo XVII. De acuerdo con la evidencia que se obtuvo en la sesión espiritista, Marie fue asesinada por su prometido el 17 de mayo de 1667, en un edificio que había estado en el sitio que la Rectoría Borley ocupó dos siglos después.

Desde el punto de vista histórico, el nombre de la aldea de Borley, viene del anglosajón *Borlea* que significa claro o apacentamiento de un jabalí. Es probable que la primera iglesia de madera haya estado en ese lugar cuando llegaron los Normandos de William, y la Mansión de Borley fue entregada a la media hermana de William. Los restos de la iglesia normanda, construida con pedernal y grava y que data del siglo XII, todavía pueden verse en el muro sur del presente edificio.

La familia Waldegrave fue dueña de la mansión de Borley del siglo XVI al siglo XIX. Uno de sus miembros, dicho sea de paso, tuvo una actuación importante en el asesinato de Marie Lairre del que se habló en la sesión espiritista. Sir Edward Waldgrave representó a Essex en el Parlamento, pero lo encerraron en la Torre de Londres con toda su familia por atreverse a permitir que se celebrara Misa en su casa. También se había rehusado a hacer el Juramento de Supremacía que reconocía a Isabel I como jefe de la Iglesia de Inglaterra. Sir Edward murió en 1561, pero su esposa sobrevivió por más de treinta y ocho años. Su segundo esposo y su hija Magdala se recuerdan en la Tumba Waldegrave, dentro de la iglesia. El investigador y autor Frank Usher, que escribió un excelente y muy completo artículo sobre Borley en *"Fifty Great Ghost Stories"* (Cincuenta grandes historias de fantasmas), editado por John Canning, se refiere a un informe de que los ataúdes que están en la Tumba Waldegrave se encontraron fuera de lugar, como los de Chase Vault en Oistin, Barbados.

Existen al menos ocho leyendas distintas ligadas al fenómeno que se centra en Borley, que vale la pena resumir.

La primera relata que durante el siglo XIII un monje del monasterio de Borley huyó con una monja del Convento de Bures, aproximadamente a 12 kilómetros de distancia. Las autoridades persiguieron su carruaje y lo alcanzaron. Los hicieron regresar y los ejecutaron: al muchacho lo colgaron o lo decapitaron y a la chica la enterraron viva en su propio convento. Se debe mencionar que existen problemas históricos de importancia en este relato. En el siglo XIII, un carruaje diseñado para viajar tan rápidamente que fuera posible huir en él, no era lo común. La clase de carruajes postales rápidos que Dick Turpin y su banda trataban de asaltar pertenecen a un periodo 500 años más tarde. También se duda seriamente que hayan existido casas de religiosos en Borley o en Bures. Sin embargo, la leyenda de la huída explica en cierta forma los fenómenos del carruaje y la monja fantasmas de que se ha informado una y otra vez en la zona de Borley.

La segunda leyenda se centra en el asesinato de una monja católica francesa, Marie Lairre, supuestamente de un convento en Le Havre. La información sobre Marie parece haber surgido de la escritura automática en una tabla de escritura mesmerista lograda por Helen Glanville en Streatham. Cuando los mensajes le llegaban, en ocasiones estaba sentada con su padre y su hermano, y en ocasiones sola. Como se mencionó antes, se dice que a esta desafortunada monja joven la convencieron para que dejara el convento y se casara con un miembro de la familia Waldegrave, quien después la asesinó en un edificio que estaba en el sitio en que después se construyó la Rectoría de Borley. El asesino sepultó el cuerpo en un sótano o lo echó al fondo de un pozo que, convenientemente, ya no estaba en uso. Sus supuestos restos fueron finalmente desenterrados en uno de los sótanos bajo las ruinas calcinadas de la Rectoría de Borley en agosto de 1943 y el Reverendo A. C. Henning les dio cristiana sepultura en el Cementerio de Liston en 1945. También se dijeron Misas de Requiem por ella en Oxford y Arundel.

La tercera leyenda reemplaza a Marie Lairre con Arabella Waldegrave. La familia abandonó Inglaterra en 1688 con James II y sus cortesanos, a causa del conflicto entre protestantes y católicos. La tradición supone que Arabella se hizo monja cuando estuvo en Francia, pero por alguna razón renunció a sus votos y regresó a Inglaterra como una antigua precursora de Mata Hari, trabajando como espía para los Estuardos. Al parecer los agentes de contraespionaje la detectaron en Borley, la asesinaron ahí y escondieron su cuerpo. Según esta versión de la leyenda de la monja fantasma, Arabella ha rondado ese lugar desde entonces.

La cuarta leyenda se relaciona con Simón de Sudbury, que fue Arzobispo de Canterbury durante la rebelión de los campesinos de 1381. Los campesinos involucrados en la rebelión lo odiaban profundamente; lo capturaron y lo decapitaron el 14 de junio mientras el pueblo gritaba con beneplácito. Sudbury está cerca de Borley e involucrar al desafortunado arzobispo Simón con las apariciones es una forma de explicar el espectro decapitado que, según se dice, se aparece al mismo tiempo que la monja.

La quinta leyenda, que es una de las más vagas y sin fundamento, se refiere a un fantasma a quien, según se cuenta, no sólo se le podía ver sino también escuchar. Se dice que alguien vio a una jovencita, posiblemente una de las muchas sirvientas de la enorme Rectoría en el siglo XIX, sosteniéndose con las puntas de los dedos a una de las cornisas de una ventana en uno de los pisos superiores. Algunos suponen que estaba de pie en la cornisa exterior para limpiar la ventana y de alguna manera perdió el equilibrio. Gritando desesperadamente para pedir ayuda, cayó sobre el vidrio de la terraza que estaba abajo y murió a causa de las heridas. Una versión más siniestra y lasciva de la leyenda supone que estaba tratando de escapar de las atenciones de uno de los sirvientes varones; o incluso del Rector mismo, y se había salido a la cornisa para llamar la atención. ¿Entonces la empujaron deliberadamente para causarle la muerte o para silenciarla?

El sexto caso se relaciona con Marianne Foyster, que creyó haber visto el espíritu de Harry Bull deslizándose por la Rectoría que él había construido. Marianne también informó de varios otros fenómenos paranormales. Algunos de los que la conocían y trabajaban con ella mientras su esposo era Rector de Borley, al parecer pensaban que tal vez tenía la inclinación a ser una persona de mucha imaginación y muy emocional, así que quizá la evidencia que presenta deba examinarse con cautela; lo que no significa que deba descartarse. Una coincidencia extraña, si acaso *es* pura coincidencia, que descubrió Colin Wilson, una persona inteligente y totalmente confiable, a lo largo de su investigación en Borley, es que Lionel Foyster había vivido cerca de Amherst en Canadá, donde ocurrieron los impresionantes fenómenos poltergeist de Esther Cox. ¿Existe la remota posibilidad de que algo paranormal haya seguido a Foyster de Canadá a Borley? ¿O su conocimiento anterior de lo que ocurrió en Amherst, y él experimentó, de alguna manera lo programó y lo preparó para las experiencias psíquicas que le esperaban en la extraña Rectoría de Suffolk?

La séptima leyenda se refiere a un anciano jardinero llamado Amos, que había sido empleado de la familia Bull doscientos años antes. Harry Bull mismo fue quien informó haber visto el fantasma de Amos cerca de la Rectoría. Pero a menos que en algún lugar existiera un retrato del viejo jardinero, es difícil entender cómo Harry pudo identificar a un hombre que había muerto un siglo antes de que él naciera.

El relato se relaciona con el misterioso "fantasma con sombrero de copa" que Ethel Bull dijo ver.

Quizás estos ocho relatos abarquen y clasifiquen la mayoría de los sucesos paranormales de los que se ha informado en la Rectoría de Borley, sus alrededores o lo que queda de sus ruinas, en un período de 1863 a 1945, cuando se demolieron las ruinas por ser peligrosas. Sin embargo, la antigua cochera todavía está en pie, y la han transformado en una moderna residencia privada muy atractiva. En la actualidad se le conoce como "El Priorato". Los extensos jardines de la rectoría se convirtieron en cuatro búngalos después de la guerra.

Harry Price, el investigador psíquico que trabajó más de cerca en Borley, es casi tan interesante como la casa en sí. Harry era un escritor muy dotado y ameno, y con frecuencia se le criticó por su falta de rigor científico. Entre sus detractores había quienes creían que prefería crear un efecto sensacional a adherirse estrictamente a una verdad menos dramática. Cuando Wyatt Earp era anciano y estaba muriendo, un periodista esperanzado le pidió la verdadera historia del famoso tiroteo de OK Corral, a lo que Earp replicó: "Al diablo con la verdad chico, imprime la leyenda". Quienes criticaron a Price pensaban que compartía la actitud de Earp.

En el libro autobiográfico de Price, *Search for the Truth* (Búsqueda de la Verdad), se describe como el hijo de un adinerado fabricante de papel en Shropshire. También declara haber viajado con frecuencia entre ese lugar y su casa en los suburbios de Londres en el próspero distrito de Brockley, mientras asistía a una escuela pública en el campo. Una severa crítica de Price y de su obra, escrita por Trevon Hall, implica que el padre de Price era sólo un tendero de éxito modesto en New Cross, que había seducido y luego desposado a la madre de Harry cuando ella era sólo una adolescente. Harry, que nació en 1881, asistía a la Escuela Secundaria para Jóvenes Haberdasher, y la única relación que Hall pudo encontrar con Shropshire era que el abuelo de Harry había sido dueño del Bull's Head (Cabeza de Toro) en Rodington.

Price aseguraba haber sido director de la inexistente fábrica de papel de su padre y haber pasado su tiempo de descanso coleccionando monedas y divirtiéndose como arqueólogo aficionado. Esto hasta 1908, cuando estaba casado con la adinerada Constance Knight. La investigación de Hall reveló algo totalmente distinto.

Al parecer, Price se ganaba la vida dando conciertos de gramófono, tomando fotografías comerciales de las fachadas de las tiendas de la localidad con fines publicitarios, vendiendo un medicamento patentado para ovejas y actuando como mago en los escenarios, un aspecto de sus habilidades que hizo que algunos de sus críticos pusieran en tela de duda su trabajo en Borley años después.

Las actitudes que la gente tiene hacia investigadores como Price y su trabajo parecen mecerse como péndulos. Cuando en 1940, se publicó su primer libro sobre Borley, *The Most Haunted House in England* (La casa más asediada por fantasmas en Inglaterra) recibió una crítica favorable y los medios publicitarios le prestaron mucha atención, al igual que *The End of Borley Rectory* (El final de la Rectoría de Borley), que apareció en 1946. En su obituario, el *Times* lo describió como una persona que tenía "...una mente singularmente honesta y clara en un tema que por su naturaleza misma se presta a todo tipo de embustes y embrollos..."

Pero a pesar de tantas alabanzas efusivas y de la atención de los medios publicitarios, las termitas ya estaban destruyendo los vulnerables cimientos de la frágil reputación de Price.

Se dio mucha importancia a un relato de Charles Sutton, reportero del *Daily Mail*, quien aseguraba que después de que una piedrecita le golpeó en la cabeza mientras acompañaba a Price en una visita a la Rectoría de Borley, descubrió que los bolsillos de Price estaban llenos de piedrecillas y trozos de ladrillo.

Cuando Lord Charles Hope y el Honorable Alcalde Henry Douglas-Home estuvieron en la Rectoría, empezaron a expresar sus reservas en relación a los fenómenos que ahí se habían presenciado. Presentaron informes oficiales ante la Sociedad de Investigaciones Psíquicas y acusaron a Price de no ser honesto respecto a los fenómenos de Borley. Un incidente que menciona Home se refiere a un ruido extraño en la oscuridad que fue como si alguien hubiera arrugado un papel celofán. Price lo acompañaba en esa ocasión. Home confesó que más tarde había registrado el equipaje de Price y había encontrado un rollo de celofán.

A causa de lo que dijeron Hope y Home, la sociedad para Investigaciones Psíquicas nombró a Eric Dingwall, la Sra. Goldney y Trevor Hall para que estudiaran los fenómenos de Borley y el papel de Price en el asunto. Los tres investigadores tuvieron acceso a la correspondencia de Price y otros documentos, y como él había muerto el 29 de marzo de 1948, estaban libres del temor de ser acusados por difamación cuando su informe, que era una crítica muy severa, finalmente se publicó en 1956.

En 1973 el péndulo osciló de nuevo a favor de Price con la publicación de *Ghosts of Borley; Annals of the Haunted Rectory* (Los fantasmas de Borley; anales de la Rectoría asediada por fantasmas), escrito por el reputado Peter Underwood, Presidente del Club de Fantasmas, y su asociado el Dr. Tabori.

Sin importar los duros ataques de algunos críticos al trabajo de Price, y sin importar cuanto lo defiendan otros de la misma categoría, los hechos ineludibles son que la Rectoría de Borley y sus alrededores ya tenían una reputación poco envidiable antes de que Price se involucrara, y muchos otros fenómenos extraños se han relacionado con este sitio después de su muerte.

Pero Borley no es, de ninguna manera, un caso único: Se han visto y escuchado fantasmas y fenómenos psíquicos similares a los que se reportaron ahí, en muchos otros lugares. Sin embargo, un informe de segunda mano, sigue siendo sólo un informe, incluso cuando quienes lo presenten sean los testigos más respetables y con la mejor buena voluntad.

El relato de Sir Edmund Hornby ofrece una nota precautoria muy elocuente que los investigadores de lo paranormal deberían considerar con cuidado. Este ralato apareció en la revista *Nineteenth Century* (Siglo XIX) en 1884, es decir, nueve años después de la misteriosa experiencia que él describió tan vivamente. Había sido Juez de la Suprema Corte de China y Japón en Shangai.

> "Relata el Juez que la noche del 19 de enero de 1875 escuchó un golpe en la puerta de su habitación y entró cierto editor de periódicos que el juez conocía bien. Ignoró la petición del juez de que abandonara el cuarto y se sentó a los pies de la cama. Sir Edmond se dio cuenta de que era la l:20 de la madrugada. El propósito de la visita era conseguir una declaración del juez sobre el juicio de ese día para el periodico matutino. Después de rehusarse dos veces, accedió por temor a que el seguir discutiendo despertara a la Sra. Hornby. Al final, el juez disgustado dijo al visitante que era la última vez que permitía que un reportero entrara a su casa. El otro respondió: 'Esta es la última vez que lo veré a Ud'. Cuando ya se había ido, el juez miró el reloj: era exactamente la 1:30. Entonces la Sra. Hornby despertó y el juez le dijo lo que había ocurrido.
>
> "A la mañana siguiente, el Juez le repitió el relato a su esposa cuando se estaban vistiendo. Cuando llegó al tribunal se impresionó mucho cuando escuchó que su visitante había muerto durante la noche, aproximadamente a la 1:00. En el cuaderno del hombre muerto decía: 'El Juez Principal emitió juicio sobre este caso esta mañana con los siguientes resultados...' y después aparecían algunas líneas en una taquigrafía indescifrable. El resultado de la indagación mostró que había muerto de un tipo de enfermedad cardiaca. El Forense, a petición del Juez, aseguró que el difunto no pudo haber salido de su casa a partir de dos horas antes de su muerte.

"Cuando llegó a su casa, el juez le pidió a su esposa que le repitiera lo que él le había dicho la noche anterior e hizo un 'breve resumen de sus respuestas y de los hechos'.

El Juez registra: 'Como dije entonces y lo digo ahora, yo no estaba dormido, sino totalmente despierto. Después de nueve años mis recuerdos son claros al respecto. No tengo la menor duda de que vi al hombre, no tengo la menor duda de que hubo una conversación entre nosotros' ".

El *Nineteenth Century* hizo arreglos para que se realizara una investigación posterior. Al hacerlo se proponía sacar a la luz algunas contradicciones obvias. El periodista del relato era el Reverendo Hugh Lang Nivens, Editor del *Shanghai Courier*, y había muerto a las 9:00 a.m., no a la 1:00 a.m. Cuando supuestamente ocurrió el incidente, el Juez Hornby no estaba casado. La primera Sra. Hornby había muerto hacía dos años y él no se volvió a casar hasta tres meses después del incidente. No se realizó una indagación relacionada con Hugh Nivens.

Cuando se le dijo a Hornby cuál había sido el resultado de la investigación, él dijo: "Si no hubiera creído, como aún lo creo, que cada palabra de la narración es exacta, y que puedo confiar en mi memoria, nunca hubiera relatado esto como una experiencia personal". Se puede cuestionar si el Juez estaba en lo correcto y los investigadores del *Nineteenth Century* cometieron errores garrafales. Tal vez otro periodista había muerto en un periodo anterior o posterior, cuando sí había una Sra. Hornby con el Juez. O tal vez sólo tuvo un sueño muy vívido que al paso de los años confundió con un suceso real. Existe un importante adagio psicológico de que tenemos la tendencia a no recordar el suceso, sino el primer relato del suceso. Si se relata muchas veces esto puede llevar, de manera inconsciente, a lo que se denomina "falsificaciones retrospectivas". Es como si a la mente le gustara ordenar las cosas al clasificar y editar la información guardada en el inmenso almacén de la memoria.

La Dama Blanca y la Dama Gris de Dartington Hall son otro ejemplo de fantasmas que tradicionalmente se relacionan con la muerte. Un cartero joven vio a una de las chicas que trabajaban en Dartington Hall de pie, en un estado de terror absoluto, al final de un camino muy largo. Le preguntó qué pasaba y ella le explicó que le causaba terror caminar sola por ese camino tan oscuro. El bondadoso cartero la acompañó y la llevó hasta la entrada del personal en Dartington Hall. Al dar la vuelta para regresar por el mismo camino se topó con el siniestro espectro de la Dama Gris. Pasó muy cerca de él, entró y salió de varios setos como ningún ser terrestre podría haberlo hecho. También le pareció que ella estaba siguiendo un camino que difería un poco del sendero donde él caminaba. El encuentro lo impactó y aterrorizó más de lo que podría esperarse, ya que no había nada especialmente grotesco o aterrador en la apariencia de la Dama Gris. Este joven, que siempre había sido saludable, murió de meningitis poco después, bien sea que esto se relacione o no con su encuentro con la Dama Gris.

La Dama Blanca de Dartington era igualmente siniestra, pero parece haber limitado sus atenciones a una familia establecida desde hacía mucho tiempo.

Los fantasmas de asesinos y sus víctimas forman otra gran categoría. El caso clásico de este género se relaciona con la aldea de Haddenham, no lejos de Aylesbury. Se había visto un fantasma avanzando con dificultad en el camino a Haddenham, agarrándose patéticamente una herida mortal que tenía en el pecho. En 1928, un granjero fue al mercado Thame, pero nunca regresó. Preocupada de que tardara tanto, su esposa fue a la puerta de la casa para ver si lo veía venir. Él se materializó lentamente frente a ella con el mango de un martillo encajado en su pecho destrozado. Aterrada por lo que vio, la esposa del granjero corrió en busca de ayuda, y con un grupo de vecinos encontró el cuerpo de su esposo a la orilla del camino. Las heridas mortales de su pecho eran idénticas a lo que ella había visto en su visión. No es de sorprenderse que se le considerara sospechosa porque había dado la noticia y sabía cual había sido la causa de la muerte, antes de que el cuerpo de su esposo fuera encontrado.

La verdad se supo mucho después. Cuando regresaba a casa del mercado, el granjero había encontrado dos ladrones de ovejas con las manos en la masa y amenazó con acusarlos. En 1928, se les habría enviado a Botany Bay, de modo que lo asesinaron para que no hablara. El 8 de marzo de 1830, fueron ahorcados públicamente fuera de la prisión de Aylesbury.

El fantasma de Katherine Ferrers, una de las pocas mujeres asaltantes de caminos que tenía la misma profesión de Dick Turpin y Tom King, se ha visto en los caminos cercanos a Markyate en Hertfordshire, acompañado de su enorme caballo negro. Ella fue hija de George Ferrers quien se casó con la viuda de Humphrey Bouchier que vivía en Markyate Cell, una mansión Isabelina que contiene partes de un edificio mucho más antiguo.

Katherine tuvo que casarse, por un matrimonio arreglado, con un joven de 16 años, cuando ella sólo tenía 13 años. Esto no fue positivo para ella, y los historiadores intuyen que su infeliz y monótona vida en casa fue lo que la llevó a tener una doble vida como asaltante de caminos. Después de una audaz carrera de éxitos, en la que asesinó a varias de sus víctimas, el guardia de un carruaje le disparó y la hirió de muerte.

Tenía una entrada secreta a un cuarto oculto en Markyate, donde normalmente se cambiaba de ropa. El traje que usaba como asaltante de caminos, su máscara y sus pistolas estaban bien escondidas ahí. Apenas si logró arrastrarse a su entrada secreta antes de morir, vistiendo aún su traje de asaltante, con su máscara y pistolas. El secreto se reveló. La noticia se esparció como reguero de pólvora, aunque su cuarto fue sellado con ladrillos y la familia negó tener conocimiento de sus atroces aventuras. A causa de un desastrozo incendio en 1841, fue imposible sacar a la luz más evidencias.

Ningún relato de fantasmas y apariciones estaría completo sin tener al menos un comentario pasajero sobre las "manos cubiertas de pelo" de Dartmoor: manifestaciones malignas e inexplicables que eran una amenaza siniestra y malvada para todos los que se acercaban a su territorio.

Un número estadísticamente improbable de carretas, carruajes y posteriormente automóviles y motocicletas, se salían del camino en un punto entre Postbridge y Two Bridges cerca del límite sur de Bellever Forest, en Dartmoor. Los conductores o pasajeros de los vehículos involucrados en estos accidentes, juraron haber visto un par de horrendas manos cubiertas de pelo, sin cuerpo, que lucharon con ellos tratando de controlar el vehículo, lo que hizo que se saliera del camino.

El caso llegó a una especie de climax cuando una pareja que viajaba en una casa rodante se detuvo cerca del lugar para pasar la noche. El esposo estaba dormido y la esposa escribiendo pacíficamente ante una mesa plegable de la casa rodante. Ella empezó a percibir una extraña sensación sobrenatural y un frío anormal. Volviéndose, vio dos enormes manos cubiertas de pelo en la ventana, justo sobre el lugar donde estaba dormido su esposo. Hizo la señal de la cruz y rezó fervientemente unos minutos y las aterradoras manos desaparecieron.

Existe un número de teorías interesantes que se utilizan de vez en cuando para explicar fenómenos como los de Borley y miles de lugares en todo el mundo. Ni siquiera la mejor de estas teorías parece totalmente adecuada y es posible que, al igual que las más eficaces mezclas medicinales de antibióticos, se necesite una mezcla de hipótesis para explicar todos los enigmáticos fenómenos que están al asecho.

Una idea interesante es que tal vez la tierra y la piedra, y el material con que se construyeron algunos edificios muy antiguos, tengan capacidad para recibir y registrar impresiones de sucesos. Esto puede tener más fuerza cuando los sucesos en sí son particularmente emotivos o dramáticos; algo así como cuando, de alguna manera, se incrementa la capacidad receptora de una grabadora o se amplifica la señal. Si una cinta magnética puede captar una imagen y los sonidos que la acompañan para que después se reproduzcan una y otra vez en una máquina de video, entonces, tal vez algunas "cintas magnéticas" de la naturaleza pueden capturar y registrar sucesos que las personas sensibles y receptivas continuarán viendo y escuchando de tiempo en tiempo, cuando las condiciones son adecuadas. Si esta hipótesis es correcta en relación a ciertos casos de sucesos paranormales, entonces los supuestos fantasmas son tan normales como una noche en que te sientas a ver una película de Schwarzenegger, Norris o Stallone en tu aparato de video. Es tan natural verlos realizar de nuevo sus luchas, persecusiones y otras aventuras, grabadas en estudios distantes y ubicaciones exóticas hace años, como ver la repetición "psíquica" de batallas libradas en la Guerra Civil Británica en el siglo XVII.

Por supuesto, también es posible que cuando informamos haber visto alguna manifestación paranormal, de hecho estemos observando el espíritu sin cuerpo de alguien que vivió hace mucho, cuya alma ha regresado a la tierra a cumplir algún propósito importante, o a dar un mensaje que no se completó durante su vida terrestre.

Existe también una teoría neuropsicológica de disfunción perceptiva que vale la pena considerar. A manera de ejemplo, comparemos el ojo y el cerebro humanos con una cámara controlada por una computadora. En ocasiones, incluso el mejor equipo funciona mal, y en lugar de capturar la escena que está frente a su lente en el mundo exterior, la cámara computarizada trata de registrar su propio interior. Supongamos que el observador humano de vez en cuando sufre de un problema similar, y un pensamiento *interno*, un sueño, una idea visual, se interpretan como algo *externo*. Si estoy recordando con afecto a mi padre o madre fallecidos, y esa figura amada aparece sentada en su silla favorita, ¿estoy simplemente registrando una visión interna como si fuera algo externo?

Si los pensamientos son más poderosos de lo que normalmente suponemos, ¿es posible que algunos supuestos espectros y fantasmas puedan explicarse como *tulpas,* o formas de pensamiento, materializaciones de ideas que hay en nuestra propia mente, o en la mente colectiva de grupos de personas como las que participaban en sesiones espiritistas? Si un grupo de personas con creencias similares se concentra para ponerse en contacto con algo paranormal, ¿no podrían en ocasiones causar que aparezca lo que esperan? ¿Explica esto en cierta medida por qué la presencia de un cínico o un escéptico de gran poder mental puede evitar que ocurra este tipo de milagros? ¿Acaso una poderosa mente incrédula tiene la capacidad de apagar la imagen psíquica que el resto del grupo está tratando de crear?

¿Podría también ser posible que algunas visiones sean visitantes del pasado o del futuro, de otra línea de probabilidades o de una dimensión desconocida? ¿Podrían aparecer formas de vida extraterrestres presentándose como espíritus humanos carentes de cuerpo?

De algo podemos estar seguros. No todo es imaginación, ni todo es psicosomático, aunque una parte podría serlo. Lo paranormal no es, como pensaba Ebenezer Scrooge, "un fragmento de patata no digerida". Se necesitó algo más poderoso que una indigestión para que apareciera el fantasma de Marley.

Los informes de fenómenos psíquicos siguen siendo uno de los mayores misterios sin resolver en el mundo. Es un campo que realmente vale la pena investigar una y otra vez.

EL EXTRAÑO CASO DE LOS ATAÚDES DE BARBADOS

¿Qué poder desconocido pubo haber movido los pesados ataúdes de plomo dentro de una bóveda sellada?

En un Universo donde las causas y efectos acordes al sentido común parecen gobernar la mayoría de los fenómenos, la mayor parte del tiempo, los ataúdes que se movieron en Barbados parecen ser un efecto sin explicación de una causa desconocida.

En resumen, el suceso es que en el cementerio de la parroquia de Christchurch, en Oistin Bay, Barbados, una bahía que a todo el mundo le parece un cartel de vacaciones en el Caribe, los ataúdes que están dentro de una cripta donde ocurren extraños trastornos, se movieron en repetidas ocasiones y de manera inexplicable.

En esa época, en Barbados era costumbre que los ataúdes de los adinerados dueños de plantaciones fueran muy pesados y estuvieran cubiertos de plomo; se necesitaban seis u ocho hombres para moverlos.

La cripta de Christchurch en que se centra este misterio, se construyó con grandes bloques de piedra de coral y se selló con una losa de mármol azul de Devonshire. Parte de ella estaba sobre el nivel del terreno y parte no, y se entraba a ella bajando unos cuantos escalones. El interior era de cuatro metros de largo y dos metros de ancho, con un techo que se veía cóncavo estando dentro pero plano estando afuera.

La primera persona sepultada en la notable cripta fue la Sra. Thomasina Goddard, en julio de 1807. Un año después, se sepultó el patético ataúd pequeño de María Anna Chase, que murió a los 2 años. Dorcas, su hermana mayor, la siguió el 6 de julio de 1812. Hubo siniestros rumores de que Dorcas había muerto a causa de un problema médico de principios del siglo XIX que se habría diagnosticado como anorexia en la actualidad. Algunos decían que el trato brutal de su padre la había llevado a dejar de comer hasta morir, en un esfuerzo desesperado por escapar de él.

Hasta ese momento, todos los entierros en la notoria cripta habían sido perfectamente normales.

Pero todo cambió en agosto de 1812. El Honorable Thomas Chase, que se decía era el hombre más detestado en todo Barbados, fue sepultado en esta cripta. El pequeño ataúd de Mary Anna Chase parecía haber sido lanzado al otro lado de la cripta y ahora estaba de cabeza en un rincón lejano. El ataúd de la Sra. Goddard había girado 90 grados de modo que estaba de lado con la parte trasera contra la pared. La primera reacción de las personas de raza blanca que asistieron al funeral fue culpar a los trabajadores negros del cementerio. Ellos lo negaron vigorosamente. A pesar de su comprensible y totalmente justificado resentimiento por la forma en que los trataban los dueños y los gerentes de las plantaciones, los trabajadores negros estaban ansiosos de poner tierra de por medio y no acercarse a esta extraña tumba. Era muy poco probable que hubieran entrado en secreto antes del entierro de Thomas Chase para mover los ataúdes que se habían enterrado antes.

Los ataúdes se pusieron de nuevo en su lugar y Thomas fue colocado reverentemente junto a los primeros ocupantes de la cripta.

Pasó el tiempo. El 25 de septiembre de 1816, aproximadamente cuatro años después, Samuel Brewster Ames, de 11 meses, fue llevado a la siniestra cripta. En abril, antes de la muerte del pequeño

Cripta de la familia Chase en Oistin, Christchurch, Barbados, donde los pesados ataúdes cubiertos de plomo se movieron después de que Lord Combermere cerró la cripta cuidadosamente.

Samuel, hubo una breve pero sangrienta rebelión de esclavos, eran comunes en Barbados a principios del siglo XIX. Los dueños de las plantaciones la sofocaron brutalmente, con su acostumbrada crueldad.

De nuevo, los ataúdes de la cripta estaban en completo desorden. Otra vez se culpó injustamente a los trabajadores negros por la profanación. En esta ocasión los dueños de la plantación que eran blancos, pensaron que la cripta se había violado como un acto de venganza por los esclavos que habían sido asesinados o mutilados durante el fracasado levantamiento reciente.

Sin embargo, después de reflexionar, esta explicación no satisfizo a los investigadores. Se reconoció que la cripta sólo tenía una entrada y la enorme losa de mármol azul de Devonshire seguía fija en su lugar. No mostraba señales de haber sido movida.

Además, estaba el asunto del peso de los ataúdes y la dificultad para manejarlos. El ataúd de la Sra. Goddard era sólo una caja de madera, relativamente ligera, frágil comparada con los otros ataúdes, y era bastante fácil moverlo, pero el aborrecido Thomas Chase había sido un hombre corpulento. Sus restos yacían dentro de un ataúd de madera sólida cubierto de plomo. Se necesitaba casi una docena de hombres para moverlo. Cuando se abrió la cripta para depositar los restos del pequeño Samuel Brewster Ames, ese fatídico 25 de septiembre de 1816, este enorme ataúd, cubierto de plomo estaba a casi un metro de su lugar original y de lado.

Fotografía tomada por la psíquica Pamela Wilson en 1996, la cual muestra lo que parece ser una presencia paranormal flotando cerca de la entrada de la cripta de la familia Chase.

Seis semanas después, la cripta se abrió de nuevo. Samuel Brewster, padre del pequeño Samuel, había sido asesinado; de hecho, sus esclavos lo golpearon hasta matarlo durante la rebelión de abril, hacía once meses. Como medida temporal durante ese periodo de emergencia, se le había sepultado en otra parte. Ahora lo iban a transferir a su lugar definitivo de descanso en la cripta de la familia.

Se examinó con cuidado la losa de marmol. Parecía estar firme en su lugar. Una multitud de mirones curiosos siguieron el ataúd de Samuel. Se retiró la losa. La luz del sol iluminó el interior de la cripta: *de nuevo los ataúdes se habían movido en forma radical.* Otra vez estaban regados al azar. El ataúd de madera de la Sra. Goddard se había desintegrado. Después sus partes tuvieron que atarse y recargarse contra la pared.

Thomas Orderson, Rector de la Iglesia de Cristo, y otros tres hombres registraron la cripta con cuidado. Una posibilidad que se les ocurrió es que la cripta se hubiera inundado, y buscaron rastros de humedad, pero todo estaba perfectamente seco dentro de la cripta. Se revisaron las paredes y el piso en busca de cuarteaduras y no se encontró nada.

En esa época había en Barbados ciertas tradiciones relacionadas con el Vudú, pero eran menos pronunciadas que en Haití. Los trabajadores de la plantación estaban convencidos de que la cripta de los Chase estaba bajo el efecto de cierta forma de maldición sobrenatural, y se mantenían tan lejos de ella como les era posible. Mientras que los gerentes y los dueños de la plantación, y los marineros que visitaban la isla expresaban gran interés y curiosidad: esperaban el siguiente entierro con un entusiasmo difícil de contener.

Amplificación computarizada de la fotografía tomada por la psíquica Pamela Wilson, que muestra con claridad un cráneo humano en la parte superior de la extraña figura que estaba a la entrada de la cripta de la familia Chase.

Los autores e investigadores Patricia y Lionel Fanthorpe en la cripta de la familia Chase en Oistin, Christchurch, Barbados.

Ocurrió el 17 de julio de 1819. Acababa de morir la Sra. Thomasina Clarke y la cripta se iba a abrir para sepultarla. Como es comprensible, había muchos mirones curiosos, y entre los que asistieron al funeral estaba Lord Combermere, entonces gobernador de Barbados que antes había sido comandante de caballería en la Guerra Peninsular: había sido uno de los oficiales más valientes y confiables de Wellington. De nuevo, los ataúdes estaban mal acomodados, todos excepto el patético atado de maderos que había sido el ataúd de la Sra. Goddard. Hacía tres años lo habían colocado contra la pared. Si algo se habría movido con facilidad a causa de algún leve temblor natural o de una inundación, habrían sido los maderos precariamente recargados contra la pared del ataúd desintegrado de la Sra. Goddard. Pero eso era lo único que seguía en su lugar, como un guardia romano en su puesto en Pompeya. Una vez más se realizó una minuciosa investigación de los ataúdes y la cripta. No se encontró explicación alguna para el desorden. Los ataúdes se pusieron de nuevo en su lugar; los tres ataúdes grandes cubiertos de plomo formaban la base. Sobre ellos se colocaron los de los niños y los trozos desintegrados del ataúd de la Señora Goddard, atados como antes. Por orden de Combermere, se tomaron otras precauciones. Se esparció una gruesa capa de arena blanca en el piso para ver si se encontraban huellas o marcas de que los ataúdes habían sido arrastrados. La pesada losa de marmol se sujetó con cemento, y Combermere y su grupo pusieron marcas distintivas en el cemento húmedo usando sus sellos.

Para entonces, los sentimientos de emoción y curiosidad eran demasiado fuertes en la isla para que Combermere esperara el

Entrada de la siniestra cripta de la familia Chase donde los pesados ataúdes de plomo se movieron una y otra vez a principios del siglo XIX, a pesar de los sellos que se colocaron en la puerta.

Interior de la macabra cripta de la familia Chase, tomada desde la parte de atrás hacia la escalinata de la entrada.

siguiente entierro. El 18 de abril de 1820, después de que él y un grupo de los principales ciudadanos de la isla habían hablado sobre el enigma de los ataúdes que se movían, decidieron no esperar a que muriera otro miembro de la familia, sino volver a abrir la cripta e inspeccionar su interior de inmediato. Se notificó a los ciudadanos que vivían ceca del lugar sobre las intenciones del gobernador; se reunió un grupo de trabajadores muy renuentes, y se inició la macabra tarea. La losa de marmol azul de Devonshire fue un problema importante. Todos los sellos en el cemento, duro como una roca, no habían sido alterados y eran claramente visibles, pero después de romper el cemento, fue terriblemente difícil mover la losa. Pronto se supo la razón. El enorme ataúd de Thomas Chase, cubierto de plomo, que pesaba casi una tonelada, estaba recargado contra la losa en un ángulo muy pronunciado. Eso, en sí, era por completo inexplicable, pero exceptuando los fragmentos del ataúd de madera de Thomasina Goddard, todo lo demás estaba en completo desorden. Sin embargo, no había marca alguna en la arena. No había señales de que algo se hubiera arrastrado, de huellas de algún intruso o de alguna inundación. Cada parte de la cripta estaba tan completa y sólida como el día en que había sido construida: no había piedras sueltas o que pudieran moverse, y no había pasajes secretos.

Combermere y sus distinguidos compañeros estaban absolutamente estupefactos, al igual que los mirones. El rudo veterano de la caballería, que no le tenía miedo a nada *físico*, decidió que esto ya era el colmo. Ordenó que todos los ataúdes se volvieran a sepultar, con toda reverencia, en otro lugar: La cripta de la familia Chase permanecería vacía, y así ha estado hasta nuestros días.

Al paso de los años, se han presentado varias teorías, las mejores entre ellas no son totalmente adecuadas: las peores están 180 grados fuera del blanco.

Siempre que hay un fenómeno verdaderamente desafiante e inexplicable, al parecer hay personas que afirman que nunca sucedió en realidad. El ejemplo clásico es el afán con que algunos ateos y agnósticos niegan la existencia histórica de Cristo, al igual que sus milagros y su resurrección. Sus argumentos son obviamente frágiles, y la cantidad mínima de hechos que contienen está llena de errores y falsedades: sin embargo, parece satisfacerles. No es de sorprenderse, entonces, que algunos de los que parecen encontrar que la existencia de misterios sin resolver es incómoda y desconcertante, los descarten diciendo que nunca sucedieron. Sólo el avestruz legendario, no el real, esconde la cabeza en la arena para evadir estímulos no deseados, pero ¡vaya que esta ave mítica es un don para los oradores, predicadores y moralistas! El frágil argumento de que los ataúdes de Barbados nunca se movieron dentro de la cripta, se basa ante todo en la suposición de que hubo un siniestro complot masónico, pero esto carece totalmente de motivos y nunca se ha comprobado: Se dijo que Lord Combermere, el Reverendo Thomas Orderson (que ofició los funerales), Nathan Lucas, el Alcalde Finch, Bowcher Clarke y otras personas honestas, respetables y confiables que participaron como testigos, eran masones y que habían inventado toda la historia como una especie de fábula masónica sobre la muerte y la resurrección. La teoría se desintegra con más rapidez que el ataúd de la desafortunada Sra. Goddard.

¿Qué tenemos después? Una idea mucho más sólida de que los responsables fueron unos gigantescos hongos tropicales del tipo benjí. Un relato de los ataúdes de Barbados, escrito por Valentine Dyall, apareció en *Everybody's Weekly* (El semanario de todos) el 19 de julio de 1952. Poco después, Dyall recibió una carta del Sr. Gregory Ames, que entonces vivía en 50 Bonser Road, Twickenham, Middlesex, UK. Adjuntó la copia de una carta escrita por su tatarabuelo en la Navidad de 1820. El autor de la carta fue pariente cercano del niño Samuel Brewster Ames, que había sido sepultado en la cripta, y es casi seguro que haya sido testigo de los sucesos en la cripta de Barbados. Él creía que unos enormes hongos del tipo de los que se sabe crecen en Honduras, eran responsables de haber movido los ataúdes. Dice que un trabajador de la plantación que era muy anciano le dijo que aunque la cripta se construyó para conservar los restos del Honorable John Elliot, los misteriosos sonidos, parecidos a explosiones ensordecidas que salían de ella, hicieron que se sepultara a John en otra parte en 1724, mucho antes de que empezaran los fenómenos relacionados con las familias Chase y Ames. ¿La causa de esas inexplicables "explosiones ensordecidas" fue en realidad la repentina desintegración de enormes hongos benjí?

Al estar impartiendo una serie de conferencias sobre fenómenos inexplicables en East Anglia en la década de 1970, mencionamos los ataúdes de Barbados y la carta de Ames. Un granjero que estaba en el grupo trajo un hongo benjí muy grande que había encontrado en uno de sus establos. Lo guardamos en una gran bolsa de plástico y el grupo lo vigiló semana tras semana. Al final del curso de dos semestres, no daba ninguna señal de desintegrarse y convertirse en nada. Cuando Combermere y su equipo inspeccionaron la cripta y revisaron la arena del piso, con toda seguridad habrían visto y reconocido los restos de cualquier hongo benjí tan grande que pudiera mover ataúdes que pesaban hasta una tonelada. En aquel entonces, nadie informó haber visto ese tipo de restos. Sin embargo, la idea de los hongos podría sostenerse, pero está lejos de ser concluyente.

Quienes buscan una explicación sobrenatural han enfatizado mucho el comportamiento del ataúd de madera de la Sra. Goddard. Era el único que no se movía cuando los ataúdes metálicos más pesados sí. En esa época la opinión general era que la Sra. Goddard supuestamente se había quitado la vida. Si lo hizo, existen precedentes en los archivos de estudios de casos sobrenaturales de que los trastornos extraños y los fenómenos paranormales se relacionan con el suicidio. Sin embargo, si el espíritu inquieto y atado a la tierra de la Sra. Goddard *fue* en cierta forma responsable de haber movido los ataúdes de Barbados, de eso surgen más preguntas de las que se responden. ¿De dónde sacan estos infelices espíritus su energía física y psíquica? En este caso se usó una enorme cantidad de energía. ¿Por qué habiendo tantas personas que se quitan la vida, casos como el de Barbados son tan poco comunes? ¿En qué medida, y esto se relaciona con los fenómenos poltergeist, puede la energía puramente mental o espiritual afectar masas tan grandes de materia? Para "explicar" el fenómeno de los ataúdes de Barbados en relación al espíritu atribulado de la Sra. Goddard, es como tratar de explicar la naturaleza del agua diciendo que salió de un grifo. Decir que el poder brotó del suicidio de la Sra. Goddard, no es una explicación total ni satisfactoria de la verdadera naturaleza de ese poder.

¿Fue, después de todo, y a pesar de que la cripta se había cerrado por completo, la venganza de esos trabajadores de la plantación a quienes Thomas Chase trató de manera tan abominable? Ellos tenían un motivo, sin duda, pero tampoco puede dudarse que temían a los "poderes tenebrosos" que según creían contenía la cripta. Parece mucho más posible que evitaran acercarse a ella a que encontraran la forma de entrar a cometer actos de vandalismo sin ser detectados. La teoría de los trabajadores vengativos no explica la puerta cerrada, la sólida mampostería (en la que no había piedras sueltas o pasajes secretos) y el piso cuidadosamente cubierto de arena que no mostró marcas reveladoras.

La parte de atrás de la misteriosa cripta de la familia Chase, que muestra un techo de bóveda de cañón, y los sólidos bloques de coral y piedra calisa con que está construída.

También se ha hablado de inundaciones y pequeños temblores, pero la gran dificultad aquí es que los fenómenos se limitaron a una zona muy pequeña. No se inunda una cripta dejando a docenas de otras perfectamente secas. Un temblor no sacude con violencia un grupo de ataúdes cambiándolos de posición, y deja de afectar a todas las criptas cercanas.

Algunos investigadores han sugerido que los ataúdes se movieron a causa de fuerzas naturales, que la ciencia ortodoxa aún no comprende. Se ha hablado de factores mal definidos como "burbujas de gravedad negativa". Admitimos que son mucho más probables que las teorías de la fábula masónica, pero son mucho menos probables que los hongos de Honduras.

Es inevitable que los que viajan en las fronteras de la Tierra de von Daniken, sugieran que los responsables fueron seres extraterrestres. Para dar a esa hipótesis el respeto que merece, es igualmente posible imaginar que los extraterrestres estaban llevando a cabo algunos experimentos sencillos. ¿Pusieron a prueba cierto tipo de rayos tractores muy avanzados? Tal vez eran capaces de mover ataúdes de *metal* con más facilidad que ataúdes de madera, y es por eso que el ataúd de la Sra. Goddard permanecía en su lugar, mientras que los que estaban cubiertos de plomo cambiaban de lugar en forma considerable. Como corolario, ¿podría implicarse que también hubo dimensiones psicológicas y sociológicas en estos hipotéticos experimentos extraterrestres? Al mismo tiempo que ponían a prueba sus rayos tractores, ¿estaban los extraterrestres que postulamos estudiando las reacciones de Combermere y los otros investigadores? ¿Estaban tratando de descubrir cómo responde la mente humana a una serie de fenómenos que no puede explicar? ¿Le estaban aplicando a Combermere y a sus contemporáneos una especie de prueba de cociente de inteligencia? Esto no es muy probable, pero no es imposible, tomando en cuenta el peso de las evidencias sobre OVNIs que se ha acumulado continuamente al paso de los siglos.

El abrumador peso de la evidencia nos lleva a la ineludible conclusión de que los ataúdes de Barbados fueron reales y que en diversas ocasiones se movieron a distancias de importancia dentro de una cripta sellada. No parecen haber sido empujados por intrusos vengativos, por inundaciones, por hongos gigantes, por temblores, por extraterrestres, o por burbujas de gravedad negativa. En la actualidad, la tumba está vacía, excepto por el intangible misterio que sigue atado a ella.

Sin embargo, la cripta de Barbados no es la única en que han sucedido este tipo de fenómenos. Existen informes de *otras* criptas en las que se dice que se han movido los ataúdes, y se localizan muy lejos de Barbados.

En julio de 1844, casi un cuarto de siglo después de los extraños sucesos en la cripta de la familia Chase, ocurrieron cosas extrañas en Kuresaare, antes llamado Ahrensburg, en lo que es ahora Saarema, pero que antes se identificaba en los mapas como la isla de Esel en Estonia. Hubo informes de visitantes al cementerio de Ahrensburg, de que sus caballos se comportaban en forma extraña.

Parecían nerviosos e inestables cuando se les ataba después de que sus jinetes habían desmontado para visitar las tumbas de sus familiares y amigos. Un informe afirma que algunos caballos se atemorizaron hasta volverse locos, y añade que al menos uno de ellos murió en sus desesperados esfuerzos por desatarse de la reja cercana al cementerio.

Un miembro de la familia Buxhoeweden fue sepultado el 24 de julio. Se abrió la cripta. De pronto se escucharon gritos de enojo y asombro: la mayoría de los ataúdes sepultados anteriormente estaban amontonados en el centro de la cripta como leños de una hoguera. Se les colocó reverentemente en su lugar y la familia presentó una queja formal ante el Barón Guldenstubbé, Presidente del Consistorio. Entre sus colegas estaba el alcalde, un doctor de la localidad, dos representantes del gremio de artesanos y un secretario oficial. Su veredicto formal fue que los responsables del acto de vandalismo y la profanación habían sido profanadores de tumbas (ya sea humanos o sobrenaturales). Guldenstubbé actuó con tanta rapidez, determinación y eficacia como Combermere lo había hecho al otro lado del mundo. Se añadieron nuevos cerrojos a la puerta de la cripta y se asignaron guardias al cementerio. Esto también se había hecho con mucho éxito en Bacton, Norfolk, Inglaterra, en 1828 cuando los ladrones de tumbas habían tratado de hurtar cuerpos del cementerio de la aldea en enero de ese año. El guardia nocturno les disparó a los intrusos, acribillándolos con pesados perdigones antes de que se alejaran para nunca más volver a causar problemas en Bacton.

La cripta de Osel, que había sido cuidadosamente vigilada, se inspeccionó tres días después. Los soldados informaron que no había problemas: todo había estado en paz mientras habían estado vigilando. Todos los cerrojos cerrados. Pero la mayoría de los ataúdes estaban de nuevo apilados en un montón en el centro de la tumba, otros dos o tres estaban cerca o a los lados. Guldenstubbé y el Obispo Luterano del lugar interrogaron a todos los que podrían tener el menor conocimiento sobre sucesos extraños. Como en Barbados, se realizó una búsqueda cuidadosa de un túnel secreto, pero no se encontró rastro alguno. Guldenstubbé y el Obispo dieron orden de que se abrieran dos o tres ataúdes, pero sólo se encontraron cadáveres en un proceso natural de descomposición. Como en Barbados, se investigó cuidadosamente para ver si se trataba de inundaciones, pero con resultados negativos. Incluso se retiró la base de la cripta y se colocó una nueva. También se examinó con cuidado la capilla que estaba arriba de la cripta. Guldenstubbé realizó un tercer y definitivo intento: se pusieron más cerraduras nuevas, un círculo de soldados rodeó la cripta; se esparcieron en el piso cenizas de madera seca, así como en Barbados se había esparcido arena.

Pasaron otros tres días y la cripta se abrió otra vez: De nuevo reinaba el caos. Los ataúdes estaban esparcidos; algunos estaban colocados en forma vertical y otros estaban abiertos. La ceniza del piso no mostraba huellas ni ninguna otra señal de disturbio. Como en el caso de Barbados, los ataúdes se volvieron a sepultar en otra parte y la cripta de Buxhoeweden se dejó vacía. Otro extraños paralelo con el caso de Barbados, es que se rumoraba que uno de los jóvenes Buxhoeweden sepultado en ella se había quitado la vida.

Barbados y Osel no fueron, de ningún modo, los únicos lugares donde se informó de ataúdes que se movían de manera inexplicable. La publicación *Notes and Queries* (Notas y preguntas) de 1867 contenía correspondencia de F. C. Paley, hijo del Rector de Gretford, cerca de Stanford, Inglaterra. Informó que su padre le había dicho que varios pesados ataúdes cubiertos de plomo se habían encontrado fuera de lugar en su parroquia. Uno era tan pesado que seis hombres lo movían con mucha dificultad. Como en Barbados y Osel, algunos de los ataúdes de Gretford se encontraron de lado.

También apareció el reportaje de otro caso en el *European Magazine* (Revista Europea) de septiembre de 1815, con un comentario de Algernon E. Aspinall en su libro *West Indian Tales of Old* (Antiguos relatos de las Indias Occidentales). En esta ocasión la cripta en cuestión estaba en Stanton, Suffolk, en Inglaterra. De nuevo, los ataúdes estaban forrados de plomo y estaban colocados en andas dentro de la cripta. En varias ocasiones, cuando se abrió la cripta se encontró que los ataúdes estaban fuera de lugar. Al menos en una ocasión, se encontro un ataúd descansando en el cuarto escalón de la escalinata que iba de la puerta a la parte baja de la cripta. Al parecer, en ese entonces, la explicación más popular eran inundaciones subterráneas, aunque los testigos notaron que no había señal de este tipo de inundaciones cuando se abría la cripta.

Sin embargo, la hipótesis de que se movían a causa del agua, se apoya de manera inesperada en un factor poco usual y extraño: *El London Evening Post* del 16 de mayo de 1751, contenía un informe de que *Johannes,* bajo el mando del Capitán Wyrck Pietersen, rescató un ataúd de madera forrado de plomo que contenía el cuerpo de Francis Humphrey Merrydith. Hacía más o menos un mes había sido sepultado en Goodwin Sands, como él lo había solicitado. El Comandante Rupert T. Gould, una autoridad en misterios sin resolver, y un hombre de mar muy profesional y bien preparado, apoya la idea de que esos ataúdes pueden flotar. Realizó algunos cálculos confiables de flotabilidad y llegó a la conclusión de que un ataúd típico de madera, cubierto de plomo, pesaba alrededor de 900 libras, pero tenía un desplazamiento de 1,100 libras. Si el cadáver promedio pesa menos de 200 libras, eso haría que el ataúd flotara.

Existe un relato del misterio del Báltico en el libro de S. R. Vale Owen, *Footfalls on the Boundary of Another World* (Movimientos en el límite de otro mundo). Él fue un diplomático norteamericano que recibió información del hijo y la hija de Guldenstubbé en 1859. Relatos confiables y bien documentados del incidente en la cripta de la familia Chase aparecen en el *Journal of the Barbados Museum and Historical Society,* (Diario del museo y la sociedad histórica de Barbados), *volúmenes XII Y XIII*, que se publicaron en 1945.

En más de una ocasión, y en más de una cripta, se ha informado que se mueven ataúdes cubiertos de plomo. Si los moviera una fuerza *natural* aún desconocida, valdría la pena seguir investigando. Un estudio minucioso de la luz tuvo como resultado el milagro del láser. Un examen de los semiconductores de silicón trajo la revolución de la computadora. La observación de microorganismos en la presencia de ciertos mohos, realizada por Fleming, anunció la llegada de poderosos antibióticos. Un chico que observó que la tapa de una jarra se movía mientras hervía el agua y eso llegó a ser el fundamento de la máquina de vapor... ¿Qué podría descubrir un ingeniero perceptivo y con imaginación si tratara de repetir los fenómenos de la cripta de Barbados con una base científica? ¡Ojalá Telsa hubiera escuchado hablar del enigma y hubiera visitado Barbados para investigar!

Cuando le estábamos dando los toques finales a este manuscrito, y haciendo las revisiones finales, recibimos una llamada telefónica muy interesante de Simon Probert y Pamela Willson, de Penarth. Se le había dado mucha publicidad a nuestra plática ante la "No Convención" Anual de Fortean en Londres, y este año era sobre el misterio de los ataúdes de Barbados. Simon y Pamela habían visto un reportaje en la prensa y nos invitaron a visitarlos y a ver unas fotografías de la cripta que ellos habían tomado en 1996. Como director funerario calificado y experimentado, Simon sabe mucho sobre ataúdes. Pamela, es una artista talentosa y experta en restauración de pinturas; también es una psíquica muy sensible y tiene conocimientos de psicometría. Visitaron la iglesita y el cementerio de Oistin en Barbados después de la comida de un día de mediados de septiembre. Después de visitar la iglesia, fueron a inspeccionar la famosa cripta de la familia Chase. Fue sorprendente que la encontraran abierta esa tarde, ya que siempre hay una reja cerrada con llave a su entrada para evitar vandalismo y daños. Simón tomó una fotografía que salió bastante normal, y luego Pamela descendió para revisar el interior. Sintió que la atmósfera estaba *mal* en cierta forma y decidió no entrar. No obstante, Simón entró y Pamela tomó una fotografía de él a la entrada, donde antes estaba la losa de marmol de Devonshire. Él tenía la mano levantada como saludando. Cuando se reveló esta fotografía, parecía que Simón se había desvanecido en la oscuridad del interior de la tumba, y una extraña figura amorfa parecida a un espectro, como si fuera una mujer con una mortaja, estaba de pie a la derecha de la fotografía. Cuando se sometió esta fotografía a una amplificación por computadora, la mujer con el sudario se pudo ver con más claridad; su cabeza era una calavera. Otro objeto extraño detrás de ella pudo ser otra calavera, que cuando la examinábamos nosotros cuatro, a Simón le pareció estar mirando amenazante a la mujer espectral. Si la desafortunada Thomasina Goddard realmente se quitó la vida a causa de la crueldad de Thomas Chase, entonces la evidencia fotográfica parecía sugerir que la muerte no había acabado con sus sufrimientos.

Lo último que se puede decir de las fotografías de Simón y Pamela, y de la amplificación computarizada, es que son inexplicablemente extrañas, también lo es la coincidencia de que la cripta estuviera abierta esa tarde; también lo es que hayamos elegido ese tema para nuestra plática en la junta de Fortean, y también es extraño que Simón y Pamela hayan visto el anuncio de esa plática en el *South Wales Echo* (Eco de Gales del Sur). Tal vez casi como si estuviéramos *destinados* a conocernos y a hablar del siniestro misterio de los ataúdes de Barbados.

EL MISTERIO DEL BERGANTÍN MARY CELESTE

Construido originalmente en Nueva Escocia con el nombre de* Amazon*, este extraño bergantín parecía traer mala suerte.

El *Mary Celeste* fue construído por Joshua Davis (que aparece como Dewis en algunos documentos), en Spence Island, Nueva Escocia en 1861, donde se le dio el nombre de *Amazon*. Fue el primero de veintisiete naves idénticas. Se construyó con madera de haya, abedul, abeto y arce; y sus cabinas tenían acabados en pino. Tenía casi 100 pies de largo, y 25 de ancho. Su profundidad era de casi 12 pies y tenía un desplazamiento de casi 200 toneladas.

Técnicamente, se describe al *Amazon* como un bergantín de dos mástiles, aunque los registros de la Compañía de Seguros Atlantic Mutual lo registran como "half-brig". Se le registró oficialmente en Parrsboro el 10 de junio de 1861.

Existen marineros con muchos conocimientos y experiencia que se preguntan si ciertos barcos traen mala suerte o están malditos. Muchos pensaron esto del *Amazon*: Su primer capitán, un escocés llamado Robert McLellan, murió 48 horas después de tomar el mando. En su viaje inaugural, el *Amazon* chocó con un canal de pesca cerca de la costa de Maine y esto le causó una gran hendidura en uno de sus costados. Mientras aún le estaban reparando el casco, hubo un incendio que causó grandes daños y despidieron al Capitán John Nutting Parker.

Cruzó el Atlántico sin problemas, pero tuvo una colisión en el Canal de la Mancha, cerca de Dover, que causó el hundimiento de la embarcación con la que chocó. Esto trajo otro cambio de Capitán bajo cuyo mando el *Amazon* encalló cerca de Cow Bay, que es parte de la Isla Cape Breton en Nueva Escocia, en 1867; en un principio se consideró pérdida total. Existen ciertos registros incompletos que indican que dos hombres llamados Haines y McBean trataron de rescatarlo, pero todo salió mal y se fueron a la quiebra.

El siguiente dueño John Beatty, de Nueva York, lo vendió a James Winchester y a sus asociados, Sylvester Goodwin y Daniel Sampson. Para ese entonces, se le habían hecho varias alteraciones en la estructura: ahora tenía dos cubiertas; su largo era de 103 pies, su profundidad de 16, y era un poco más ancho. Su desplazamiento era ahora de 182 toneladas. Sus dueños eran norteamericanos y estaba registrado en los Estados Unidos; llevaba la bandera americana y su nombre se había cambiado a *Mary Celeste*. La aseguradora Lloyds de Londres lo registró como *Mary Celeste*, y existe un pequeño misterio en relación con ese nombre. Una teoría es que la extraña mezcla de francés e inglés se debió simplemente a un error cometido por el pintor, y lo que es incluso más extraño es que se dice que el nombre que en realidad querían darle era *Mary Sellers*.

Cuando Winchester y sus asociados descubrieron podredumbre seca en el casco, de inmediato reconstruyeron la parte inferior con un fuerte recubrimiento de cobre. En sus manos el *Mary Celeste* fue una nave tan resistente, confiable y apta para la navegación como cualquiera de su tamaño en ese época.

Durante aproximadamente dos años, estuvo bajo el mando de Rufus Fowler, que también había adquirido acciones de la embarcación el 11 de enero de 1870. El 29 de octubre de 1872, fue reemplazado por el Capitán Benjamin Spooner Briggs, que también era dueño de algunas acciones.

El Capitán Briggs nació en Wareham, Massachusetts el 24 de abril de 1835, siendo el segundo de los cinco hijos del Capitán Nathan Briggs y su esposa Sophia. Al convertirse en Capitán del *Mary Celeste*, tenía 37 años de edad y tenía los antecedentes de una familia puritana de Nueva Inglaterra dedicada a la navegación. Sus hermanos también fueron navegantes, y cuando se hizo cargo del desafortunado *Mary Celeste*, Benjamin ya había estado al mando de la goleta *Forest King*, de la barca *Arthur* y del bergantín *Sea Foam*.

Antes de hacer historia, el *Mary Celeste* estuvo anclado en el Muelle 44 en East River, Nueva York. El sábado 2 de noviembre de 1872, se le cargó con 1701 barriles de alcohol comercial, y se aseguró todo en la bodega. El remitente era una empresa de comerciantes de Nueva York, Meissner Ackerman y Cía., y el alcohol estaba destinado a H. Mascerenhas y Cía. de Génova Italia.

Aunque el práctico del puerto Sandy Hook llevó al *Mary Celeste* del Muelle 44 a Lower Bay en la isla Staten el 5 de noviembre, el Atlántico estaba tan picado que Briggs decidió esperar dos días antes de sacar el barco a mar abierto el 7 de noviembre.

Además de Briggs, iban en el *Mary Celeste* su esposa Sarah Elizabeth, de treinta años, (hija del Reverendo Cobb, Ministro Congregacional en Marion, Massachusetts) y su pequeña hija Sophia Matilda. Su hijo de siete años, Arthur Stanley, se había quedado en casa con sus abuelos paternos. Es conmovedor que en su última carta, enviada de Staten Island, Sarah Briggs haya dicho cuánto deseaba recibir una carta de su hijo.

El primer oficial, Albert G. Richardson, de 28 años, había sido soldado en la Guerra Civil norteamericana, estaba casado con la sobrina de James H. Winchester (dueño del *Mary Celeste*), y en general se le consideraba un marinero valiente y confiable. Ya había navegado con Briggs antes. El segundo oficial era Andrew Gilling, de 25 años, nacido en Nueva York, de origen danés. Al igual que el primer oficial, era muy estimado por su carácter y conocimientos de navegación. Edward William Head, de 23 años, era cocinero y camarero. El resto de la tripulación estaba integrada por alemanes: Volkert Lorenson y su hermano Boy, ambos menores de treinta años; Gotlieb Goodschall, de 23 años y Arien Martens, que estaba rodeado por un aire de misterio y tenía 35 años. Aunque era un oficial experimentado y calificado, había entrado a trabajar con Briggs como marinero ordinario.

Antes de iniciar su último viaje, Briggs y su esposa comieron con el Capitán David Reed Morehouse, un amigo de Nueva Escocia, y su esposa. Las dos señoras también eran amigas. Morehouse era capitán del *Dei Gratia*, que llevaba un cargamento de petróleo a Gibraltar, y coincidentemente, su barco estaba anclado cerca del *Mary Celeste*. Es irónico que Morehouse estuviera destinado a ser el primero en llegar a la escena de la tragedia. Los cuatro amigos comieron juntos por última vez en Astor House.

Finalmente, el *Mary Celeste* salió de los Estados Unidos el 7 de noviembre. El *Dei Gratia* salió el 15. Durante aproximadamente diez días, su viaje fue sin novedad y dentro de lo habitual. Pero el 5 de diciembre, poco después de la 1:00 p.m., John Johnson, que entonces era el timonel, vio un barco a cinco millas de su proa a babor. Su posición era 38 grados 20" norte por 17 grados 15" oeste, y estaban a aproximadamente 600 millas de la costa de Portugal. La mirada aguda y experimentada de Johnson detectó casi de inmediato que había algo mal, algo extraño, en el otro barco. Se desviaba un poco, y sus velas no se veían bien. Se puso en comunicación con John Wright, segundo oficial del *Dei Gratia*, y en cuanto Wright lo observó con cuidado, le avisó al Capitán Morehouse. Él inspeccionó el otro barco por unos minutos con su catalejo y luego decidió que necesitaba ayuda. A las 3:00 p.m. el *Dei Gratia* estaba a sólo 400 yardas del barco dañado. Después de mandarle señales varias veces sin recibir respuesta, Morehouse mandó un bote a investigar. El primer oficial, Oliver Deveau, fue allá con Johnson, el timonel y el segundo oficial, John Wright. Al acercarse, vieron que el otro barco era el *Mary Celeste*, que había salido de Nueva York ocho días antes que ellos. Johnson se quedó en el esquife, mientras el primer oficial y el segundo oficial subieron a bordo. Oliver Deveau, un hombre fuerte y musculoso, que no le temía a nada, guió la exploración. Revisaron el barco de un extremo a otro pero no había nadie a bordo, ni vivo ni muerto. Sondearon las bombas para ver cuanta agua había en el casco. Una de las bombas ya se había retirado para introducir una varilla de sonda, así que Deveau y Wright usaron la otra. Las tormentas recientes habían dejado bastante agua entre cubiertas, pero eso no amenazaba la estabilidad del barco ni su capacidad para flotar. Encontraron la vela de estay principal sobre la piola de proa, pero al parecer las tormentas recientes habían roto el juanete alto y la vela de trinquete en sí y éstas habían caído fuera de borda cuando el *Mary Celeste* había sido abandonado. El foque estaba en su lugar, al igual que los contrafoques y la gavia baja. Todas las demás velas estaban aferradas. Las jarcias de labor eran una confusión caótica. La mayor parte de ellas estaban enredadas, algunas colgaban a los lados y el resto se había perdido, como la vela de trinquete. La driza principal (main pick halyard), de casi 100 metros de longitud, que se utilizaba para elevar el extremo exterior de la vela cangreja, se había soltado, y la mayor parte de ella se había perdido. La bitácora se había caído rompiendo la brújula, y la caña del timón giraba a merced de los vientos y las mareas que movían el timón al azar.

Aunque la escotilla principal estaba en buenas condiciones y bien asegurada, algunas de las escotillas auxiliares estaban abiertas y sus tapas estaban tiradas en la cubierta. Cuando Wright y Deveau revisaron la cocina, encontraron menos de 30 cm de agua; casi todas las provisiones estaban intactas y podrían haberse usado. También había a bordo una buena cantidad de agua potable.

Cuando revisaron la cabina de la familia del Capitán Briggs, encontraron una bitácora temporal o atrasada que decía que el lunes 25 de noviembre, el *Mary Celeste* había estado cerca de la Isla Santa María en las Azores con una orientación al este-sudoeste. A las 8:00 p.m. de ese mismo día habían estado a seis millas de Eastern Point con una orientación sur-suroeste. En la máquina de coser había un vestido de niña sin terminar, que no habían guardado.

En la cabina del primer oficial había un cálculo sin terminar; parecía que alguien había interrumpido al primer oficial en forma muy repentina, y también había un mapa donde estaba marcada la trayectoria del *Mary Celeste* hasta el 24 de noviembre, cuando había estado 100 millas al suroeste de la Isla San Miguel en las Azores.

En los alojamientos de la tripulación, las navajas de afeitar estaban colocadas como si sus dueños hubieran estado a punto de rasurarse cuando ocurrió el disturbio. Todavía había en el tendedero ropa interior recién lavada. También habían quedado en el barco baúles de marinero y pertenencias personales que la gente aprecia, como impermeables, pipas y bolsas de tabaco. Un frasco de medicina abierto parecía indicar que la persona que la estaba tomando había considerado que la emergencia era demasiado aguda para perder el tiempo tapándola.

Se habían retirado dos secciones de la barandilla para tener espacio y poder bajar el bote, una yola pequeña, que por lo general se guardaba sobre la cubierta de la escotilla principal. Sin importar donde hubieran ido los pasajeros y la tripulación, parecía que al menos algunos de ellos se habían ido en esa yola. Según parece, habían llevado consigo documentos y equipo importante. Faltaba el conocimiento de embarque, el libro de navegación, el sextante y el cronómetro. A partir de esto, era razonable suponer que Briggs y su tripulación habían abandonado el barco por una razón que les pareció de vital importancia en ese momento, y se habían llevado consigo los medios para navegar hasta una ruta importante de transporte marítimo con el fin de ser rescatados por otro barco, o navegar al puerto más cercano al que pudiera llegar en la pequeña yola.

Después de descubrir todo lo que les fue posible, Deveau, Johnson y Wright regresaron al *Dei Gratia* para informar sus hallazgos al Capitán Morehouse. Después de discutirlo, estuvieron de acuerdo en que Deveau y otros dos hombres (Augustus Anderson y Charles Lund) le ayudaran, debían tratar de llevar el *Mary Celeste* a Gibraltar para recuperar algo de dinero. Esta era una empresa riesgosa para todos los involucrados. Dos hombres eran una tripulación mínima para el *Mary Celeste*, y Morehouse apenas se quedaría con suficientes hombres para controlar al *Dei Gratia*. Si el clima empeoraba mucho o si surgía alguna otra emergencia en la embarcación, estarían en una situación desesperada. Lo más seguro era navegar como convoy.

Esto resultó bien hasta que llegaron al Estrecho de Gibraltar la noche del 12 de diciembre, y el *Mary Celeste* llegó aproximadamente 12 horas después, por la lucha que tuvo que librar en el mar. Gracias a su gran fuerza, valentía, fibra y pericia en la navegación, el poderoso Oliver Deveau había salvado no sólo un barco valioso sino también su cargamento. Él, Morehouse y sus hombres merecían ser recibidos como héroes y con enorme gratitud. En lugar de eso, los recibió el antipático Frederick Solly Flood, cuya arrogancia y pomposidad iban en proporción inversa a su inteligencia. Dos horas después de su llegada, Thomas J. Vechio, del tribunal del Ministerio de la Marina, puso al *Mary Celeste* bajo arresto.

Fred Flood tenía el rimbombante título de Procurador General de Gibraltar y Abogado General de la Reina en Su Capacidad de Ministro de la Marina. Simplemente no podía entender que el *Mary Celeste* hubiera sido abandonado, a menos que hubiera un engaño. Se rehusó con obstinación a aceptar cualquier explicación que no involucrara asesinato y piratería, o al menos una confabulación criminal entre Morehouse y Briggs.

El primer ataque de Flood fue contra la tripulación del *Mary Celeste*, que por supuesto no podía estar presente en el tribunal para refutar sus descabelladas acusaciones. Estaba convencido de que habían tomado parte del cargamento de alcohol industrial crudo, se habían emborrachado por completo y habían asesinado a Briggs, a su familia y al primer oficial Richardson. Cuando se le dijo que el alcohol industrial crudo no sólo sabe mal, sino que es tóxico y produce dolores internos severos mucho antes de producir una intoxicación, a regañadientes abandonó esa teoría y buscó otra forma de atacar.

Por petición de Flood, los investigadores de la marina examinaron el barco con cuidado. Informaron que estaba en excelentes condiciones y no había señales de daños por colisión. Sin embargo, mencionaron una extraña marca que parecía haberse hecho en forma deliverada a ambos lados de la proa. No había dañado ni debilitado el barco en modo alguno; sólo que era inexplicable. Otro experto en carpintería de barcos, el Capitán Schufeldt, opinó más tarde que tal vez sólo era la forma en que la madera curva se había cuarteado y secado en forma natural por haber estado expuesta al viento, al mar y al sol.

La siguiente línea de ataque de Flood fue implicar que ciertas manchas de color café en la cubierta eran sangre. También señaló unas manchas en la hoja de una espada italiana que se encontró en la cabina de Briggs debajo de su cama. Una vez más reunió evidencias circunstanciales y sólo vio engaños. Lo que molestó a todos es que Flood se rehusó a dar a conocer los resultados del análisis: es casi seguro que las manchas eran de vino, de pintura o del colorante y barniz que se usan en los barcos; ¡a menos que el cocinero hubiera dejado caer algo de sopa al llevar una bandeja a la cabina del capitán cuando había mal tiempo!

Para la buena fortuna de Morehouse, Deveau y sus hombres, los miembros del Tribunal del Ministerio de la Marina eran hombres de mar experimentados, sensatos y totalmente distintos al nefasto Fred Flood. Al final, el tribunal se pronunció a favor del Capitán y la tripulación del *Dei Gratia*, y les asignó 1,700 libras esterlinas como suma de recuperación, que era una cantidad considerable en esos días, pero representaba sólo una fracción del verdadero valor de su trabajo.

¿Qué pudo haberles sucedido a los desafortunados tripulantes y pasajeros que estaban a bordo del *Mary Celeste* cuando fueron alcanzados por la tragedia en medio del Atlántico?

Una teoría se relaciona con envenenamiento por ergotina. En la época Victoriana era frecuente que los alimentos, en especial el pan, se contaminaran con el cornezuelo del centeno. La toxina resultante, llamada ergotina, tiene efectos terribles en sus víctimas. Produce fuertes dolores de estómago y alucinaciones relacionadas con ellos. Por ejemplo, la víctima puede imaginar que la está atacando un peligroso carnívoro, un extraterrestre, un hombre bestia, un vampiro o un demonio que le está mordiendo el estómago o enterrándole las garras. En ocasiones, el paciente con alucinaciones ve a sus familiares, amigos, doctores o enfermeras como si fueran estos personajes terribles, y tratan de defenderse de ellos. La teoría de la ergotina en el *Mary Celeste,* explica la tragedia diciendo que hubo contaminación por ergotina a bordo y que el Capitán y la tripulación se veían unos a otros como monstruos o demonios cuando el dolor de estómago y las alucionaciones hicieron presa de ellos. Tal vez uno o dos sobrevivientes que en un principio no se habían infectado, trataron de escapar en la yola, sólo para descubrir que llevaban consigo la terrible toxina. En época tan reciente como 1951, una panadería del sur de Francia fue presa de esta contaminación y muchas de las víctimas tuvieron tales alucinaciones que saltaban a los ríos para escapar de lo que creían que les perseguía: Muchos se lesionaron y algunos murieron.

El envenamiento por hongos del cornezuelo de centeno proporciona una explicación útil y sensata, pero el problema es que Oliver Deveu y su tripulación se alimentaron con las provisiones que había en el *Mary Celeste* y no padecieron ningún efecto dañino. Si esos hongos hubieran estado presentes, ciertamente también les habrían afectado.

También se han mencionado monstruos marinos en relación al *Mary Celeste*, y es indudable que el mar tiene muchos secretos de los que sabemos muy poco o nada. Es posible que existan formas de vida marina gigantescas y aterrorizantes, capaces de destruir a Briggs, a su familia y a su tripulación. Sin embargo, esta explicación presenta varios problemas: ¿Por qué el monstruo tomaría también el cronómetro, el sextante, el libro de navegación y el conocimiento de embarque?

Una tercera teoría se relaciona con astronautas extraterrestres: ¿Alguien o algo de otro mundo sacó a Briggs y a su gente por razones que sólo ellos conocen? Aunque parezca extraño, este fue el tema de una de nuestras primeras novelas de ciencia ficción, publicada por Badger Books of Hammersmith, Londres, con el título de *Fiends* (Espíritus Malévolos) en la década de 1950. En esta novela implicamos que las extrañas marcas que en realidad estaban a ambos costados de la proa, eran el lugar de donde los raptores estraterrestres, extendiendo desde su nave un aparato parecido a unas enormes pinzas, habían tomado al *Mary Celeste* mientras sacaban a su gente.

De manera similar, se han presentado teorías para explicar la desaparición como obra de visitantes de mundos paralelos o de otras líneas de probabilidad, de otras dimensiones, del pasado o el futuro: por supuesto estas explicaciones tienen imaginación y son remotamente posibles, pero no muy probables.

Una de las teorías más extrañas que se han propuesto se relaciona con el cargamento de alcohol industrial y una horda de peligrosas ratas intoxicadas. En resumen, implica que unas ratas carnívoras habían sacado el cargamento de los barriles, y por haber bebido el alcohol crudo se habían vuelto agresivas y sin inhibiciones, habían salido de la bodega para atacar a los pasajeros, al Capitán y a la tripulación. Ellos habían ido en busca del bote para escapar, pero las ratas subieron tras ellos y hundieron la pequeña yola.

Incluso antes de que el talentoso escritor de cuentos de terror, Guy N. Smith, tuviera tanto éxito con *Night of the Crabs* (La noche de los cangrejos), se presentó una teoría para explicar la tragedia del *Mary Celeste* como un ataque de un ejército de cangrejos carnívoros: por desgracia, como todas las demás teorías, no explica todos los hechos del caso.

La teoría de la isla que desaparece tiene varios precedentes clásicos, lo que incluye antiguas leyendas de ballenas tan enormes que se les confundía con islas y cuando se sumergían, ahogaban, sin darse cuenta, a los marineros que habían bajado "a tierra" para explorarlas. Por supuesto, también está la leyenda de que Atlantis se sumergió en estas latitudes. ¿Lo que hoy son las islas Azores, eran las cumbres de las montañas de ese misterioso continente perdido?

Una de las teorías más ingeniosas y elaboradas se presentó como el relato, superficialmente posible, contado por varios adorables viejos vagabundos que aparentaban haber sido polizones a bordo del *Mary Celeste* y en consecuencia, no sólo los únicos sobrevivientes, sino los únicos que sabían lo que *en realidad* había sucedido. Con pequeñas diferencias de un relato a otro, la historia era así: Había una rivalidad amistosa entre el Capitán Briggs y el primer oficial Richardson, en cuanto a quién de ellos era mejor nadador. El argumento secundario de este drama lleno de imaginación es que a la nenita Sophia Briggs le encantaba subir al bauprés y ver correr el agua a los lados de la proa. Como es natural, esto preocupaba a sus padres, así que Briggs ordenó al carpintero del barco que construyera una pequeña plataforma bajo el bauprés, rodeada de un barandal muy fuerte. Así Sophia podía disfrutar viendo el agua estando perfectamente segura. Se construyó esta plataforma y se empotró en los maderos del barco para que tuviera más fuerza y seguridad. Era un día relativamente caluroso para noviembre en esos mares del Atlántico; sólo había una leve brisa; condición ideal para una competencia de natación. Briggs y Richardson decidieron intempestivamente tirarse desde el bauprés y nadar alrededor del barco. El que regresara al bauprés primero sería el triunfador. La noticia se esparció como reguero de pólvora. Sarah dejó el vestidito sin terminar en la máquina de coser, Richardson ya había dejado sus cálculos incompletos. Un miembro de la tripulación que se estaba afeitando dejó su navaja de afeitar y subió a la cubierta para ver la competencia. Otro miembro de la tripulación se tomó su medicamento con prisa y dejó el frasco destapado para no perderse nada. Briggs y Richardson nadaron a la misma velocidada todo el tiempo. Fue una competencia fantástica. Para ver bien el final, los ocho espectadores se subieron a la pequeña plataforma. Justo cuando los dos poderosos nadadores llegaron juntos a la línea final, la plataforma se derrumbó sobre ellos. Todos menos el desconocido polizón estaban moviéndose torpemente en el agua. Arriesgándose a ser castigado y arrestado, el polizón salió de su escondite para ver qué era todo ese desesperado griterío y movimiento en el agua. Su intención era lanzarles una cuerda o tratar de poner la yola en el agua para rescatarlos. Antes de poder hacerlo, una repentina ráfaga de viento golpeó al *Mary Celeste.* El viento lo llevó a una distancia de treinta metros de donde estaban las personas que luchaban en las aguas. Los únicos dos hombres que habrían podido recuperar el barco tenían lesiones graves porque la plataforma cayó sobre ellos. El viento se hizo más fuerte; el *Mary Celeste* se deslizó alejándose de sus tripulantes y de los pasajeros que se estaban ahogando.

No era fácil para un hombre poner la yola en el agua, pero el polizón retiró parte del barandal del barco y finalmente lo logró. Remó en busca de los demás, pero no encontró nada más que la pequeña plataforma, todavía flotando en forma patética.

Remó y estuvo a la deriva durante muchos días, al final desembarcó en una zona desierta de las Azores. Después la gente del lugar cuidó de él. Él les dio un nombre falso y durante varios años, no dijo nada sobre el *Mary Celeste* para evitar las consecuencias legales de haber sido un polizón.

Es un relato que muestra gran *destreza*, incluso es descabellado, pero hace encajar muy bien las cosas; los detalles (como el que el Capitán y su primer oficial tuvieran una competencia de natación en noviembre, y que el carpintero haya construído un corralito infantil debajo del bauprés, son casi creíbles porque se engarzan bien. Pero ese es el problema, se engarzan demasiado bien. Quizás la verdad *es* más extraña que la novelística, pero lo que hay de extraño en el relato del polizón es más propio de una novelística creada con astucia, que de los factores extraños de la verdad natural, que son más toscos.

Algunas autoridades han implicado que los pasajeros y la tripulación del *Mary Celeste* fueron raptados por piratas o traficantes de esclavos. En la década de 1870, las mujeres esclavas todavía se vendían en forma ilícita a lo largo de la costa del norte de África. ¿Vendieron a Sarah Briggs y tuvo "un destino peor que la muerte", como lo habrían descrito en forma eufemística los puritanos de Nueva Inglaterra? ¿Y los demás simplemente fueron ejecutados? Pero es seguro que ningún pirata hubiera dejado en el *Mary Celeste* dinero u otros objetos de valor. Habría sido más probable que se quedaran con el barco y su cargamento, le cambiaran el nombre y la bandera, y lo vendieran en un puerto donde tal vez no se les harían preguntas.

Sin embargo, esta teoría de los traficantes de esclavos se apoya en otra versión extraña que se supone es el relato de un testigo ocular contado por un hombre de mar llamado Demetrius, que era parte de la tripulación del traficante de esclavos. La primea vez que narró su historia fue en 1913; más de 30 años después de la tragedia. En resumen, aseguraba que cuando el *Mary Celeste* estaba cerca de las Azores, se encontró con otro bergantín, que mediante señales le comunicó esto: "Nos faltan provisiones. Estamos muriendo de hambre". El *Mary Celeste* respondio diciendo: "envíen un bote".

Llegó el bote con un hombre visible y un marinero oculto sobre lo que parecía ser cajas vacías para poner en ellas las provisiones que ese barco estaba solicitando. Al acercarse al *Mary Celeste*, el marinero se hizo a un lado y varios hombres armados abordaron el barco de Briggs. Se le ordenó al capitán, a su familia y a la tripulación que abordaran el otro bergantín. Había fiebre a bordo de este barco de esclavos, la cual había diezmado a los cautivos anteriores y a la tripulación. La gente del *Mary Celeste* también sucumbió a ella y fueron echados por la borda según fallecían. Este barco fue destruído y hundido por un gran buque de vapor que no se detuvo, y Demetrius fue el único sobreviviente de la colisión. Como no quería revelar su participación criminal en la tragedia, guardó el secreto durante cuarenta años.

Otras teorías se relacionan con remolinos y trombas marinas que de alguna manera se llevaron a los desafortunados seres humanos dejando al barco en sí casi sin daño. Es difícil imaginar que una tromba o un remolino sea tan selectivo, y también es apropiado preguntar por qué todos estaban pacientemente en la cubierta al mismo tiempo, esperando que una aspiradora marítima los absorbiera como si fueran polvo biológico inerte. Los padres amorosos que protegen a sus hijos, como Benjamin y Sarah, sin duda habrían llevado a la pequeña Sophia bajo cubierta donde estaría segura, tan lejos de la tromba como fuera posible.

Una de las teorías más sombrías que flotaron en la mente sospechosa de Fred Flood fue que Briggs y Morehouse se habían coludido para cobrar el dinero del seguro: pero las acciones de Briggs en el *Mary Celeste* eran más valiosas de lo que habría sido su porcentaje del monto del seguro; lo que es más importante, él y Morehouse eran hombres de excelente caracter y óptima reputación. Habrían ganado más continuando con sus carreras marítimas que tomando unos cuantos dólares por el seguro del barco. Incluso Flood tuvo que admitir al final que la teoría de la conspiración era menos sólida que el *Mary Celeste* con su casco de plomo.

Otra idea que propusieron algunos investigadores fue que Briggs, quien debemos reconocer tenía profundos principios religiosos, aunque no era un fanático, había sucumbido a un ataque de manías religiosas y había lanzado a todos por la borda como una especie de castigo divino por sus pecados, reales o imaginarios. En primer lugar, esto habría sido por completo opuesto al carácter de Briggs, quien era muy estable, tranquilo, sensato y confiable. En segundo lugar, habría sido difícil, si no imposible, llevarlo a cabo. Él era de estatura mediana y no muy fuerte, a diferencia del poderoso Oliver Deveau del *Dei Gratia*, y cualquier par de marineros lo habrían vencido y restringido con facilidad.

Se ha propuesto el motín como otra posibilidad. ¿Estaban los marineros alemanes fraguando un tipo de complot? Martens era un oficial calificado y con experiencia que pudo haber tomado el mando y navegado el *Mary Celeste* sin dificultad. Pero lo que desapareció no fue el barco; fue la gente. Quienes se amotinan por lo general se llevan el barco, abandonando al Capitán y a quienes le son leales, como en el caso de Bligh, Capitán del *Bounty* (1754-1817).

Al parecer, la explicación más lógica y razonable es la que se relaciona con la naturaleza del cargamento en sí. Al avanzar a aguas más calidas, los barriles pudieron empezar a sudar y a gotear un poco. Es posible que se acumularan en la bodega vapores potencialmente explosivos. Tal vez hubo ruidos inquietantes, como cuando la madera cambia ligeramente de posición en una casa que tiene un sistema de calefacción central, cuando este sistema se enciende y se apaga. Winchester mismo testificó que aunque Briggs era un excelente Capitán y tenía experiencia, nunca antes había transportado un cargamento de alcohol industrial. Si hubiera habido mucho vapor visible, o se hubieran escuchado pequeñas explosiones en la bodega, Briggs pudo haber decidido que los 1701 barriles estaban en peligro inminente de explotar, destruyendo al *Mary Celeste*. La presencia de su esposa y su pequeña hija, a quienes amaba más que a su vida, habría influido en su decisión. Habría echado la yola al agua, metido a todos en ella y la habría atado al *Mary Celeste* con la línea más larga disponible, la driza faltante. El cargamento no explotó, pero la driza se rompió. Con desesperación, Briggs y su tripulación remaron siguiendo al *Mary Celeste*, pero el viento y las corrientes estaban contra ellos. Su yola se volcó en mar abierto. El *Mary Celeste* navegó sólo para convertirse en una leyenda.

Después de las prolongadas y totalmente innecesarias dificultades causadas por el antipático Fred Flood en Gibraltar, el *Mary Celeste* fue enviado a James Winchester, y su nuevo Capitán, George W. Blathford entregó el cargamento sano y salvo en Génova. Contento de haberse librado del problema, y tal vez medio convencido de que el *Mary Celeste* realmente daba mala suerte, Winchester lo malbarató y se concentró en tener ganancias con sus otros barcos. Durante los siguientes trece años, el desafortunado barco tuvo 17 dueños distintos, y su historia marítima fue una miserable secuencia de desastres. Perdió hombres, velas y cargamentos. Encalló y tuvo incendios.

El final llegó en 1884, cuando un consorcio de Boston lo compró a bajo precio. Se supone que este consorcio lo cargó con pan, carne de res, cerveza amarga, bacalao y muebles caros. Toda esta mercancía estaba cubierta por una póliza de seguro muy alta. Su descuidado Capitán, Gilman C. Parker, lo encalló en un arrecife de coral en las costas de Haití, pero los aseguradores tenían grandes sospechas y mandaron a un investigador. Por desgracia para Parker y los demás conspiradores, lo que quedó del *Mary Celeste* era suficiente para investigar. Lo que supuestamente eran objetos muy finos, resultó ser collares para perro baratos. Unos barriles con letreros que decían cerveza estaban llenos de agua: nada parecía lo que era, y nada tenía el valor que se había declarado tenía.

El Capitán Parker y su primer oficial murieron antes de que se les pudiera acusar. La mayoría de los comerciantes involucrados en el intento de fraude se fueron a la bancarrota, y uno de ellos se suicidó. Fue casi como si el desaventurado *Mary Celeste* se hubiera sumergido con los que lo destruyeron.

De hecho, la soledad y la tristeza parecen haberse extendido a las familias de quienes desaparecieron en el *Mary Celeste*. La madre de Benjamin Briggs ya había perdido a su hijo mayor, Nathan, que había muerto de fiebre amarilla en el Golfo de México. María, su única hija, se había ahogado en un naufragio, y Oliver, hermano de Benjamín, falleció en la Bahía de Biscaya.

Frances, la triste viuda de Albert Richardson nunca se volvió a casar y falleció a los 91 años en Brooklyn, en 1937. Los apesadumbrados padres de los hermanos Lorensen no supieron de la tragedia sino hasta 1873.

Como observación y corolario al relato del *Mary Celeste*, es interesante recordar lo que le sucedió, y lo que aún podría estarle sucediendo, a un barco misterioso más reciente, el *Baychimo*. Salió de Vancouver el 6 de julio de 1931, con una tripulación de 36 hombres, bajo el mando del Capitán John Cornwall. Pasó por el Estrecho de Bering y llegó al famoso Pasaje North West. Se compraron miles de dólares en pieles a lo largo de la costa de la Isla Victoria, pero en su viaje de regreso el *Baychimo* quedó atrapado en aguas congeladas. Según los registros de la Hudson Bay Company Digital Collection, fue un hecho histórico que el Capitán Cornwall y sus hombres fueran rescatados por aire. Sin embargo el *Baychimo*, que había estado atrapado en el hielo, se deslizó misteriosamente de su trampa helada y desapareció. Durante la primavera siguiente, se le observó 300 millas al este, cerca de la Isla Herschel. Un cazador de pieles, Leslie Melvin, lo encontró y lo abordó. Informó que el *Baychimo* estaba en perfectas condiciones y era apto para la navegación. Un grupo de esquimales lo encontró en 1933, pero desapareció de nuevo en el hielo. Elizabeth Hutchinson, una botánica escocesa, informó haberlo visto de nuevo en 1934. A lo largo de los años, lo han seguido viendo cazadores de pieles, balleneros, buscadores de minas y exploradores: uno de los avistamientos más recientes fue en marzo de 1962, cuando los pescadores de la localidad lo vieron avanzando hacia el norte, en el Mar Beaufort.

Si Fred Flood dudó que el *Mary Celeste* pudiera seguir solo durante diez u once días sin tripulación, habría encontrado imposible aceptar la asombrosa leyenda del *Baychimo*, que aún está vigente.

¿QUIÉN FUE KASPAR HOUSER?

Su origen, desconocido...
Su muerte prematura, un misterio...

Kaspar Hauser llegó a Nuremberg de repente, y metafóricamente de la nada.

Nuremberg es una de las ciudades más pintorescas de Bavaria, ha tenido una larga y fascinante historia; y mucho antes de que Kaspar llegara, estaba rodeada de muchos misterios.

En el siglo XVII, un santo hermitaño, llamado Sebaldus, conocido también como Sigibald, estaba predicando en esa zona, convirtiendo a la gente al cristianismo para que dejaran sus creencias anteriores en dioses de la naturaleza como Wodan, dios del cielo y Donar, dios del clima. Muchos de los primeros misioneros cristianos, como Sebaldus, fueron muertos por los rudos teutones de la localidad, que no eran muy fáciles de convencer. Pero unos pocos hombres carismáticos, como Sebaldus, que sobrevivieron a los diversos peligros y pruebas de la época, con la ayuda de Dios y su propia fuerza y valor, fueron alabados como seres muy especiales y por esa causa se les veneró. Sigibald llegó a convertirse en el santo patrono de los granjeros y pescadores de la localidad, y han surgido muchos relatos de milagros relacionados con él a lo largo de los siglos. Justo antes de que el anciano santo partiera de este mundo, dio órdenes de que su cuerpo se colocara en una carreta de bueyes y se sepultara en donde los bueyes se detuvieran. La iglesia de San Sebaldus se construyó en ese lugar y pronto empezaron a llegar peregrinos a la tumba sagrada de Sigibald.

Además de los beneficios espirituales que proporcionó a los peregrinos, la iglesia del santo trajo comercio y prosperidad a la población. Los peregrinos necesitan alimento y hospedaje; para responder a esto, pronto surgió una hostería junto a la iglesia, lo que justifica la sabiduría del antiguo proberbio alemán: *"Wo derr Herr eine Kirke hinbaunt, setxt der Teufel ein Gasthaus daneben"*. (Donde el Señor construye una iglesia, el diablo construye una hostería cerca.)

Kaspar llegó a Nuremberg justo en el momento en que realmente se necesitaba una atracción similar. Además de la buena influencia de Sebaldus, había existido una era bajo un régimen estricto, pero paternal, de los Hohenzollens, durante la que Nuremberg había sido importante y próspera. Esa era terminó en 1828, el año en que Kaspar llegó, y la revolución industrial en Bavaria, que le traería a Nuremberg un tipo diferente de fama y prosperidad, estaba aún a varias décadas en el futuro. Al menos en ese sentido, el momento en que alguien o algo trajo a Kaspar a Nuremberg, fue fortuito.

El 28 de mayo de 1828, la ciudad estaba casi desierta: era Lunes de Pentecostés, un día de fiesta pública, el *Ausflug*. Georg Weichmann, un zapatero, era prácticamente el único ciudadano que estaba en la Plaza Unschlitt en el momento en que llegó Kaspar.

Al entrar a la plaza, Georg vio a un joven de aproximadamente 16 años de edad, de apariencia debil, recargado contra un edificio y gimiendo para sí con suavidad, como si estuviera enfermo o muy angustiado. El bondadoso Weichmann se acercó al joven y le ofreció ayuda. ¿Estaba enfermo? ¿Necesitaba un médico? ¿Tenía hambre o sed? La única respuesta que tuvo el amigable zapatero fueron sonidos ininteligibles pronunciados entre dientes, pero el muchacho tenía en las manos un sobre y Weichmann leyó quién era el destinatario. La carta iba dirigida al "Capitán del Cuarto Escuadrón del Sexto Regimiento de Caballería, Nuremberg."

Weichman era un hombre fuerte pero también de buenos sentimientos. Según uno de los relatos, brindó apoyo al muchacho tambaleante y lo acompañó hasta la casa del Capitán Wessenig. Él no estaba en casa, pero sus sirvientes dijeron que esperaban que regresara en muy poco tiempo, y le pidieron a Georg y al extraño que esperaran. De manera hospitalaria, ofrecieron a los visitantes los refrescos acostumbrados. Georg y los sirvientes de Wessenig observaron asombrados cómo el recién llegado devoraba el pan y el agua como si nunca fuera a haber más en la tierra, pero se alejaba de las carnes frías y de la cerveza, al parecer su olor le daba asco. Cuando el olor de los alimentos que se estaban preparando llegó de la cocina, casi se desmayó. También estaba muy nervioso a causa del gran reloj, y actuaba como si fuera una bestia monstruosa que lo podía atacar. La curiosidad le llevó a tratar de tocar la flama de una vela, como si fuera una flor. Gritó de dolor y sorpresa cuando la flama le quemó el dedo. Cada vez que Weich-man o el personal de Wessenig le hacía una pregunta, respondía con *"Weiss nicht"* que significa "No sé".

Entonces llegó el Capitán Wessenig; escuchó con atención lo que sus sirvientes y Weichmann tenían que decirle, observó a Kaspar con curiosidad y abrió el misterioso sobre. Había dos cartas dentro de él. La primera, escrita con la letra de un analfabeta, como disfrazando la escritura, decía lo siguiente, y supuestamente era de la madre del muchacho:

"Este pequeño ha sido bautizado. Se llama Kaspar, pero usted debe darle un apellido. Por favor cuídelo. Su padre fue una vez soldado de la caballería. Llévelo al 6° Regimiento de Caballería en Nuremberg cuando cumpla 17 años. Ese era el Regimiento de su padre. Por favor, se lo ruego, cuídelo hasta que cumpla 17 años. Nació el 30 de abril de 1812. Yo no puedo cuidarlo porque soy una mujer muy pobre y su padre está muerto".

La segunda carta, al parecer del misterioso guardián a quien la pobre madre había mandado a Kaspar cuando era un niño muy pequeño, decía:

"Honorable Capitán:
Le envío este joven que desea servir a su Rey enlistándose en el Ejército. Una joven muy pobre me lo trajo el 7 de octubre de 1812, y yo sólo soy un pobre trabajador con una familia

que mantener. Su madre me rogó que lo cuidara, así que he intentado tratarlo como a un hijo. Nunca lo he dejado salir de mi casa, así que nadie sabe dónde creció. Él no sabe el nombre ni la ubicación de nuestra casa. Sin importar la forma en que lo interrogue, no será capaz de mostrarle dónde está mi casa. Lo traje de noche para que no pudiera regresar al lugar de donde vino. Como no tengo nada, no pude darle nada de dinero. Si Ud. no quiere recibirlo, puede colgarlo o matarlo de un golpe."

Al parecer las dos cartas habían sido escritas por la misma persona, cuyo torpe intento por ocultar su estilo de escritura y su nivel de cultura había sido un fracaso total.

Lo único que Kaspar pudo añadir fueron las palabras: "Caballo, caballo" y "Quiero ser soldado como papá".

Wessenig llegó a la conclusión de que el joven extraño "...era un salvaje primitivo o un imbécil..." y lo mandó a la estación de policía, donde le dieron lápiz y papel. Se las arregló para escribir "Kaspar Hauser", pero su respuesta a todas las preguntas fue: "No sé".

El Sargento Wüst lo desnudó y lo registró, y escribió el siguiente informe:

"Es un muchacho fuerte, de espaldas anchas, de 16 ó 17 años de edad; tiene aspecto saludable, cabello castaño claro y ojos azules. Sus manos y pies parecen desproporcionadamente pequeños. Aunque al principio parecía estar lisiado, una inspección más minuciosa reveló que sus pies tenían ampollas, como si no estuviera acostumbrado a caminar. El sombrero y la camisa le quedan grandes. Las botas son demasiado pequeñas. El saco y los pantalones le quedan grandes, y el saco parece haber sido cortado de una vieja levita".

El sargento y otros oficiales compararon la escritura infantil de Kaspar con la escritura garabateada de una de las cartas. No existía posibilidad de que Kaspar mismo hubiera sido capaz de escribir ninguna de las cartas. Al no estar muy seguros de qué hacer con el chico, los Policías de Nuremberg decidieron que lo mejor sería ponerlo en una celda por unos días para dar oportunidad a que las autoridades más altas tomaran una decisión.

Herr Hiltel fue el viejo y experimentado guardia que mantuvo a Kaspar bajo observación durante esos primeros días. Es muy interesante leer su informe de lo que observó en el joven:

> *"Puede sentarse durante horas sin mover sus brazos y piernas en absoluto. No camina por el cuarto ni trata de dormir. Se sienta bastante inmóvil y rígido sin parecer estar incómodo. Prefiere estar en la oscuridad y no en la luz, y puede moverse en la oscuridad con la misma facilidad que un gato".*

Aparte de repetir "Quiero ser soldado como papá", la única respuesta que Kaspar dio a las preguntas de la policía era la monótona repetición de "no sé".

Sin embargo, Kaspar de pronto motivó la imaginación de la gente, y los ciudadanos de Nuremberg empezaron a interesarse en él. Esto se debió en parte a las teorías de Jean-Jacques Rousseau: la civilización era lo que 'corrompía' a las personas. Entonces, si como empezaba a parecer probable en el caso de Kaspar, el chico misterioso de la Plaza Unschlitt había crecido bastante aislado de estas influencias 'de corrupción', podría ser uno de los 'hijos de la naturaleza' casi perfectos de Rousseau.

Multitudes de curiosos lo visitaban todos los días. Le daban trozos de papel en los que casi lo único que escribía era "Kaspar Hauser". Muchas de sus reacciones eran característicamente infantiles, como si de alguna manera estuviera compensando por no haber tenido el desarrollo normal de la infancia. Le fascinaba el tic-tac del reloj. Hacía torrecitas de monedas. Se quedaba absorto viendo las imágenes del Rey, la Reina y el Jack en un mazo de cartas. Al principio, no parecía distinguir los sexos, y se refería a todos sus visitantes, hombres o mujeres, como *junge*, que significa 'niño'. No parecía estar consciente del paso del tiempo, y no sabía nada sobre el día, la noche, las horas, los minutos y los segundos. Al principio, no mostraba ninguna preferencia por estar en privado para ir al baño; defecaba u orinaba en público tan tranquilamente como si estuviera comiendo o bebiendo.

Lo que tuvo más éxito, y lo que estimuló más a Kaspar en esos primeros días de Nuremberg, fue un caballo de madera. Lo adoraba. Lo adornaba con listones. Jugaba con él constantemente como un bebé feliz. Lo 'alimentaba' cada vez que él comía.

Su curva de aprendizaje fue muy pronunciada. Para el mes de julio ya podía hablar con suficiente fluidez para dar a Bürgermeister Binder y al consejo municipal una relación de su vida pasada. Ellos publicaron una versión oficial de lo que Kaspar les había dicho y la llamaron "Boletín número uno".

"No sabe quién es ni de dónde vino. Fue aquí en Nuremberg donde en realidad entró al mundo. Antes de venir aquí siempre vivió en un hoyo y se sentaba sobre la paja que había en el piso. Durante ese tiempo no escuchó nada ni vio luces brillantes. Se despertaba, se dormía y volvía a despertar. Cuando despertaba encontraba una jarra con agua y un trozo de pan junto a él. A veces el agua sabía mal. Después se dormía. Cuando volvía a despertar, tenía puesta una camisa limpia. El rostro del hombre que venía a verlo siempre estaba oculto. Tenía listones y dos caballos de madera para jugar. No recuerda haber estado enfermo o triste en ese hoyo. El hombre traía una mesa de madera al hoyo y la ponía sobre los pies de Kaspar. En esa mesa había trocitos de papel y el hombre hacía marcas en ellos con un lápiz negro. Cuando se iba, Kaspar copiaba las marcas que el hombre había hecho. Finalmente, el hombre le enseñó a Kaspar a ponerse de pie y luego a caminar. Al final, lo sacó de su hoyo. Kaspar no está seguro de lo que sucedió después, hasta que se dio cuenta que estaba aquí en Nuremberg con la carta".

La gente de Nuremberg adoptó a Kaspar y lo pusieron al cuidado del Profesor George Friedrich Daumer, que tenía la reputación de ser filósofo y educador. Daumer, como muchos de sus contemporáneos, era seguidor de Rousseau. Consideraba a Kaspar como un ejemplo del niño salvaje y lo estudiaba como tal, llevando registros meticulosos de sus observaciones.

Daumer descubrió que los sentidos naturales de Kaspar estaban muy bien desarrollados. El joven tenía un oído excepcionalmente agudo y podía ver en la oscuridad. Por el contrario, al principio se le dificultaba adaptarse a la luz normal. Su sentido del olfato era anormalmente agudo, casi tan bueno como el de un sabueso. Podía seguir a un animal por su olor, y de la misma manera podía reconocer a los seres humanos en la oscuridad. También podía distinguir a los diferentes árboles por el olor de sus hojas.

Aunque sus sentidos animales naturales eran fuertes, sus conocimientos de física elemental y de causa y efecto en el mundo ordinario eran casi nulos. No estaba seguro de la diferencia entre los seres vivos y la materia sin vida. Miraba detrás de los espejos tratando de encontrar a la persona que había visto reflejada en ellos. Pensaba que una pelota de goma estaba viva y que rebotaba porque quería brincar.

Según los informes de Daumer, Kaspar era muy inteligente y aprendía rápido. Ciertamente, algunos de los dibujos de Kaspar que aún existen muestran que era capaz de realizar un trabajo artístico con muchos detalles y precisión.

Daumer y Kaspar decidieron colaborar y escribir su autobiografía, que se completó en agosto de 1829. Comprobó ser una especie de desilusión, un anticlímax. Tal vez los rumores y especulaciones que rodeaban a Kaspar habían llevado a los lectores a esperar algo mucho más sensacional, o al menos, algunos descubrimentos *nuevos* de importancia, al incrementarse el vocabulario y poder de expresión del muchacho. El libro era mucho más largo que lo que Kaspar había dicho antes, pero no contenía nada nuevo.

El 7 de octubre, Kaspar fue encontrado inconsciente en el sótano de Daumer con una herida en la cabeza. Al volver en sí, no pudo dar mucha información a la policía; sólo dijo que lo había atacado un hombre de cara negra. Esto sin duda se refería a una máscara, y se relacionaba con el relato de Kaspar sobre el hombre enmascarado que le llevaba pan, agua y cambios de ropa mientras estuvo confinado en su hoyo cubierto de paja. Las autoridades de Nuremberg consideraron el ataque como algo grave y llevaron a Kaspar a un lugar más seguro con dos policías como guardaespaldas.

Un incidente extraño que fue difícil de explicar para Hauser, se relacionó con lo que según él había sido el disparo 'accidental' de una pistola. Al escuchar un disparo en el cuarto de Kaspar, los dos guardias entraron rápidamente para investigar. Encontraron que no estaba herido, pero sí muy tembloroso y trastornado. Les dijo que se había estado asomando por la ventana, se había inclinado demasiado y por eso se había agarrado con fuerza de la pared por miedo a caerse. En sus desesperados esfuerzos por agarrarse de algo para no caerse, sin darse cuenta había quitado la pistola del gancho en que estaba y se había disparado.

Sin embargo, el problema del gasto constante de mantener dos guardias protegiendo a Kaspar causó muchas divisiones entre los contribuyentes de Nuremberg. ¿Justificaba Kaspar lo que costaba mantenerlo, custodiarlo y educarlo? Hubo una vociferante minoría que sentía que no. Oponiéndose a las emocionantes y románticas teorías de su origen, esparcidas por quienes lo apoyaban, sus detractores opinaban que era un vago extranjero o el hijo que una familia de campesinos demasiado grande había descartado. También había críticos que pensaban que todo era un fraude muy elaborado, perpetrado por Kaspar mismo, para tener atención y el hospedaje gratuito que quería.

A pesar de los argumentos, Kaspar permaneció en la casa de su guardián más reciente, von Feuerbach, hasta que el anciano sufrió un ataque y murió en mayo de 1833; una de las personas que habían estado en contacto con Kaspar y morían de manera inesperada. Quizá las circunstancias de la muerte de von Feuerbach no fueron lo suficientemente extrañas en sí para que la policía realizara una investigación, pero si se les considera como parte de una cadena, adquieren suficiente importancia para merecer un comentario. Se sabía que inmediatamente antes de su muerte, von Feuerbach estaba compilando un informe legal sobre Kaspar, un informe que tal vez contenía algunas conclusiones que algunas personas habrían querido ocultar.

Luego llegó al escenario el aristócrata inglés, Lord Stanhope, que era algo excéntrico; se interesó mucho en Kaspar y dijo que quería adoptarlo. Al parecer, el Consejo de Nuremberg no quería perder totalmente la atración de su estrella, pero aún así hicieron un trato permitiéndole a Stanhope hacerse cargo del muchacho y tener su custodia, con la condición de que Stanhope contribuyera monetariamente con la ciudad para ayudar a financiar parte de los gastos de manutención de Kaspar.

Stanhope llevó a Kaspar a un viaje, mostrándolo a grupos de nobles y a sus amigos de la aristocracia europea. El viaje tuvo éxito. Los rumores constantemente relacionaban a Kaspar con la Realeza de Babaria y con la Duquesa Stephanie de Beauharnais, de Baden, casa real de Bavaria, quien muy ofendida, amenazó con presentar una demanda. Como era predecible, Kaspar, siendo un muchacho poco usual, y Stanhope, que era un excéntrico, peleaban con frecuencia, y a fines de 1833, mediante un acuerdo entre Stanhope y Nuremberg, Kaspar fue transferido a Ansbach, a veinticinco millas de distancia, donde lo pusieron bajo el cuidado del Dr. Meyer. En caso de que hubiese más ataques contra Kaspar, Stanhope hizo arreglos para que estuviera bajo la protección del Capitán Hickel, un soldado que trabajaba con la policía de Ansbach.

Mientras que Daumer había apoyado a Hauser con entusiasmo, lo había alabado y animado, y había hecho comentarios positivos sobre su inteligencia, Meyer y Kaspar no trabajaron en armonía y el doctor calculó que la edad mental de Hauser no era superior a los ocho o nueve años.

Las cosas llegaron a un clímax dramático el sábado 4 de diciembre de 1833. Kaspar llegó a casa tambaleante; venía del parque público *Hofgarten* con la mano sobre una herida en el pecho y gritando: "¡Puñal... Hombre apuñaló... Dar cartera... Mira rápido... Ve a Hofgarten!". La Sra. Meyer ayudó a su esposo a poner a Kaspar en la cama y luego mandó por un doctor. Cuando llegó, confirmó que Kaspar había sido apuñalado, pero no pensó que la herida fuera demasido grave. Mientras tanto, el Capitán Hickel, había salido corriendo al Hofgarten buscando a la persona que había atacado a Kaspar. No la encontró, pero sí encontró la misteriosa cartera sobre la que Kaspar gritaba. Adentro había una nota, pero estaba escrita en ese extraño estilo invertido que usaban los niños de la época Victoriana para jugar y con el que se divertían tanto. Tenía que verse en un espejo para poderse leer. Decía:

"Hauser puede decirles quién soy, qué apariencia tengo y de dónde vengo. Para ahorrarle el trabajo, les daré la información yo mismo. Vengo de... en los límites de Bavaria, sobre el Río... Me llamo M.L.O...."

El que Kaspar no mejorara empezó a causar una creciente ansiedad. De hecho, se comprobó que la herida poco a poco se volvía fatal, y Kaspar murió el 17 de diciembre. La autopsia subsecuente reveló que el puñal había perforado el diafragma y se había introducido en la parte inferior del corazón. Los tres médicos forenses estaban seguros de que el atacante era zurdo. Dos no estaban seguros de que Kaspar mismo se hubiera causado la herida; el tercero era inflexible en su opinión de que no pudo haberlo hecho. Las últimas palabras de Hauser fueron: "Yo no lo hice".

Antes de morir, Kaspar contó una historia extraña sobre el ataque, y la relató una y otra vez al grupo de sacerdotes, médicos, funcionarios del gobierno local, dignatarios, oficiales militares y de policía que se habían reunido en la habitación donde estaba el enfermo.

En esencia, Kaspar aseguraba que un hombre había quedado de verlo en el Hofgarten y le había prometido revelarle su verdadera identidad. Cuando llegó al parque, un hombre alto con bigotes oscuros, que llevaba una capa oscura, se acercó y le dijo: "¿Eres Kaspar Hauser?".

Cuando el joven le dijo que sí, el siniestro extraño le entregó una cartera de seda y luego lo apuñaló. La cartera había caído en la nieve, el atacante había desaparecido, y Kaspar había regresado a casa de Meyer tambaleándose y con un dolor terrible.

El Capitán Hickel tenía dudas porque sólo había encontrado huellas de una persona en la nieve, las de Kaspar, en el lugar donde había caido la cartera. Él y el Dr. Meyer le insistieron a Hauser que confesara y descargara su conciencia. Se negó a hacerlo obstinadamente. Les recordó a los presentes el ataque anterior contra él en el sótano de Nuremberg.

Fue sepultado en el Cementerio de Ansbach, donde todavía está su lápida sepulcral. Dice así: *"Aquí yace el enigma de nuestro tiempo; su nacimiento, desconocido, su muerte, un misterio."*

¿Cuál es la verdad respecto a Kaspar Hauser?

Las teorías más descabelladas e imaginativas suponen que se le teletransportó desde un lugar distante, que vino de otro planeta, de un Universo paralelo, de otra dimensión o incluso que fue un viajero en el tiempo. Anselm von Feuerbach proporcionó mucho combustible a las teorías de que Kauser era un viajero interplanetario al escribir: *"...podríamos sentirnos inclinados a creer que es ciudadano de otro planeta traído al nuestro mediante un milagro"*. Si consideramos estas ideas como algo demasiado improbable para constituir una respuesta, ¿qué nos queda?

Una posibilidad es simplemente que las cartas que le acompañaban a su llegada a Nuremberg fueran la verdad, después de todo. Su madre era demasiado pobre para educarlo. Se lo entregó a un vecino bondadoso pero casi tan pobre como ella, que hizo todo lo que pudo, mientras pudo, y con gusto dejó al joven en Nuremberg como un posible recluta del Escuadrón de Caballería.

Las versiones detalladas del relato varían en uno o dos puntos importantes. Un investigador menciona que Weichmann, el solícito zapatero, acompañó al chico a la casa del Capitán Wessenig. Otra versión del relato supone que Georg sólo guió a Kaspar hasta el cuarto de la guardia de New Gate y le dio instrucciones para llegar a la casa de Wessenig desde ahí. Si eso es verdad, está en conflicto con la versión que supone que Kaspar era incoherente y no tenía suficiente vocabulario para decir otra cosa que no fuera "no sé".

¿Era Hauser simplemente un joven embaucador que disfrutaba de las candilejas, y quería gozar de buena publicidad, y hospedaje y alimentos gratuitos? ¿Tenía, como dijo Meyer, una capacidad mental muy limitada? Si Meyer estaba más cerca de la verdad que Daumer, en lo que concierne al nivel de inteligencia de Hauser, ¿cómo es que alguien con ese nivel de inteligencia logró todo lo que logró Hauser? Sus dibujos y las notas que los acompañan no parecen el trabajo de una persona de lento aprendizaje.

Si, como parece muy posible, Hauser *era* el heredero secuestrado de una familia real o aristocrática, oculto por razones relacionadas con dinastías o con la política, entonces, ¿quién fue el responsable y qué ganaba con que el chico estuviera prisionero tanto tiempo en el supuesto hoyo oscuro y cubierto de paja?

En esa época había una candidata muy probable: Caroline Geyer, la hermosa y joven esposa morganática del anciano Duke Karl Frederick de Baden. Cuando el duque viudo se casó con ella, había varios descendientes de su primer matrimonio que podían heredar el ducado. Se rumoraba que casi todos habían muerto con una rapidez poco natural, y algunos en circunstancias muy dudosas, después del matrimonio morganático de su padre. La teoría que involucra a Caroline con Kaspar Hauser suponía que él había sido el último y el más joven de los herederos legítimos que tomaría precedencia antes de los hijos de Caroline. En lugar de hacer que mataran al niño, Caroline hizo arreglos para que se le encarcelara hasta que el mayor de sus hijos tuviera el título de Duque. Kaspar fue liberado con la intención de que desapareciera en la oscuridad. Caroline y sus secuaces no contaban con la publicidad internacional que acompañó al misterio del "muchacho de Nuremberg". Temiendo que la verdad se revelara de alguna manera, ella cambió su plan original y decidió que lo más seguro era silenciarlo permanentemente; de ahí el fallido ataque en el sótano de Daumer en Nuremberg, y el certero intento posterior de uno de sus asesinos en el parque Hofgarten de Ansbach.

Si hubiera existido una cruel y siniestra conspiración de alto nivel para silenciar a Kaspar, es posible que se extendiera a otras personas. Von Feuerbach murió de pronto, al igual que Bürgomeister Binder.

Aunque el misterioso chico de la Plaza Unschiltt tiene un lugar único en la historia, hubo un caso menos conocido que es interesante porque ilustra la teoría del impostor doble. Para que Kaspar llegara a ser una celebridad, se puede argumentar que otra persona, o tal vez varias, participaron en el fraude. Pero es posible que 'fraude' en el sentido de una estafa o un engaño deliberados, no sea con exactitud el concepto correcto. Existen ilusiones y engaños que cuando se comparten, se refuerzan, hasta que en la mente de los participantes el límite entre los hechos y la ficción, entre la información y la especulación, queda borroso. De hecho esto es lo que parece haber sucedido en el caso, casi paralelo, de la Princesa Caraboo.

La noche del 3 de abril de 1817, una chica, que al parecer hablaba un idioma desconocido, apareció en una cabaña cerca de Bristol. Fue llevada ante el Magistrado Samuel Worrell, quien la llevó a vivir a su casa. Aunque atrajo la atención de lingüistas de muchos lugares, ninguno de ellos pudo entender el lenguaje desconocido que hablaba y escribía.

Sin embargo, Manuel Eyenesso, escuchó con atención, y luego dijo que la chica estaba hablando malayo. No se detuvo ahí, sino que fue capaz de interpretar y transmitir su relato. Anunció que ella era la Princesa Caraboo de Java, que había sido secuestrada por unos piratas. Se las había arreglado para escapárseles y llegar a Inglaterra. Esta noticia se recibió con tanta emoción como la llegada de la verdadera Pocahontas, hija del Jefe Powhattan, en 1616.

Para vergüenza de Manuel y la princesa, sin embargo, una tal señora Willocks llegó de la aldea de Witheridge, Devonshire, y proclamó que la misteriosa chica era su hija Mary. Al confrontársele de esta manera, se dice que Mary confesó que era un fraude, y de inmediato la mandaron a América a vivir en la oscuridad.

¿Realizaron ella y Manuel un truco muy habíl juntos o los dos impostores se encontraron por accidente? ¿Uno de los dos, o ambos, padecían de lo que los psicólogos llaman el *Síndrome de Munchausen*, un trastorno mental que se puede descubrir porque el paciente tiene la compulsión de contar relatos improbables y muy exagerados sobre sus experiencias? Históricamente, el Baron Munchausen, de donde se tomó el nombre del síndrome, vivió de 1720 a 1797 y estuvo en el Ejército Ruso en su lucha contra los turcos. Rudloph Erick Raspe escribió una versión novelesca de los relatos de Munchausen, que se publicó en 1785, e incluía relatos como el ciervo al que el Barón le disparó con un hueso de cereza, y después se le encontró con un cerezo creciéndole en la cabeza.

Tanto el asunto de la princesa Caraboo, como el misterio de Kaspar Hauser, son algo muy intrincado que contiene muchas evidencias contradictorias, además de las inevitables acusaciones de fraude y engaño.

Una segunda versión supone que la Sra. Worrell, molesta por el interés que su esposo mostraba hacia la atractiva joven de Malaya, fue a Devonshire en busca de la Sra. Willcocks, o de alguien a quien pudiera sobornar para que dijera que era la Sra. Willcocks. Se dice que entonces la Sra. Worrell le pagó a esta impostora para que dijera que Caraboo era sólo su hija Mary, que estaba trastornada e inventaba idiomas incomprensibles aparentando ser una princesa Malaya. Este relato añade que la Sra. Worrell también le pagó a la muchacha para que fuera a Estados Unidos, donde en lugar de desaparecer en la oscuridad, continuó demostrando la escritura y pronunciación de su lenguaje desconocido. ¿La habilidad de Mary Willocks en ese campo, se parece al fenómeno conocido como *glossolalia*? *El Diccionario de Psicología* de Drever lo define como: "*Un idioma inventado en una lengua desconocida, que se presenta durante un éxtasis religioso, en la hipnosis, en los trances de un medium, y en ciertos estados mentales patológicos*". Esto, por supuesto, supone que la Princesa Caraboo era *sólo* Mary Willcocks de Devonshire y no una genuina princesa de Java, que había sido secuestrada por piratas.

Esta teoría de varios impostores, bien podría tener un parecido al problema de Kaspar Hauser; que aún permanece sin resolver ¿Era el genio en que Daumer creía, o el chico de lento aprendizaje que se describe en los informes de Meyer? ¿Era un pobre campesino abandonado, el heredero perdido al trono de Bavaria, o la víctima de un deslizamiento en el tiempo? ¿Lo asesinó brutalmente en el Hofgarten un asesino desconocido, o murió por una herida que él mismo se causó en forma absurda, con la intención de restablecer el interés del público que se estaba debilitando?

LOS GUARDIANES DEL GRIAL

Aún existe la antigua copa de madera de Nanteos, que muchos creen es el Santo Grial, y está cuidadosamente guardada en su escondite secreto en las Islas Británicas.

El mayor problema que se presenta al investigar las muchas y diversas tradiciones relacionadas con el Grial, es que se confunden y al parecer se contradicen en demasiados aspectos. Sin embargo, en todas ellas existen ciertas vetas de gran importancia que, cuando se siguen con cuidado, como el cordón que salvaba vidas en el Laberinto de Minos, nos sacan de un laberinto histórico y literario del que aparentemente es imposible escapar.

Como un gran palacio fortificado que ha sobrevivido a lo largo de siglos, la tradición del Grial se ha alterado y modificado, se ha revisado y reconstruído, se ha expandido y extendido, hasta que es casi imposible localizar sus cimientos originales. Sin embargo, esos cimientos antiguos existen; todavía se les puede encontrar; y para entender el misterio del Grial es de vital importancia ver cuán profundamente penetran en la roca en que se levanta la estructura contemporánea del Grial.

Tal vez, la mejor conocida de las leyendas se relaciona con Glastonbury, Somerset, Inglaterra. En resumen cuenta como San

José de Arimatea (que posiblemente era *tío* de Jesucristo) trajo el Grial a Inglaterra entre el año 40 y el año 65 de nuestra era. Se dice que José lo hizo por instrucciones de San Felipe y se dice que el Grial que trajo fue el que Jesús mismo usó en la Última Cena. En esta versión de la historia, Pilato le había permitido a José quedarse con el Grial, y él lo había utilizado para recoger algo de la sangre de Cristo durante la crucifixión. A lo largo de todos los extensos viajes de José como misionero, que duraron muchos años, esta Sangre Sagrada había permanecido fresca e incorrupta.

Después de vivir sin contratiempos muchas aventuras peligrosas, José y el grupo de sus fieles discípulos llegaron a la costa de Somerset en el suroeste de Gran Bretaña a mediados del siglo I y desembarcaron ahí. Viajaron en dirección al este, hacia el Peñasco de Glastonbury, donde descansaron en lo que desde entonces se ha llamado la Colina Wearyall. La leyenda cuenta que cuando San José se detuvo para orar al pie del peñasco, clavó su callado en el piso donde de inmediato echó raíces y floreció. José y sus seguidores consideraron esto una señal especial del cielo, de que habían llegado al final de su viaje. Este era el lugar donde deberían construir la primera Iglesia Británica y establecer su centro de operaciones permanente.

Una variación de la leyenda de José cuenta que él y sus seguidores encontraron que, para cuando ellos llegaron, exhaustos, a Glastonbury, la primera iglesia, que era pequeñísima, ya había sido construida. Esta variación cuenta que la pequeña estructura de juncos y argamasa fue construida por Jesús resucitado en persona; que era todavía carpintero. Se le conocía como la *Vetusta Ecclesia*, que significa Iglesia Antigua.

Al tratar de encontrar los orígenes de las leyendas del Grial y su escondite secreto, vale la pena mencionar que se supone que San José sepultó el Grial al pie del peñasco en un lugar que en la actualidad se conoce como el Pozo del Cáliz. También se dice que José llevó a Inglaterra la lanza de Longines, el centurión, que fue el arma con que se perforó el costado de Cristo después de haberlo crucificado. A la lanza, lo mismo que al Cáliz se les atribuyen enormes poderes mágicos, pero a este respecto es importante mencionar que en muchas leyendas paganas del pasado aparecen

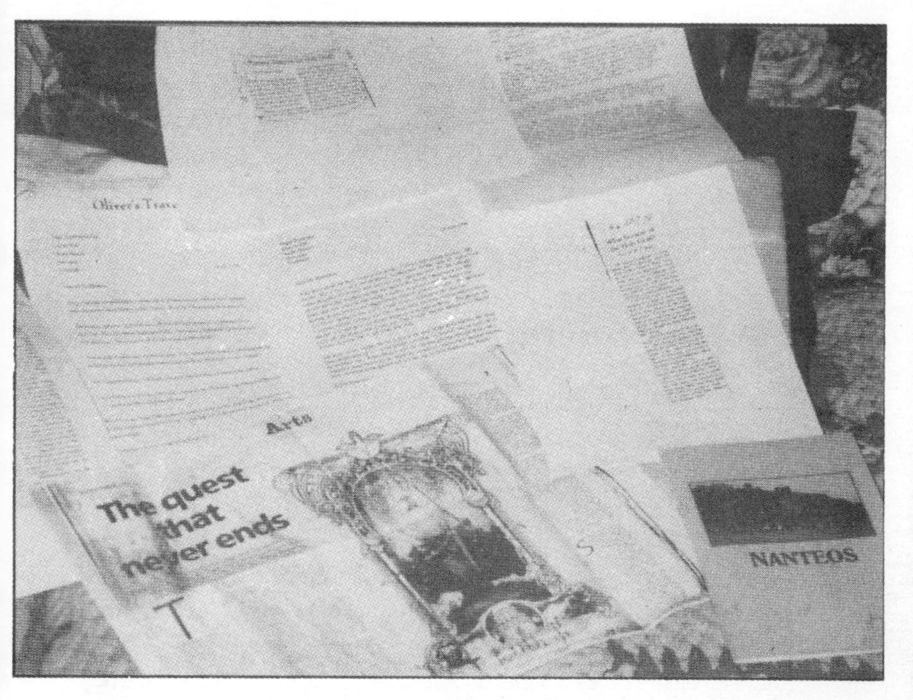

Una selección de cartas y documentos relacionados con el famoso Caliz de Nanteos, parte de una antigua copa de madero de olivo, que muchas personas creen es el Santo Grial.

una lanza, un cáliz y una espada inmensamente poderosos; su poder llegaba a su máximo cuando estaban juntos. Estas leyendas paganas más antiguas, no se relacionan en absoluto con las tradiciones cristianas que surgieron mucho después, en las que aparecen Jesús y José de Arimatea. Es casi seguro que hayan existido muchos siglos antes de la era cristiana.

Alrededor de 1180, Chretien de Troyes escribió *Conte du Graal,* es decir la Historia del Grial. Sólo terminó 9234 líneas... o al menos eso es todo lo que aún existe. Los eruditos no están seguros si su gran obra quedó inconclusa o si parte de ella se perdió al paso de los años. Es posible que el final faltante se haya ocultado cuidadosamente en algún lugar. ¿Igual que el Grial? Y de ser así, ¿qué claves secretas sobre la ubicación del Grial se mencionan en el final faltante de la obra de Chretien?

Los escritores de esa época con frecuencia consideraban aconsejable dar a sus obras una importancia y autenticidad adicional añadiendo referencias a obras más antiguas en las que supuestamente se basaba su obra. Este popular recurso literario no significaba invariablemente que no existieran tales obras más antiguas. Tampoco garantizaba que *algunos* autores medievales no hubieran consultado en realidad genuinas fuentes antiguas. Chretien, por ejemplo, aseguraba que había consultado un libro antiguo que había recibido de manos de Philip, Conde de Flanders, y es muy posible que sea cierto.

Sin duda, los trovadores medievales del tiempo de Chretien tenían una gran reserva de información, y parte de ella era esotérica y muy antigua, ya que viajaban de un castillo a otro en Europa y el Oriente Medio, en especial durante las Cruzadas.

Eleanor de Aquitaine (1122 - 1204) proporciona un eslabón vital entre Chretien y su vasta cultura relacionada con los trovadores. Ella fue nieta de Guilhem IX de Aquitaine, el primer trovador cuyo trabajo aún existe. Cuando Eleanor tenía 15 años, Luis VII de Francia se casó con ella a causa de su herencia, y tuvieron dos hijas antes de que su implacable enemigo, Bernard de Clairvaux, convenciera a Luis para que se divorciara de ella. Sin duda, Bernardo, que era piadoso, ascético y practicaba un celibato que rayaba en el puritanismo y en el fanatismo, temía que la enorme energía de Eleanor y su fuerza de carácter (que eran mayores que las de él), en combinación con su liberal espíritu mundano, propio de las regiones sureñas, fueran una mala influencia para Luis y su corte parisina.

La joven Eleanor, alegre y atractiva, se casó de inmediato con Henry Plantagenet de Anjou, destinado a convertirse en Henry II de Inglaterra, y padre de Ricardo Corazón de León. Después de la muerte de Henry, Eleanor se convirtió en una Regente muy eficiente, mientras su famoso hijo estaba luchando en las Cruzadas.

Pero la cultura de los trovadores llegó a Chretien a través de una de las hijas que Eleanor tuvo con Luis VII, Marie de Champagne. Marie se convirtió en la Duquesa de Champagne cuando se casó con el Conde Henry en 1164. Estableció un floreciente centro de la cultura de los trovadores en Troyes, tomando como modelo el centro cultural que Eleanor tenía en Poitiers. Cuando Chretien estuvo trabajando y escribiendo en la corte de Marie, tuvo un contacto muy cercano con muchos de los trovadores importantes: gente como Jaufre Rudel, Bernart de Ventadorn y Raimbaut d'Aurenga. También es muy significativo que esta cultura de trovadores se estableciera bien en las zonas al suroeste de Francia, conocidas como el Midi-la, zona donde se encuentra la misteriosa aldea de Rennes-le-Château, en la cual había varias fortalezas de los Templarios, y donde una vez floreció la extraña secta hereje conocida como Cátaros o Albigenses.

En 1244, cuando cayó su fortaleza de Montségur, que era casi impenetrable, cuatro Cátaros montañistas escaparon con un gran tesoro, documentado en los registros latinos como *pecuniam infinitam:* literalmente "dinero ilimitado". ¿Será posible que ese inapreciable tesoro de los Cátaros, fueran la Lanza, el Grial, o *ambos*? ¿Y qué pasó con ese tesoro después de que se le sacó de Montségur? Después de estar guardado por un tiempo en Rennes-le-Château, ¿cruzó finalmente el Atlántico con Sinclair y sus refugiados Templarios para encontrar un nuevo escondite en el extraño laberinto que hay debajo de Oak Island, Nueva Escocia?

En la versión de Chretien, el héroe de la historia del Grial es Percival, que al parecer se basa en un relato mucho más antiguo sobre el gran héroe Galés, Peredur, que en ocasiones aparece como Pryderi, de *Mabinogion.* Estos relatos de la antigua historia galesa aparecen en *The White Book of Rhydderch* (El libro blanco de Rhydderch) y en *The Red Book of Hergest* (El libro rojo de Hergest). Ambos datan del siglo XIV, pero parece que el material que hay en ellos es mucho más antiguo, y sus fuentes originales son muchos siglos anteriores a la era cristiana. El misterioso y heroico Percival aparece de nuevo como Parzibal en el libro de Wolfram von Eschenbach que lleva ese título, y que se compiló aproximadamente en 1205.

Von Eschenbach fue un caballero de Bavaria que aseguraba que su versión de la historia era correcta y la Chretien no. Wolfram escribe que obtuvo su información de Kyot de Provence, y que Kyot la descubrió gracias a Flegetanis, a quien se le describe como "un erudito pagano famoso por su gran ciencia". A Kyot también se le conoce como Guiot el Trovador, y fue uno de los muchos que asistieron al gran Festival de Mayence en 1184, cuando el Emperador Federico Barbarossa, del Sacro Imperio Romano, armó caballeros a sus hijos. Casi todos los poetas y trovadores de la Cristiandad del Medievo estuvieron ahí; es casi seguro que Wolfram haya asistido, así que parece razonable argumentar que fue en Mayence donde él y Guiot probablemente intercambiaron información vital sobre Parzival y su búsqueda del Santo Grial. Es también importante mencionar que tanto Guiot como Wolfram eran partidarios entusiastas de los Templarios, que al parecer durante un tiempo fueron los custodios del Grial y protectores de los peregrinos que iban a Jerusalén.

En el relato sobre Parzival en sí, el Grial se guarda en Munsalvaesche (el Monte de la Salvación) que tal vez es una referencia en clave a Montségur (El Monte de la Seguridad). Según una tradición, se supone que el Castillo del Grial está en los Pirineos, y Rennes-le-Château está en las faldas de los Pirineos. El tío de Parzival, que es ermitaño, le habla de los poderes que posee el Grial: puede sanar; puede impedir o posponer la muerte; puede rejuvenecer al fénix agonizante; puede proporcionar alimento y bebida ilimitados, como el legendario cuerno de la abundancia. No es un caliz sino una piedra misteriosa llamada *lapsit exillis*. ¿Es *lapsit exillis* una corrupción de la frase *lapsit ex caelis*, que significa "la piedra que cayó del cielo"? O ¿tal vez es la corrupción de *lapis elixir*, la Piedra Filosofal que buscaban los alquimistas, y que transformaba metales comunes en oro y tenía el secreto de la vida eterna?

Parzival, originario de Waleis (¿Gales?), llega al Castillo del Grial y conoce a Anfortas, el Rey Pescador herido, pero no responde correctamente cuando una hermosa dama misteriosa llamada Repanse de Schoye trae el Grial. Su mismo nombre es muy significativo: *réponse de choix* (la respuesta del elegido), o *réponse de la joie* (la respuesta alegre). Al parecer se requiere que quien visita el Castillo del Grial responda correctamente, que haga las preguntas apropiadas y aceptables. ¿Pero, cuáles *son* esas preguntas, y cuál *es* la respuesta correcta? ¿Supone Wolfram que existe una especie de clave, o santo y seña, que abre la cerradura y revela los poderes secretos del Grial?

Además, según Wolfram, el Grial tal vez no es un caliz, sino una piedra o cristal mágico, lo que se relaciona con las extrañas leyendas medievales de Prester John. En la época en que los cruzados estaban siendo vencidos por los sarracenos, constantemente se oían relatos sobre un gran rey cristiano llamado Prester John. Su país, inmensamente rico y de gran extensión, estaba al este de Palestina, y se decía que sus invencibles ejércitos ya estaban en camino para vencer a los sarracenos por la retaguardia y unirse a los cruzados. Entre las muchas historias que se narraban sobre este gran gobernante cristiano, había una que decía que tenía un cetro hecho de *esmeralda* pura.

Uno de los personajes más enigmáticos del antiguo Egipto, fue el semi-histórico y semi-legendario Thoth, escriba de los dioses, cuyos encantamientos mágicos estaban escritos en tablas de *esmeralda*. También se le conoce como Hermes Trismegistus (Hermes, el bendecido tres veces) cuyos poderes residían en ciertas *esmeraldas* esotéricas y misteriosas. Es posible que este bondadoso ser, con poderes paranormales, se conociera en la antiguedad como Melchizedek, el Rey-Sacerdote de Salem, a quien incluso el gran patriarca Abraham pagó tributo, y de quien se decía que "no tenía padre, no tenía madre, y su vida no tenía principio ni fin". ¿Se conoció más tarde a este Rey-Sacerdote de Salem, que no envejecía, como Prester John, el Rey-Sacerdote que tenía un centro hecho de *esmeralda*? ¿Y ese cetro de esmeralda era el *lapsit exillis* del Castillo del Grial? ¿Nos está diciendo, en clave, la leyenda del Grial, que sea lo que fuere finalmente este objeto inapreciable, en realidad es *lapsit ex caelis*, la piedra que llegó del cielo? ¿Y Melchizedek llegó con ella a la Tierra?

Desde el punto de vista histórico, Prester John nunca llegó para ayudar a los ejércitos de la cristiandad en su larga lucha contra los sarracenos, pero llegó otra persona. Grandes ejércitos del lejano oriente tuvieron victorias devastadoras contra los ejércitos del Islam, pero *no* eran los ejércitos cristianos de Prester John que venían a reforzar a los fatigados soldados de la cristiandad de occidente. En realidad eran las aterradoras e invencibles hordas mongoles de Genghis Khan, quien asoló Europa en 1221. Al final, la paz que impuso este vasto imperio mongol hizo posible que los europeos, como el temerario aventurero veneciano, Marco Polo, visitaran Pekín en 1275. Polo aseguró haber encontrado el reino perdido de Prester John y a quien era entonces su gobernante, el Rey Jorge, que indudablemente era cristiano. Pero lo que encontró Polo fue el pequeño reino de Tenduk, no el vasto y opulento imperio con una fuerza militar imponente, que se describe en la leyenda sobre Prester John. Sin embargo, en justicia a la evidencia de Polo, debemos aceptar que era un escritor culto y cuidadoso, que narró sus viajes con una honestidad y exactitud meticulosas.

Una de las leyendas modernas del Grial que se puede mencionar de paso, es la suposición sensacional de que el Grial era en realidad una *persona*, no un objeto, y que esta misteriosa mujer llevaba la Sangre Santa a nivel genético. Varios investigadores contemporáneos de Rennes-le-Château han insinuado que el supuesto "secreto" de la misteriosa aldea francesa es que Jesús estaba casado con María Magdalena. Ella posteriormente fue a vivir al suroeste de Francia con sus hijos, y ellos a su vez llegaron a ser parte de la misteriosa dinastía de Reyes Merovingios. Existe una remota posibilidad de que Jesús se casara con María. Existe una posibilidad aún más remota de que después de su muerte, resurrección y ascención, ella haya traído a sus hijos a Francia, donde estarían seguros, y que ahí se hayan mezclado con los Merovingios. Pero la teoría de que "el Grial es una persona" no se ajusta a los hechos. Todos los relatos, mitos y leyendas muestran el Grial como un *objeto* que se puede describir (un caliz de piedra) y que tiene poderes inmensos y misteriosos. El Grial es una fuente de una fuerza incomprensible y abrumadora: si se le personificara, también se vería que esa persona tuviera una enorme fuerza. Ninguna persona de este tipo aparece en las leyendas sobre el Grial, a menos que se tome en cuenta a Hermes (¿es decir, al poderoso Melchizedech?). De hecho, ocurre lo opuesto: la mayoría de quienes tuvieron que ver con el Grial, como Parzival y Anfortas, tenían demasiadas debilidades y limitaciones humanas.

El cáliz de Nanteos, que posiblemente es el Santo Grial, en su tazón de cristal dentro de su estuche de madera, preservada por su Custodia en una casa secreta y segura en algún lugar en el oeste de Inglaterra.

Una de las tradiciones más extraordinarias y persistentes sobre el Grial se relaciona con el Cáliz de Nanteos. Cuando en el siglo XVI, Enrique VIII vio con avaricia las tierras y riquezas de los monasterios, el valiente Abbod Whiting de Glastonbury, fue una de las muchas víctimas de lo que equivalía a un asesinato judicial. Poco antes de morir, Whiting mandó a siete de sus monjes jóvenes más valientes a Strata Florida, no lejos de Aberystwyth, Gales. Llevaban consigo un extraño Cáliz de *madera*, que según se creía era el Santo Grial.

Gracias a una extraña sincronía, tuvimos el privilegio de ser amigos de un anciano sacerdote que fue una gran persona, el Canónigo Noel Boston, Vicario de Dereham en Norflok, Inglaterra durante las décadas de 1950 y 1960. Noel ofició nuestra boda en

1957. Compartía nuestro interés por investigar lo paranormal, y un día, conversando sobre otros asuntos más mundanos, dijo: "A propósito, he visto el Santo Grial y sé dónde está. Está bajo el cuidado de una antigua familia noble, y tiene poderes asombrosos de curación. No es de metal, es de madera, pero tiene dos bandas de plata que lo sostienen porque es muy antiguo". Entonces cambió el tema de la conversación... pero nunca olvidamos lo que Noel había dicho sobre el Grial.

Cuando estuvimos trabajando en el programa de *Fortean TV* en 1997, en los Canales 4 y S4C en el Reino Unido, el equipo de investigación encontró cierto material sorprendente sobre el misterioso Caliz de Nanteos. Ahí también se decía que era de madera, como del que nos había hablado el Canónigo Noel Boston hacía 40 años. Lo custodiaba una dama que vivía sola en una pequeña aldea inglesa como a 100 millas de Cardiff. Su anonimato y su ubicación secreta eran la única protección que tenían ella y el caliz. Nuestro colega investigador hizo arreglos, con la ayuda de un vecino en quien ella confiaba, para que pudiéramos visitarla y pedirle que nos permitiera contar la historia del Cáliz de Nanteos como parte de nuestro programa de televisión. Es una dama bondadosa, pero tímida y nerviosa, y nos sorprendió positivamente que estuviera de acuerdo en vernos. Después de una breve charla, con reverencia sacó el Cáliz de Nanteos de su ubicación secreta y nos lo mostró. Está hecho de madera de olivo, ennegrecida por los años, tiene aproximadammente doce centímetros de diámetro, y sólo queda la porción inferior de él. No hubo señales de las bandas de plata que Noel había descrito hace muchos años. Ninguno de nosotros tiene poderes psíquicos, pero ambos sentimos que había una atmósfera de gran antiguedad y santidad alrededor de ese sencillo caliz de madera, el Cáliz de Nanteos.

La custodia nos contó todo lo que sabía de su historia. Los hombres de Abbod Whiting lo habían traído a Strata Florida, con la esperanza de que los buitres de Enrique VIII no llegaran a una casa religiosa tan pequeña y remota de Gales. Se equivocaron. Al poco tiempo los hombres del Rey estaban haciendo preguntas difíciles y peligrosas en esa zona. Sin saber qué más hacer, los monjes recurrieron a unos hacendados de la localidad para que les ayudaran: la antigua y noble familia Powell de la cercana Nanteos. Los Powell que eran fuertes e independientes y no le temían a nada, ni siquiera a Enrique VIII, se compadecieron de los monjes y de su inapreciable Cáliz de madera, y les dieron refugio en Nanteos cuando ya no era seguro estar en Strata Florida. Pasó el tiempo y murió el último de los monjes. Al no haber nadie más, los Powell se convirtieron en los custodios oficiales de lo que estaba destinado a conocerse como el Cáliz de Nanteos. Este arreglo continuó durante casi cuatro siglos, hasta que terminó la línea directa de los Powell en la década de 1950. El inapreciable Cáliz de madera y el derecho a custodiarlo, pasaron a una sobrina. Cuando ella murió, la custodia pasó a una de sus hijas: esa dama lo custodia en la actualidad. Ella fue quien nos proporcionó todos los antecedentes de este Cáliz en 1997, apareció como una silueta en nuestro programa de televisión, nos dio agua bendita del Cáliz y nos permitió fotografiarlo.

Durante la época que estuvo bajo la custodia de los Powell, nunca se rechazó una petición genuina y reverente de sus poderes curativos, y nunca se cobró por su uso. Esto sigue siendo una condición de su custodia en la actualidad.

Hay, en manos de su presente custodia, muchos registros antiguos valiosos, que muestran que el Cáliz de Nanteos se prestó a personas enfermas o heridas y cuándo lo regresaron. Las palabras "sanado" o "curado", están escritas junto al registro de préstamo. También tiene muchos registros más recientes; con frecuencia en forma de cartas de agradecimiento, de quienes han experimentado curas milagrosas.

Dudábamos preguntarle sobre la discrepancia de las bandas de plata, pero la custodia misma nos resolvió el problema de manera bastante espontánea sin que tuviéramos que preguntarle.

"Hace algunos años", dijo, "el Cáliz estaba cada vez más frágil y se pensó que era necesario ponerle una banda de plata alrededor para protegerlo, pero eso parecía reducir sus poderes curativos, así que le fue retirada". Lo que dedujimos es que nuestro amigo Noel lo había visto durante el periodo en que tenía la banda, o bandas, de plata.

La custodia nos habló de muchas curaciones que habían ocurrido durante el tiempo que el Cáliz estuvo bajo su custodia o bajo la de su madre. Una de las más espectaculares e inmediatas es la forma en que el Cáliz sanó al Padre Wharton. Este buen sacerdote padecía artritis, lo que afectaba sus rodillas y le impedía arrodillarse. Era un hombre muy devoto y reverente, y el que su enfermedad no le permitiera arrodillarse para orar, como él hubiera querido, era una constante causa de angustia y desilusión para él.

Visitó a la custodia y le pidió agua del Cáliz. Minutos después de tomarla, sintió que la artritis era menos grave en sus rodillas. Una hora despúes pudo arrodillarse y ponerse de pie como si nunca hubiera tenido esa enfermedad; y el Padre Wharton es sólo una de las miles de personas que se han beneficiado del poder curativo que se ha relacionado con el Cáliz de Nanteos, a lo largo de los años.

¿Qué proporción de estas curaciones se debe a poderosas fuerzas psicosomáticas que están dentro de la mente y el cuerpo del creyente? Al parecer, la investigación médica acepta que el poder de la mente sobre la materia no es sólo una ilusión. Cuál es exactamente el vínculo y cómo opera, son misterios que aún deben resolverse, pero lo esencial es que el vínculo psicosomático realmente funciona: es indudable que la mente puede ayudar al proceso de curación del cuerpo en forma muy sustancial y dramática. La insuperable *voluntad de vivir*, el impulso mental enérgico hacia la salud y la recuperación total, con frecuencia pueden ser los factores de supervivencia más críticos cuando se presenta una enfermedad o una lesión.

Jesús mismo nos enseñó en muchas ocasiones que se registran en los Evangelios que la *fe* del enfermo es un ingrediente crucial en el proceso de curación. El ejemplo clásico fue la mujer con hemorragias que sabía que sanaría con sólo tocar la orilla de la túnica de Cristo cuando pasara cerca de ella en medio de la multitud.

Sin embargo, la fe de una persona que desea ardientemente sanar, no es suficiente en sí: también debe haber un *poder para sanar*, verdadero y objetivo, en la persona u objeto al que se dirije la fe. A fin de cuentas, al parecer, la persona con quien se relaciona el objeto es lo que tiene poder para sanar: la túnica sana la hemorragia de la mujer porque es la túnica de Cristo. El Cáliz de Nanteos cura porque posiblemente es el antiguo Cáliz sagrado que Cristo usó en la Última Cena. O por lo menos, es un objeto antiguo y sagrado que los monjes de Glastonbury y Strata Florida santificaron con muchos años de oración.

Otra hipótesis que vale la pena mencionar en relación con el verdadero origen del Cáliz de Nanteos es que Jesús fue carpintero antes de empezar su misión como predicador y maestro. Un carpintero que estuviera planeando una empresa de este tipo, haría provisiones con anticipación; como un buen soldado que hace provisiones para una campaña larga. Jesús bien podría haber hecho un sencillo cáliz de madera como parte de sus provisiones para el viaje. Si un carpintero del siglo primero hubiera decidido hacer un cáliz, ciertamente lo habría hecho de madera.

Cuando examinamos el Cáliz de cerca, con permiso de la custodia, pudimos ver que su base llevaba marcas de haber girado en un torno. ¿Usaban tornos los carpinteros de Palestina en el siglo primero? Si no, entonces el Cáliz de Nanteos, sin importar lo que sea, no pudo haber sido el que Jesús usó en la Última Cena. Al investigar la historia del torno de carpintero, se encontraron indicaciones de que era casi tan antiguo como el torno de alfarero, y éste había estado en uso desde tiempos del profeta Jeremías, cientos de años antes de que Jesús fuera el carpintero de la aldea de Nazareth. Entonces, el Cáliz de Nanteos, *podría* ser, no sólo el Cáliz que Jesús usó en la Última Cena; sino un Cáliz que él mismo hizo en su taller de Nazareth, especialmente para llevarlo en su misión. Pensar que Cristo en realidad pudo haberlo *hecho*, así como pensar que pudo haberlo *usado*, hace que el Cáliz de Nanteos sea especialmente valioso. No es posible comprobar en forma concluyente, sin la menor sombra de duda, que el Cáliz de Nanteos es absoluta y definitivamente el Santo Grial, pero es posible comprobar que tiene tantas posibilidades como otros objetos que se asegura son el Grial Cristiano.

Sin importar lo que sea, y a pesar de lo fuertes y bondadosos que sean sus poderes de curación y de bendición, ciertamente *no* es la misteriosa piedra o esmeralda que Wolfram menciona en su versión de la leyenda. Tampoco es la siniestra olla celta de la antiguedad que supuestamente restauraba la vida a los muertos, ni la misteriosa Copa del Poder pagana que se relaciona con la Lanza y la Espada mágicas. La Busqueda del Grial se complica y se confunde porque las leyendas se han mezclado y se han amalgamado. Es necesario separarlas de nuevo si se quiere lograr un verdadero progreso.

Suponiendo que existe un fundamento sólido de verdad histórica en el relato de José de Arimatea, entonces el Grial Cristiano, el Cáliz que Jesús hizo en Nazareth y que usó en la Última Cena, bien podría ser el Cáliz Curativo de Nanteos, que aún está seguro en manos de su confiable y devota custodia en su ubicación secreta al oeste de Inglaterra.

¿Cuáles son las posibles *ubicaciones* de los otros objetos mágicos y poderosos, los antiguos objetos pre-cristianos, a los que en ocasiones se les da el nombre de Grial? La existencia de más de un objeto de este tipo y sus tradiciones que se relacionan entre sí, ayudan a explicar el confuso número de ubicaciones donde se creía que se habían ocultado objetos taumatúrgicos. Los relatos de la Búsqueda de los Caballeros del Rey Arturo, entrelazados con la idea del Santo Grial Cristiano, y la leyenda de José de Arimatea, se pueden resumir y simplificar de tal manera que se convierten en *una búsqueda decidida y prolongada de algo poderoso y valioso, durante una era de la historia que fue violenta y peligrosamente inestable.* ¿Qué tiene más valor en una época así? ¡No la salud, sino *armas superiores*! ¿El intangible líder guerrero romano-británico conocido en ocasiones como Arturo, envió a sus hombres a buscar armas misteriosas, casi mágicas, conocidas entre el pueblo como el Grial, la Lanza y la Espada?

¿O fue más bien el celta Arturo el Oso, jefe de su antiguo y misterioso clan, el que mandó guerreros galeses, irlandeses o escoceses a buscar los extraños artefactos que podían hacer que la guerra se inclinara a su favor? ¿Estaban buscando a Bran, dueño del Caldero de la Vida y la Muerte? ¿Y era Bran, como el erudito Roger Loomis implica, el mismo Anfortas, el Rey-Pescador herido que aparece en las tradiciones posteriores del Grial? Después de todo, *Bran* era un *dios del mar* en las antiguas leyendas, y el Rey-Pescador necesariamente se relaciona con el mar.

Bardsey Island, conocida en galés como "*Ynys Afallach*", siempre fue un lugar de santidad y curaciones en las tradiciones galesas más antiguas; algunas incluso insinúan que el Rey Arturo fue traído a Bradsey cuando estaba herido, no para morir, sino para recuperarse y viajar a sus demás provincias en Armorica y en Francia. Pero nos atrevemos a preguntar si no surgió una confusión en las leyendas entre la Armorica francesa y las *Américas* que estaban muy lejos hacia el oeste. ¿O es que Arturo, curado y rejuvenecido, llevó el mágico y misterioso Grial (haya sido lo que haya sido en *realidad*) al otro lado del Atlántico a un escondite desconocido en la costa este de Canadá? ¿A Terranova, o incluso a Oak Island, Nueva Escocia? La probalidad es muy remota, pero no imposible.

Durante muchos siglos, los restos de una antigua fortaleza, o tal vez de un monasterio primitivo, en la costa de Tintagel en Cornwall se han relacionado con el Camelot del Rey Arturo y con la Búsqueda del Grial. A poca distancia, a lo largo de la costa, está Rock Valley, donde el diseño de un extraño laberinto circular está grabado en la roca. También muy cerca, está la sorprendente catarata del Valle de Nectan; los restos de este santo yacen sepultados bajo el lecho del río del cual bebió una vez. El Castillo Tintagel, una cueva oculta en Rocky Valley, o un escondite secreto en el lecho del río en el Valle de Nectan, son todas ubicaciones *posibles* del misterioso tesoro que buscaban los legendarios Caballeros del Rey Arturo.

El Castillo Cadbury, donde también se supone estuvo Camelot, es otra posibilidad. De regreso a Glastonbury, nos enfrentamos a su imponente Peñasco y a la enorme probabilidad de que ahí se enterrara un objeto antiguo, sagrado y misterioso, mucho antes de que la leyenda de José de Arimatea cristianizara el relato. ¿La tradición del Grial Cristiano, se centra en Glastonbury porque una tradición del Grial mucho más antigua se centraba en Glastonbury siglos antes de que José llegara a Inglaterra?

Otta Swire, en la obra *Skye: The Island and its Legends* (Skye: La isla y sus leyendas), presenta un caso muy interesante relacionado con el hecho de que la *Piedra* del Destino (y Wolfram describe al Grial como una *piedra*) llegó de alguna manera a la Isla de Skye. A. E. Waite, en *The Hidden Church of the Holy Graal* (La iglesia oculta del Santo Grial) narra cómo José de Arimatea murió en Escocia. La estimulante investigación de Barry Dunford que aparece en *The Holy Land of Scotland* (La Tierra Santa de Escocia) proporciona una cantidad sustancial de evidencias útiles que una y otra vez guían al lector al misterioso Fortinhall en Escocia, que también es una ubicación posible para el Grial.

El antiguo monasterio de Slane en Irlanda fue fundado por el Obispo Erc, que vivió durante un período en que existían muchos conflictos entre los primitivos misioneros cristianos y los druidas. Siguiendo la teoría de que las leyendas cristianizadas del Grial eran un triunfo simbólico de la nueva fe llegada de Palestina sobre las religiones occidentales más antiguas, la victoria de Erc sobre los druidas podría verse como algo que representa la triunfante cristianización de la tradición pagana del Grial que es más antigua, y que se relaciona tanto con la Colina de Slane. ¿Podría ser que las enseñanzas más antiguas de los druidas indicaran que Slane era un escondite posible para un Grial original, previo al cristianismo? Ciertamente, Slane fue un lugar de refugio para el infante Dagobert II en 653. Se le llamó de ahí en 674 para que reclamara su Reino Francés y así desempeñara su breve, trágico y enigmático papel en el misterio de Rennes-le-Château. Como hemos visto, Rennes, al igual que Oak Island, Nueva Escocia, son también posibles ubicaciones para el escondite del Grial.

Existe además otra historia que merece seria consideración; es la obra del Dr. Graham Phillips, autor de *The Search for the Grail* (La búsqueda del Grial). En esencia, indica que en 327, cuando la Emperatriz Helena envió grupos a Palestina en busca de reliquias sagradas, estos grupos encontraron el Grial. Cien años después, cuando los bárbaros amenazaban saquear Roma, el Grial fue enviado a Inglaterra para que estuviera seguro. Llegó a la ciudad romano-británica de Viroconoim, cerca de la actual Shresbury, y cuando las legiones finalmente tuvieron que retirarse, quedó bajo la protección de un Rey o Caudillo de habla galesa, conocido como El Oso. ¿Era el famoso Arturo? El Dr. Phillips cree que sí. Con la invasión normanda en el siglo XI, lo que habían sido propiedades de El Oso pasaron a un líder normando llamado Payn Peveril, y un monje contemporáneo que era cronista relata que el Grial pasó a manos de Peveril. El Dr. Phillips cree que permaneció en la familia hasta mediados del siglo XIX. En ésa época, el última descendiente de los Peveril, Frances Vernon, se casó con Thomas Wright. Trágicamente, su hijo murió y decidieron ocultar el Grial para sus descendientes lejanos.

Sin embargo Wright, inteligentemente volvió a escribir un poema del siglo XVII, escrito por uno de los primeros Peveril. Añadió dos líneas de enigmáticos números romanos al dístico final del poema que se refería a "...los cantos de los pastores...". Suponiendo que el pastor representaba al Rey David, el salmista del Antiguo Testamento, Wright seleccionó cuidadosamente versos de los salmos que revelaran que él había ocultado el Cáliz de Peveril en una cueva del Parque Hawkstone en Shropshire.

Cuando Wright murió, Frances se volvió a casar y tuvo hijos con su segundo marido. En 1920, Walter Langham, nieto suyo por su segundo matrimonio, fue a buscar el Cáliz que Wright había ocultado y lo encontró, siguiendo las claves de los salmos que estaban en el poema que Wright había alterado.

Fue Victoria Palmer, bisnieta de Langham, quien finalmente conoció al Dr. Phillips, y el antiguo Cáliz de ónix se dio a conocer. Este relato contiene varios puntos que muestran un paralelo extraordinario con nuestra propia búsqueda del Cáliz de Nanteos: a esta distancia en el tiempo, es imposible decir categóricamente cuál de los dos es el verdadero Grial Cristiano, o si alguno de los dos en realidad lo es.

Existen también demandas que valdría la pena considerar que provienen de santuarios españoles...

Se necesitaría la fuerza y la energía de los legendarios Lanzarote o Galahad para seguirles la pista a todas.

OGOPOGO Y OTROS MONSTRUOS QUE HABITAN EN LAGOS

Así como en el Lago Ness, en los lagos canadienses también podría haber enormes criaturas desconocidas.

Aunque quizás el Lago Ness es lo primero que salta a la mente cuando se habla de monstruos que habitan en lagos, es probable que los lagos canadienses proporcionen una zona más fructífera de investigación que los lagos escoceses y escandinavos. Un gran número de testigos confiables han informado haber visto extrañas criaturas en las profundas aguas de los lagos de Canadá, y esos informes han sido frecuentes y recientes.

Los habitantes originales de Canadá incluyeron numerosos relatos de monstruos lacustres en su propia historia antes de la llegada de los europeos. En particular, se habla de *Ogopogo*, que se ha visto en el Lago Okanagan, un lago de 80 millas de largo en el territorio de Columbia Británica, en la costa del Pacífico. El nombre popular que se le da, parece más una canción de los años 20 que una genuina leyenda Okanagan sobre el origen del monstruo. Al parecer, un hombre conocido como el Viejo Kanhek fue asesinado cerca del lago y se le dio su nombre en su memoria. Los dioses castigaron al asesino transformándolo en una serpiente acuática gigantesca, y lo condenaron a permanecer por siempre en esa forma y en el lugar donde había cometido el crimen. En la leyenda, el monstruo vive en unas cuevas submarinas que están cerca de Squally Point, a poca distancia de la Isla Rattlesnake, y la gente de la localidad lo apacigua echándole animales pequeños para que se alimente. Esto nos recuerda una pieza de la mitología finoúgrica en la que un monstruo acuático parecido a una enorme rana, y conocido como *Vodyanoi*, frecuentaba los estanques de los molinos. Los molineros solían lanzar al agua a los viajeros incautos para alimentar al *Vodyanoi*, y así protegerse y proteger a sus familias.

Además, según las antiguas leyendas Okanagan, se ha visto a la serpiente acuática en ambos extremos del lago y también cerca de sus lugares favoritos, entre la Isla Rattlesnake y el Valle Mission.

Existen tradiciones y leyendas de extrañas criaturas acuáticas en todo Canadá y América del Norte. Casi 100 lagos y ríos tienen sus propios relatos según los cuales están habitados por monstruos. El pueblo Micmac de Nueva Escocia tiene tradiciones relacionadas con algo que llaman la gran serpiente acuática, igual que los Algonkianos, cuyo territorio está al oeste de la zona Micmac. Los Micmac tienen también tradiciones sobre entidades semiacuáticas y semihumanas. En uno de los antiguos relatos de los Micmac, el héroe Wsitiplaju se casa con una bella y misteriosa mujer marina que es hermana de la ballena asesina. Puede permanecer con él en forma humana, sólo mientras está tierra adentro. Si vuelve a visitar la costa, recuperará su forma original y regresará con su familia de ballenas asesinas en el mar, llevándose consigo a sus hijos. Después de estar juntos muchos años, los atrapa una enorme tormenta y se pierden; inevitablemente regresan a la costa, donde se rompe el hechizo y él la pierde porque ella se va con su familia del mar.

Los Iriquois de la parte superior del estado de Nueva York cuentan de una bestia acuática conocida como *Onijore*, y los Potawatomi de Indiana tienen leyendas sobre un monstruo que vive en el Lago Manitou, en el Wabash. Los Potawatomi presentaron muchas objeciones a que se construyera ahí un molino a mediados del siglo XIX, alegando que sería un gran obstáculo para la bestia acuática.

También los Shawnee, más hacia el oeste, tienen un relato extraordinario de un duelo entre sus grandes héroes magos, del pasado remoto, y un monstruo semiacuático. En el relato hay una chica que tiene un papel muy importante para que el héroe sea capaz de destruir al monstruo. Este relato tiene un parecido misterioso con San Jorge, que salva a una muchacha del dragón; con Perseo, hijo de Zeus, que salva a Andrómeda; con Cadmus de Thebes, que mata al monstruo con la ayuda de la diosa Athena, y con la ayuda que le da a Jason la hechicera Medea, cuando venció al monstruo que custodiaba el vellocino de oro. Incluso se parece al extraño relato de la adinerada y aburrida Catalina de Médicis que de alguna manera consiguió un monstruo acuático para entretener a sus invitados en un festival.

Aaturky es el nombre local del monstruo acuático del que tienen conocimiento los Kalpuya del Río Willamette en Oregon, pero es posible que exista cierta confusión en relación con el nombre de "Champ", el famoso monstruo del Lago Camplain que supuestamente descubrió ahí el gran explorador francés Samule de Champlain, en 1609. El temido navegante y temerario aventurero francés ciertamente no recuerda su encuentro con un formidable monstruo acuático, pero eso ocurrió mucho más lejos, al noroeste, cerca del Estuario St. Lawrence.

Si la mayoría de los avistamientos fueron genuinos, o al menos errores que cometieron de buena fe observadores honorables, hubo un caso en Perry, cerca del Lago Silver en el Estado de Nueva York, que resultó ser un fraude descarado. Causó una gran sensación que circularan ampliamente informes de que había un monstruo en el lago. Estos avistamientos circularon por más de dos años, y como es natural, atrajeron a muchos turistas. Después hubo un incendio en el hotel de ese lugar, y cuando llegaron los bomberos a apagar el fuego encontraron al "monstruo del lago" en el desván. El propietario del hotel lo había construido, y funcionaba a base de aire comprimido. Lo hizo con la esperanza de que sus apariciones en el Lago Silver atrajeran a los turistas y mejoraran su negocio, y lo logró. Después de una reacción inicial de enojo y desilusión, los ciudadanos de Perry tienen un festival anual para celebrar el ingenio del dueño del hotel.

Los informes formales y muy detallados sobre el *Basilosaurus, Zeuglodon* u *Ogopogo* tienden a estar de acuerdo en que la criatura mide más de setenta pies de largo. El cuerpo es de aproximadamente dos pies de ancho, y muchos testigos describen la cabeza como la de un caballo, una vaca o una oveja; con lo que más la comparan es con la cabeza de un caballo.

Una testigo que de hecho chocó con algo grande y pesado mientras nadaba en el Lago Okenagan siendo muy joven, hizo un informe completo a J. Richard Greenwell, de la Sociedad Internacional de Criptozoología. Como prefirió ocultar su identidad, utilizó simplemente el nombre de "Sra. B. Clark". Le dijo a Greenwell que eran más o menos las 8 a.m., de una agradable mañana de julio en 1974, cuando ella estaba atravesando el lago a nado para llegar a una balsa, que también se usaba como plataforma de clavados y que estaba a 500 yardas de la orilla. Casi había llegado cuando sintió que algo le golpeaba las piernas. Era enorme, muy voluminoso y pesado. Como es comprensible, se sorprendió y se asustó a causa de la inesperada colisión bajo el agua, subió a la balsa lo más rápidamente posible. El *Ogopogo* estaba a menos de veinte pies y el agua era transparente. Describió la criatura diciendo que tenía una joroba o un rizo, como comunmente se le atribuye a la gran criatura de la que continuamente llegan informes, en el Lago Ness de Escocia. La joroba o rizo que describió la "Sra. Clark" era de aproximadamente nueve o diez pies de largo y se elevaba casi cinco pies sobre el agua. Avanzaba en el agua mientras ella la observaba. Dice que viajaba hacia el norte y se estaba alejando de ella. La cola que vio estaba más o menos a diez pies de la joroba, y la describió diciendo que era parecida a la de una ballena: es decir que era horizontal y al parecer dividida en dos. Ella calculó que tenía aproximadamente seis pies de ancho. Como parte de la técnica de natación de la extraña criatura, la cola se levantaba cuando la joroba se sumergía en el agua, y la "Sra. Clark" pensó que en una ocasión casi salió a la superficie. Tuvo a la criatura ante sus ojos unos cuatro o cinco minutos, pero le fue muy difícil clasificarla. En algunos aspectos le recordaba más a una ballena que a un pez, pero también sintió que era demasiado delgada para ser una ballena. Su color era gris oscuro, y daba la impresión de que no tenía un cuello como tal; la cabeza se unía al cuerpo como la de un pez.

Sin embargo, expertos criptozoologos aceptan que esa variedad de proto-ballenas alguna vez existieron, aunque los fósiles indican que se extinguieron hace al menos veinte millones de años. Normalmente se les clasifica como *Basilosauris*, o se le conoce como *Zeuglodón.*

Cuando los colonizadores europeos llegaron a Okanagan a mediados del siglo XIX, escucharon decir a los indígenas canadienses que en lago vivía un enorme monstruo, parecido a una serpiente, al que llamaban *Naitaka.* Es el que, según la leyenda, antes fue un ser humano asesino.

En la década de 1870 se le observó desde ambos lados del lago en forma simultánea, y los testigos lo describieron diciendo que se parecía mucho a un tronco flotante que de pronto cobraba vida y empezaba a nadar en forma independiente contra la corriente.

Algo que no corresponde en absoluto con los modelos zoológicos o los hábitos alimenticios de un *Basilosauris* o un *Zeuglodón*, es que atacó a un comerciante que pasó por Okanagan en la década de 1850. Aseguró que una bestia acuática que tenía manos o tentáculos, lo metió al agua, pero él se las arregló para liberarse y escapar. Sin embargo perdió sus caballos y todos ellos se hundieron. Algo similar le sucedió a John MacDougal pocos años después. Él también luchó valientemente y logró escapar, perdiendo sus caballos en la batalla con el *Naitaka.*

No hay nada que impida que en Okanagan habiten *dos* especies totalmente distintas de monstruos acuáticos: los predadores carnívoros menos numerosos que gustan de los caballos, y que tal vez se alimentan de los supuestos herbívoros; aunque sería mucho más probable que las especies menos agresivas se alimentaran de peces y no de algas.

La posible existencia de dos o más variedades de monstruos acuáticos, (tal vez una de ellas se alimenta de la otra) se apoya en un relato del 2 de julio de 1949, cuando un grupo de testigos en un bote cerca de la orilla de Okanagan informó haber visto un espécimen de *Basilosaurus* parcialmente sumergido. Los testigos estaban más o menos a treinta yardas de distancia cuando lo vieron. Describieron su cola horizontal dividida, exactamente como lo vio la "Sra. Clark" en 1974, y sus movimientos ondulantes. Informaron que la cabeza de la criatura estaba bajo el agua, y dedujeron que se estaba alimentando mientras la observaban.

La famosa obra de Oliver Goldsmith *The History of the Earth and Animated Nature* (Historia de la Tierra y de la naturaleza animada) *(Edición de 1842)* contiene este comentario sobre los enemigos de las ballenas:

"También existe otro enemigo más poderoso que los pescadores de Nueva Inglaterra llaman el asesino. Es en sí un cetáceo con dientes fuertes y poderosos. Se dice que varios de ellos rodean a la ballena, como los perros que atacan a un toro. Unos la atacan por atrás; otros tratan de hacerlo por delante; hasta que al fin destrozan al animal... Se dice que son tan fuertes, que uno de ellos es capaz de detener una ballena muerta jalada por varios botes, y llevársela al fondo del mar".

Las familias Miller y Marten vieron lo que pudo ser una subespecie de *Zeuglodón* en julio de 1959, pero claramente describieron su cabeza diciendo que era parecida a la de una serpiente, más que a la de un bovino o equino. Nadaba detrás de su yate de motor cuando regresaban de un viaje en el lago. El Sr. Marten, que estaba al timón en ese momento, viró el yate hacia la criatura para poder verla más de cerca. Este movimiento de la embarcación que había estado siguiendo, pareció desanimar al *Zeuglodón* en sus intentos de acercarse más, y cuando lo observaban a una distancia de sesenta yardas, se sumergió lentamente y desapareció. R. H. Miller, que también estaba a bordo, era editor del *Vernon Advertiser* (El anunciante de Vernon), y al haber sido testigo de la existencia de la criatura, no dudó en darle la máxima publicidad.

Un avistamiento que ocurrió en 1968, se relaciona con un grupo de esquiadores jóvenes que tenían una lancha con una capacidad de treinta y cinco nudos. Sheri Campbell vio como seis metros de la sección media de un *Zeuglodón* asoleándose en la superficie, no lejos de ella; ni su cabeza ni su cola estaban visibles. No es sorprendente que su concentración fallara y soltó la cuerda para esquiar. Para cuando el bote vino a rescatarla, el *Ogopogo* había empezado a moverse. Sheri dijo que claramente pudo ver escamas de color gris verdoso que brillaban en el sol como una trucha arcoiris. Los esquiadores se acercaron a pocos metros de la criatura antes de que se sumergiera y se alejara a toda velocidad; trataron de alcanzarla con el yate de motor, pero la velocidad del *Ogopogo* era mayor a treinta nudos, y pronto lo perdieron de vista.

El capitán de Patrulleros de la zona pesquera de Canadá informó de otro avistamiento. Dijo que más bien era como un poste de telégrafo flotante con cabeza de oveja.

Dos visitantes de Montreal de nombre Watson y Kray, vieron lo que describieron como un cuerpo sinuoso de treinta pies de largo con cinco jorobas ondulantes de unos dos metros de longitud. Estas jorobas estaban más o menos a una distancia de un metro una de la otra. Dijeron que su cola estaba dividida, pero sólo vieron la mitad fuera del agua.

Una visitante de Vancouver vio al *Ogopogo* nadando a 100 metros de ella. Dijo que en realidad era maravilloso verlo; su cabeza era como la de un caballo o una vaca, y era como unas espirales brillantes que parecían dos enormes ruedas atravesando el agua. También mencionó que tenía una aleta dentada a lo largo de la espina dorsal, como los dientes de un serrucho. Mientras lo observaba, se levantó y se sumergió al menos tres veces antes de hundirse de nuevo y alejarse bajo el agua. Su testimonio fue particularmente interesante, porque no sabía nada de las leyendas ni de la historia de avistamientos anteriores, antes de visitar Okanagan.

Otro informe sorprendente llegó del Lago Utopía en New Brunswick, en 1867. Los hombres que trabajaban en un campo maderero y en un molino que estaba junto al lago describieron cómo habían visto a un animal enorme moviéndose en el agua. Su relato apareció en *Canadian Illustrated News* (Noticias ilustradas de Canadá) unos años después, en 1872. La criatura que describieron tenía la cabeza del tamaño de un barril y un par de feroces quijadas. Se decía que aparecía con más frecuencia justo después de que el hielo del invierno se derritiera. Esto se relaciona con ciertas investigaciones europeas sobre monstruos de lagos, cuyos avistamientos en Noruega también aumentan en forma notable cuando el agua fría fluye de los lagos de las montañas. Los avistamientos también eran más frecuentes cuando había madererías cerca de los ríos. ¿Podría ser que las "manchas de agua revuelta" que casi invariablemente acompañan a los informes de avistamientos de monstruos acuáticos, se deben de alguna manera a desperdicios industriales (¿quizás acumulaciones de aserrín?) que se descomponen y emiten grandes cantidades de vapores? ¿Esos vapores a su vez energizan lo suficiente los desperdicios de aserrín enviando porciones de ellos a la superficie y se les confunde con un *Ogopogo* o una especie parecida? Tal vez en uno o dos avistamientos distantes, porque no fue un trozo de aserrín impulsado por gases lo que asustó a Sheri Campbell y luego escapó del yate de motor de los esquiadores a una velocidad mayor a treinta y cinco nudos.

El Lago Walgen, antes conocido como Lago Alkali, que se localiza en el corazón de los valles de Nebraska, es totalmente distinto, desde el punto de vista geológico y geográfico a los lagos del norte, donde han ocurrido la mayoría de los avistamientos. Y el monstruo de Walgen era color café y no de un color gris oscuro verdoso. Un granjero de Nebraska que informó haber visto esta criatura dijo que lo vio despidiendo agua a una altura de seis metros. Un grupo de cinco testigos que estaban juntos, también dijeron haber encontrado al monstruo de Walgen. Calcularon que tenía seis o siete metros de largo.

Pasando de estas criaturas lacustres a los habitantes más extraños y más grandes de los mares, los testigos más impresionantes son sin duda el Capitán Peter M'Quhae y sus oficiales y tripulación en el *Daedalus*. La tarde del domingo 6 de agosto de 1848, la fragata de 19 cañones, *Daedalus* iba rumbo a Inglaterra de las Indias Orientales. Estaba sobre 2,000 brazas de agua, a más de 1,000 millas de Santa Elena y a 350 millas de África, cuando un joven guardia marino, de nombre Sartoris, muy nervioso informó a su Oficial de Cuarto, el Teniente Edgar Drummond, que había visto algo a estribor que no podía identificar. Cuando el guardia marino informó su extraño descubrimiento, Drummond estaba hablando con el Oficial de Navegación, Bill Barret y con el Capitán M'Quhae mismo. Los tres se acercaron al barandal para investigar. Los tres eran oficiales inteligentes, observadores y experimentados de la Marina Real Británica, una organización que es famosa por su eficiencia y su disciplina rígida, en especial en esa época. Además de Sartoris y los tres oficiales de mayor rango del *Daedalus*, observaron la criatura, el timonel, el segundo contramaestre y el cabo de mar.

M'Quhae describió lo que vieron como algo parecido a una enorme víbora o serpiente, con al menos sesenta pies de longitud, con la cabeza y hombros cuatro pies fuera del agua. Los testigos no podían ver cuál era su método de propulsión, pero la serpiente marina avanzaba a una velocidad de trece o catorce nudos, y llevaba un curso invariable hacia el suroeste, incluso cuando pasó cerca de la popa del *Daedalus* y cruzó por la estela de la fragata.

Lo que haya sido, M'Quhae y sus hombres lo tuvieron a la vista durante veinte minutos, y observaron con cuidado su coloración castaña general con una mancha amarillenta alrededor de la garganta. También vieron algo en su espalda que describieron como algo parecido a la crin de un caballo.

El teniente Drummond secundó por completo el informe de M'Quhae y añadió algunos detalles de menor importancia. Dijo que la cabeza medía aproximadamente diez pies, y era puntiaguda pero plana en la parte de arriba. La mandíbula superior sobresalía mucho de la inferior. La impresión general que le causó fue la de una gran serpiente o anguila, y no pudo distinguir nada que pareciera escamas.

Hubo una fuerte controversia entre los zoólogos y las autoridades del Ministerio de Marina, pero M'Quhae y sus compañeros tenían una bien merecida reputación como hombres estables y confiables, y su informe se aceptó apropiadamente.

Vale la pena citar la respuesta personal de M'Quhae a quienes lo criticaron: "*...niego la existencia de la excitación, o la posibilidad de una ilusión óptica. Me adhiero a las afirmaciones que contiene mi informe oficial al Ministerio de Marina, en cuanto a la forma, el color y las dimensiones...*"

Si M'Quhae hubiese necesitado una corroboración, habría mostrado su aprobación a la evidencia que unos treinta años más tarde proporcionó el Mayor H. W. J. Senior. Estando de pie en la cubierta del *Baltimore* mientras viajaba por el Goldo de Aden, Senior vio una serpiente marina muy parecida a la que había visto M'Quhae. Sus gritos invitando a otros pasajeros y miembros de la tripulación para que vinieran a verla, hizo que la Sra. Greenfield y el Dr. Hall, médico del barco, llegaran al barandal cerca de Senior. Se les unieron más pasajeros y miembros de la tripulación después del grito de asombro del Dr. Hall. Lo que vieron fue una criatura cuya cabeza y cuello tenían casi un metro de diámetro. Se levantaba a más de veinte pies de la superficie, abriendo sus enórmes mandíbulas. Un momento después las volvió a cerrar cuando se preparaba para sumergirse. Avanzó a gran velocidad bajo el agua y volvió a aparecer con gran rapidez a casi 100 yardas adelante del *Baltimore.* El Mayor Senior dijo que la cabeza le recordaba algo como una cruza entre un dragón y un bulldog. En particular notó que, al avanzar, la criatura levantaba la cabeza una y otra vez, y la dejaba caer salpicando de tal manera el agua que se levantaba a los lados de su cuello, parecían un par de alas pequeñas.

Al escribir en *Monsters and Men* (Monstruos y hombres), Brian Newton incluye un relato gráfico de un submarino alemán registrado como U28, que hundió al buque de vapor inglés *Iberian* con un torpedo en 1915. Al descender, el *Iberian* explotó bajo el agua con gran fuerza. El Comandante del submarino alemán, Georg Gunther Freiherr von Forstner, y su tripulación observaron asombrados como una enorme criatura marina fue lanzada al aire por la explosión. Los testigos alemanes dijeron que era de por lo menos sesenta pies de largo, y parecía un enorme cocodrilo, pero con cuatro patas palmeadas y cola puntiaguda.

Aristóteles (384 - 322 a.C.) escribió en *Historia Animalium:* "En Libia, las serpientes son muy grandes. Los marineros que pasan por sus costas dicen que han visto muchos huesos de ganado que creen habían sido devorados por las serpientes. Y mientras navegaban, las serpientes se acercaban para atacar, lanzándose sobre un trirreme y voltéandolo".

Livy (59 a.C. - 17 d.C.) escribió sobre un enorme monstruo marino que atemorizó incluso a los valientes legionarios romanos durante las Guerras Púnicas, finalmente fue destruído con sus pesadas catapultas y ballestas, que normalmente se usaban para derribar las fortificaciones que rodeaban poblados y ciudades.

Plinio (23 - 79 d.C.) que escribió un libro de *Historia Natural,* menciona que un escuadrón griego, que estaba explorando por órdenes de Alejandro de Macedonia, fue atacado por treinta serpientes marinas de treinta pies de largo en el Golfo Pérsico.

Aunque estas criaturas parecen enormes y rápidas, palidecen y se vuelven casi insignificantes si se les compara con *lo* que describió un buzo australiano que estaba tratando de romper un récord de profundidad con lo que era entonces el equipo más moderno. Esto ocurrió en el Pacífico Sur en 1953. Un tiburón de cinco metros de largo siguió al buzo y su curiosidad parecía ser mayor a su agresividad mientras nadaba en espiral sobre él. El buzo llegó a una saliente y se detuvo. Debajo de esta saliente había una enorme cueva que parecía sumergirse infinitamente hacia una oscuridad desconocida. No tenía la intención de bajar más y sólo se puso de pie en la saliente observando. El tiburón estaba como a tres metros de distancia, y siete metros arriba de él.

De pronto, el agua se enfrió más. *Algo* estaba subiendo de las profundidades del enorme agujero de tinieblas que se abría debajo de la saliente donde estaba el buzo. Lo describió como algo plano de gran tamaño, era color marrón y tenía pulsaciones lentas. Flotó junto a la saliente mientras el buzo permanecía completamente inmóvil. El tiburón también estaba inmóvil; por el intenso frío que esta *cosa* había traído consigo desde el abismo o por terror... si el cerebro del tiburón es capaz de experimentar ese tipo de emoción. El aterrorizado buzo observó cómo la enorme sábana viviente de las profundidades tocaba al tiburón, quien tembló indefenso y se hundió con el monstruo. El buzo siguió observando mientras desaparecían en la oscuridad. La temperatura regresó gradualmente a la normalidad y el buzo regresó a la seguridad de la superficie.

¿Qué son entonces los monstruos marinos? ¿Existe una teoría que los abarque a todos, o estamos tal vez ante varias hipótesis específicas diseñadas para responder a diferentes avistamientos? La primera explicación, y la más probable, es que estamos observando a seres sobrevivientes de épocas pasadas o a descendientes mutantes de esos sobrevivientes, que han evolucionado siguiendo distintas rutas de evolución. El mundo es todavía bastante grande, y sus lagos y océanos bastante profundos para tener regimientos de criaturas gigantescas y misteriosas que nunca han sido vistas por ojos humanos. La Tierra sin conocer no ha desaparecido por completo, y sabemos menos sobre las profundidades de los océanos que sobre la superficie de Marte.

Hay especulaciones más estrafalarias que se relacionan con la posibilidad de que los monstruos marinos sean extraños para nosotros que vivimos en tierra firme, sino también extraños al planeta en sí. Claro que seres de ese tamaño requerirían naves mucho más grandes que las que se usaron para llevar al hombre a la luna, pero el tamaño no es necesariamente una barrera definitiva para los viajes interestelares. Son tantos los pueblos antiguos que veneraron extraños dioses acuáticos, que el historiador clásico que quiere especular, a veces se pregunta si algunos seres extraños semiacuáticos vinieron de *otro lugar*, y tal vez dejaron sus cabalgaduras, sus animales domésticos o sus descendientes en los lugares ocultos de los océanos más profundos.

Como escribió el Obispo Erik Pontoppidan de Bergen en su *Historia Natural de Noruega* en 1755:

> "Si fuera posible que el agua del mar se secara a causa de un accidente extraordinario, ¡qué increíble cantidad e infinidad de variedades de monstruos marinos se mostrarían a nuestra vista, que en la actualidad son totalmente desconocidos! Tal visión de inmediato determinaría la veracidad de muchas hipótesis relacionadas con animales marinos cuya existencia se disputa y se considera una quimera".

EL MISTERIO DE LAS HUELLAS DE DEVONSHIRE

¿Quién o qué dejó un rastro a lo largo de 100 millas en la nieve, en un estero del Río Exe en 1855?

La noche del 7 de febrero de 1855, Devonshire experimentó una nevada fuera de lo común. En la mañana del 8 de febrero, un panadero de Topsham llamado Henry Pilk salió de su panadería y admiró la suave alfombra de nieve. Luego descubrió una línea de huellas extrañas que iban de la banca de madera de dos metros de largo que estaba en su patio, a la entrada de la panadería, y de regreso a la banca.

Por un momento, Henry pensó que las huellas eran de un burro o de un pony perdidos; después se dio cuenta de que las extrañas huellas parecidas a las de un burro, estaban una detrás de otra, en línea recta. El panadero nunca había visto un burro que caminara así. De hecho, nunca había visto ningún animal que caminara así. Sólo algunos bípedos, como los seres humanos, dejan un solo juego de huellas, y aún así, no están en línea recta a menos que el ser humano en cuestión estuviera tratando de caminar en la cuerda floja.

Henry tenía demasiado trabajo esperándole en la panadería para pasar más de unos minutos preocupándose por las huellas en la nieve, sin importar lo extrañas que fueran. No se tomó la molestia de inspeccionar la nieve al otro lado de su cerca, simplemente continuó con su trabajo.

Albert Brailford, maestro de la escuela de Topsham, llegó una hora más tarde a la cabeza de un pequeño grupo de aldeanos emocionados. Habían seguido las huellas hasta el patio de Henry. Por lo que podían decir hasta el momento, estaban por toda la aldea. Las habían visto en el camino, en los jardines, por los senderos, en patios y en campos. Llegaban hasta las paredes de las casas y volvían a aparecer al otro lado. Llegaban hasta cercas de 12 pies de altura y seguían adelante como si la cerca no estuviera ahí.

El grupo de buscadores de huellas crecía según avanzaba. Amas de casa y niños pequeños, aprendices y comerciantes, tenderos y sus clientes... casi todos se unieron a la búsqueda. Cuanto más lejos seguían las extrañas huellas, más desconcertantes se volvían. Nada físico representaba un obstáculo para ellas.

Las huellas no parecían variar en absoluto, ni mostraban señales que revelaran que el animal se hubiera detenido a comer o a mirar a su alrededor. La línea de huellas nunca hacía círculos ni se cruzaba; y Topsham no fue, de ninguna manera, la única aldea donde se vio el fenómeno esa mañana.

Aunque Topsham fue el límite norte de la zona donde se podían seguir las huellas, también aparecieron tan al sur como Totnes, a una distancia de 100 millas a lo largo de la costa. Todas las aldeas entre estos dos puntos habían sido visitadas, al igual que muchas de las solitarias granjas y cabañas aisladas. De Dawlish a Torquay, de Powderham a Newton, de Teighmouth a Luscombe... y de un gran número de otras aldeas, continuamente llegaban informes sobre las extrañas huellas. Los trabajadores de las granjas las encontraron en los campos y subiendo por los pajares. Los sacerdotes las vieron alrededor de sus iglesias, cementerios y rectorías. Los adinerados terratenientes y hacendados las siguieron a través de sus grandes prados, por los senderos en sus jardines, y en pistas para carruajes. Los guardabosques las encontraron entre los árboles

El gran estero del Río Exe, que un rastro de extrañas huellas cruzó en forma desconocida en 1855.

y arbustos de sus bosques. Los pescadores las vieron en las playas desiertas y al costado de los muelles. Las misteriosas huellas pasaban casi por todas partes.

Las marcas tuvieron que hacerse durante la noche cubierta de nieve del 7 de febrero, pero nadie, en ninguno de estos lugares escuchó ni vio nada a lo que pudieran atribuirse las misteriosas huellas.

El Dr. Benson de Mamhead pensó que estaba a punto de descubrir quién o qué era responsable de ellas. Siguió las huellas a través del campo abierto hasta un pajar de casi veinte pies de altura. Estaba cubierto de nieve y la nieve no tenía ninguna marca. Sin embargo, cuando el Dr. Benson fue al otro lado del pajar, vio de inmediato que las huellas seguían como si quien las dejó hubiera pasado por encima del pajar o de alguna manera se hubiera desmaterializado y se hubiera deslizado a través de él. Las dos posibilidades eran desconcertantes.

Si un pajar de 20 pies no pudo detener a lo que dejaba las huellas, tampoco el estero del Río Exe, que tiene una milla de ancho. El gran estero está entre Powderham y Lympstone, pero las misteriosas huellas desaparecieron en el extremo oeste del estero y volvieron a aparecer en el lado este, como si lo que las dejó hubiera volado sobre el río, lo hubiera cruzado a nado o hubiera caminado tranquilamente por su lecho. En Teignmouth, las extrañas huellas cruzaron de nuevo el ancho estero como si no estuviera ahí, simplemente desapareciendo en un extremo del agua y apareciendo de nuevo en el otro.

Dos cazadores veteranos, ambos rastreadores expertos con años de experiencia, siguieron las huellas a lo largo de cientos de yardas, a través de la tupida maleza. Nada en los arbustos mostraba la menor indicación de que alguna criatura con pelo o con plumas hubiera pasado por ahí. De manera inexplicable, las huellas desaparecieron súbitamente; como en los bancos de los dos esteros. Los cazadores las buscaron en todas direcciones, pero no había señales de ellas en el suelo.

Luego las encontraron de nuevo, viajando en la misma dirección que tenían en el punto en que habían desaparecido, pero ahora estaban en el techo de una cabaña varios cientos de yardas adelante de donde los cazadores las habían visto por última vez en la tierra cubierta de nieve. Más allá de la cabaña, las extrañas huellas descendían de nuevo y se dirigían a Mamhead en línea recta, donde continuaban con arrojo por la calle de la aldea.

No era necesario tener experiencia como cazadores o rastreadores para distinguir las llamadas "huellas del diablo" de todas las huellas naturales que dejan los pájaros, las bestias o los seres humanos. Las huellas desconocidas eran una sola línea de pequeñas impresiones en forma de herradura, de aproximadamente diez centímetros de largo por seis de ancho, y las marcas casi siempre estaban a una distancia de veinte centímetros unas de otras. El espacio entre ellas, al igual que su tamaño, era muy regular, parecían más bien huellas que hubiera dejado un aparato mecánico y no un ser viviente, que podría esperarse que variara el paso de acuerdo al terreno que pisaba, y a sus niveles de energía.

Al avanzar el día, las huellas empezaron a derretirse un poco; parte de la nieve que se derretía se derrumbaba, dando la impresión de cascos hendidos, y eso en verdad aceleró los rumores de la superstición. Hubo muchas personas que ahora estaban dispuestas a creer que Satanás, o uno de sus secuaces, que por tradición tienen cascos hendidos, habían dejado las huellas.

La siguiente pregunta era ***¿Por qué?*** No fueron pocos los clérigos de la localidad que aprovecharon la situación para insinuar que sus feligreses deberían enmendarse: beber menos alcohol, apostar menos, blasfemar menos, asistir a la iglesia con más frecuencia. La curiosidad inocente y la emoción de la mañana y las primeras horas de la tarde se estaban convirtiendo en miedo al atardecer. Cuando oscureció, sólo los hombres más audaces y atrevidos de Devonshire continuaron la búsqueda. Para entonces llevaban armas tan diversas como las que utilizaron las siniestras multitudes que perseguían a

La coautora, Patricia Fanthorpe, en el vado de Clyst St George, donde se vio un extraño rastro de huellas.

los monstruos aún más siniestros en las antiguas películas de horror de Hammer. Los herreros llevaban martillos; los leñadores, sus hachas; los mozos de cuadra, horquillas; los trabajadores de las granjas, sus guadañas y hoces; los terratenientes y guardabosques, sus rifles bien cargados con poderosas balas. El ambiente era tenso. Nadie sabía el efecto que un hacha o un rifle tendría en un ser que podía volar sobre obstáculos de veinte pies de altura y sobre los anchos esteros de un río. Pero estos hombres eran de Devonshire, como Hawkins y Drake, y estaban preparados para luchar. Eran hombres de la región oeste, de la misma estirpe de los que habían marchado sin miedo sobre Londres para rescatar al Obispo Trelawney del displicente Rey James. Sin importar si lo que había dejado las huellas era un demonio, un diablo o un monstruo, estos hombres fuertes y resueltos se enfrentarían a él de alguna manera.

Daniel Plumer vivía en Woodbury, donde se le conocía como "el Loco Danny".Usaba un extraño traje de plumas y se escondía en el bosque cercano a su casa cuando lo encontró un grupo de buscadores de monstruos de Topsham. Al no poder dar una explicación coherente, el aterrorizado Danny parloteó en forma descabellada. Estos sonidos inhumanos, reforzaron la creencia de los hombres de Topsham de que en realidad habían atrapado al siniestro ser que había dejado las huellas. Se pusieron a la defensiva; se escuchó el piñoneo de las armas de fuego. En el momento preciso llegó un Juez de Paz de la localidad, el Juez Bartholomew. Por la propia seguridad de Daniel, el Juez lo puso bajo custodia hasta que se calmaron los ánimos.

Se empezaron a esparcir versiones muy exageradas del avistamiento de Danny en su extraño traje. De igual manera se esparcieron otros rumores extraños, cada uno más extraño que su predecesor; algunos decían que las huellas brillaban como carbones encendidos; esto perdía fuerza cuando se les interrogaba minuciosamente, pero la volvía a adquirir cuando se veían a lo lejos. Algunos aldeanos pensaron que habían visto una gran figura con cuernos volando sobre el Castillo Powderham. Otros, con un oído muy agudo, aseguraban haber escuchado ecos lejanos de risas demoniacas junto a las huellas.

Las teorías iban desde el fraude hasta lo sobrenatural, pero ninguna se apegaba a todos los hechos. Se habrían necesitado más de veinte bromistas fraudulentos para dejar todas las huellas a lo largo de una distancia tan grande en sólo una noche. Esto habría requerido una coordinación y un planeamiento, propios de un militar. Cuantas más personas se involucren en algo, y cuanto más elaborado sea el plan, menos oportunidad hay de mantenerlo en secreto... como lo descubrió Guy Fawkes, para su desgracia. Ningún bromista se presentó públicamente ni aceptó haber dejado las huellas; ningún Sherlock Holmes o Miss Marple, de Devonshire, identificó jamás a un bromista.

¿No podrían ser las huellas de un ave o de un animal? A mediados del siglo XIX, había en Inglaterra un pequeño ejército de botánicos, zoólogos, y ornitólogos aficionados y profesionales. Mantenían la sección de cartas de la prensa local y nacional repleta de correspondencia con afirmaciones y argumentos. Las huellas eran de un canguro que se había escapado de un circo o de un zoológico. Las dejaron animales migratorios como ranas, sapos, ratas, ratones o aves marinas que el mal clima había llevado tierra adentro; eran de ciervos, tejones... casi cualquier ser que los escritores pudieran imaginar se propuso como explicación en un momento u otro. Nada de lo que imaginaron estuvo cerca de proporcionar una explicación adecuada; con frecuencia había casi una correlación negativa entre la vehemencia de quien proponía la teoría y la credibilidad de la teoría en sí.

El antiguo relato del sirviente de la iglesia que encontró las notas del sermón del vicario, ayuda a esclarecer este caso. El sacerdote no sólo había escrito el contenido de su charla en tinta azul oscura, sino que también había puesto al margen, y en tinta roja, anotaciones sobre cómo impartirla: "Levantar el brazo derecho. Mirar alrededor de la iglesia. Inclinarse y señalar a una persona. Tocarse la barbilla pensativamente". Después escribió con letra de imprenta, en mayúsculas y subrayado: *"El argumento es muy débil en este punto, gritar fuertemente"*.

Si las huellas no eran el rastro de un ave o de un animal conocido, y si no fueron obra de bromistas, ¿qué pudieron ser? Si optamos por proponer teorías en el marco de un Universo misterioso y metafísico en el que está permitido introducir en el argumento ángeles, demonios, poltergeists, genios, espíritus buenos, vampiros, espíritus profanadores de tumbas, hombres-bestia, muertos vivientes, y todo tipo de almas que regresan, entonces un largo rastro de huellas poco usuales en forma de herradura, no debería ser muy difícil de explicar.

Pero esto nos deja en el campo de la especulación pura, tan ilimitada y amorfa como un trozo de ficción fantástica. En *Alicia en el País de las Maravillas,* las huellas de Devonshire parecerían muy terrenales, pero las soluciones que funcionan en el País de las Maravillas, no responden a las preguntas que se hacen en la Tierra.

Se dice que el Wendigo, una siniestra criatura espiritual que se mueve en el viento, ocupa las regiones más remotas de Canadá y de los estados al noroeste de los Estados Unidos. El Wendigo de la leyenda deja un rastro de huellas circulares y obliga a sus víctimas a seguirlas hasta que sus pies se queman por la fricción y se convierten en réplicas miniatura de las suyas que son gigantescas. El ser sobrenatural que haya dejado las "huellas del diablo", a espacios tan iguales, si es que en realidad fue un ser paranormal, no se parece en absoluto al Wendigo de la leyenda canadiense. En un tema tan especulativo, no existen claves. Los hombres-bestia tenderían a avanzar en cuatro patas, como las bestias que representan. Drácula usaba botas o zapatos. Nadie ha descrito a un espíritu profanador de tumbas en forma definitiva y en detalle, sea éste real o imaginario. No existen leyendas o mitos persistentes sobre seres paranormales, sean benignos u hostiles, que dejen rastros de huellas en forma de herradura.

De modo que si la respuesta no puede encontrarse en la zona nebulosa de lo sobrenatural, ¿proporcionan alguna clave los límites más descabellados de la física? ¿Nos dan alguna esperanza las teorías como la teletransportación, la telekinesis, las dimensiones desconocidas o los extraterrestres?

Una rueda con marcadores en forma de herradura unidos a su perímetro y controlada por un ser (humano o de otro tipo) con fuertes poderes telekinéticos, podría haber dejado las extrañas

El rastro de huellas inexplicables en Devonshire pasó por estos tranquilos caminos rurales hace 150 años. ¿Quién o qué pudo dejar este extraño rastro?

huellas durante la noche del 7 de febrero de 1855, en el tiempo limitado con que contó. Entonces surge la cuestión del *motivo. ¿Por qué* un ser inteligente (haya sido un hombre, una mujer o un extraterrestre) *querría* hacer algo que al parecer no tiene sentido?

Otra teoría presenta la posiblidad de que las huellas tuvieran un origen *fenomenalista.* El fenomenalismo es una filosofía, una actitud ante la vida, que tiene algo positivo. En esencia, podemos aceptar que tal vez ciertos objetos en el Universo que nos rodea merecen la categoría de "hechos reales". Son cosas como tu mano, el teclado en que escribes, la silla en que estás sentado y el piso donde descansa la silla. En el otro extremo de la escala están los sueños absurdos, las fantasías en las que hay chocolate color de rosa y ríos de crema, y las bromas que sabes que se inventaron y no son reales; situaciones como las que se presentan en las graciosas caricaturas Far Side (Extremo Lejano) de Larson, en las que un perro está dinamitando la casa de su amo, o un tiranosauro se queja amargamente en el desayuno porque su compañero no puede o no quiere pasarle la jalea. En algún punto, entre estas dos polaridades de lo que es real indiscutiblemente y lo que es absolutamente irreal, existe una zona gris que contiene todas esas cosas inexplicables que *en ocasiones* parecen ser parte de "la frágil corteza conocida como realidad" y *en ocasiones* no.

El fenomenalista penetra este misterioso Universo en que vivimos dispuesto a aceptar, como parte de la experiencia humana, todo lo que él reciba a través de los sentidos o lo que sus semejantes describan. Pero, en este sentido fenomenalista, la aceptación de la apariencia de lo que suponemos es el Universo "externo", no implica una *fe* absoluta en estos informes de primera o de segunda mano. Los fenomenalistas no se dedican a explicarlos, a menos que se trate de teorías tentativas y temporales. Tampoco aceptan sin reserva las explicaciones de otras personas. De manera que entre el extremo de lo concreto y de lo que está al final del arcoiris, los fenomenalistas ven un Universo que tiene una amplia zona gris e indeterminada de cosas que podrían o no ser "reales". Esta desconocida tierra mental, alegremente encierra una amplia gama de informes paranormales: estigmas, levitación, criaturas lacustres, Nostradamus, Mother Shipton, telepatía, telekinesis, teletransportación, fantasmas, poltergeists, hombres-bestia, hadas, la aparición de Kaspar Hauser y la desaparición de Benjamín Bathurst. Sin duda un fenomenalista aseguraría que las huellas de Devonshire son parte de una enorme colección de cosas paranormales que son casi reales. Esa declaración *ayuda* un poco: el fenomenalismo no niega las huellas; tampoco dice que los testigos honestos y confiables sean necios o mentirosos. Es preferible, desde el punto de vista intelectual, clasificar las huellas dentro de la categoría fenomenalista que asegurar en forma dogmática que definitivamente las dejaron unos bromistas, pequeños extraterrestres verdes en motocicletas, o algo similar a una versión del Wendigo canadiense en el oeste de Inglaterra. Los fenomenalistas dirían que a partir de la evidencia disponible, parecería probable que algo aún desconocido realizó una extraña proeza en Devonshire la noche del 7 de febrero de 1855, y eso es todo. La puerta del fenomenalista permanece abierta en forma permanente. Como las puertas de las cantinas del oeste en las películas de Hollywood, que siempre están listas para recibir otro cliente, el Salón Fenomenalista siempre está abierto para aceptar otra teoría nueva o para permitir que una teoría ya desacreditada salga sin hacer ruido. La desventaja de la explicación fenomenalista es que no es el tipo de explicación que esperan la mayoría de las personas. Los misterios, como los relatos de detectives, son fascinantes y divertidos, pero necesitamos a Poirot, a Holmes, a Columbo o al Inspector Morse para que los resuelvan al final. Sin embargo, el Detective Fenomenalista, sólo nos dice que de nosotros depende creer que las huellas son un elaborado engaño, el rastro de un animal terrestre desconocido, de un visitante extraterrestre, de algo o alguien de otra dimensión... o cualquier cosa en que podamos pensar. Con mucho gusto discutirá con nosotros el caso en forma inteligente, señalará que ciertas probabilidades son más sólidas que otras, pero ése es el límite de su ayuda. Si dijera más, o introdujera su propio veredicto, dejaría de ser un verdadero fenomenalista.

Las huellas que aparecieron en Devonshire en febrero de 1855, de ninguna manera son únicas. Huellas tan misteriosas como ésas han aparecido en otros lugares y en otros tiempos. En 1840, Sir James Clark Ross, un intrépido explorador victoriano, visitó la Isla Kerguelen cerca de la Antártida. Un lugar frío y desolado sólo habitado, a su parecer, por gaviotas y focas. Sin embargo, en la nieve de Kerguelen, Ross vio un rastro de huellas extrañas en forma de herradura "...como las huellas de un burro o un asno", que se extendían en una sola línea. Ese mismo año, se vieron huellas similares en Escocia, en la zona montañosa donde se juntan Glenorchy, Glenlyon y Glenochay. Otras huellas similares a las de Topsham, también aparecieron en Escocia, cerca de Inverness, durante la misma época en que se recibieron los informes sobre las huellas de Devonshire. Se informó de huellas muy similares en Galicia, en un lugar llamado Piashowa-gora, que significa "la colina de arena". Esto ocurrió en repetidas ocasiones durante los

¿QUIÉNES FUERON LOS NIÑOS VERDES DE WOOLPIT?

Registros confiables del siglo XII narran cómo dos niños verdes aparecieron repentinamente en un sembradío de Suffolk.

El Rey Stephen de Inglaterra (que nació en 1094, fue coronado en 1135 y murió en 1154) no tuvo un reinado próspero o pacífico en particular; y el suceso más memorable fue algo muy extraño: se dice que dos niños verdes, un niño y una niña, llegaron misteriosamente a un sembradío de Suffolk.

Stephen fue hijo de Adela, hija de Guillermo el Conquistador. Tenía un hermano llamado Henry, que en un momento oportuno para Stephen, fue Obispo de Winchester. Valiéndose en gran medida del tipo de confabulaciones y complots políticos que por desgracia dieron cierta reputación a la iglesia medieval, Henry se las arregló para lograr que Stephen fuera rey.

Matilda, que era hija de Henry I, quien reinó de 1100 a 1135, fue un problema constante durante el reinado de Stephen. Si se hubiera tomado en cuenta cualquier estándar de justicia y equidad, ella debía ser reina. De hecho, Stephen le había prometido su lealtad y apoyo total, hasta que su hermano Henry lo incitó a buscar el trono para sí.

Mientras Stephen y Matilda luchaban por la corona como el León y el Unicornio de un relato infantil famoso en Inglaterra, no existió un poder central que mantuviera a los Barones bajo control. Como cada uno de ellos podía actuar casi como un monarca absoluto, en su pequeño reino, la vida para la mayoría de la gente del pueblo era peligrosa e incierta.

Los historiadores que tienen un enfoque social y psicológico, en ocasiones comentan que en épocas de incertidumbre, en las que se tiene un gobierno central débil, existe la tendencia a hablar de fenómenos extraños e inexplicables. Es casi como si la inestabilidad cultural y política diera pie a un gran número de fenómenos extraños que son como diversiones y distracciones ante las amenazas de guerra y explotación sobre las que los ciudadanos no pueden hacer nada. ¿Fueron quizá los niños verdes de Woolpit una respuesta a la intranquilidad social y no un fenómeno tangible y verdadero? Un hecho contemporáneo que podría considerarse similar, sería que la ansiedad, relacionada con una posible guerra nuclear, con el calentamiento del planeta, con el inicio de un nuevo milenio y con la pérdida de la capa de ozono, explique un gran número de avistamientos de OVNIs y de relatos de personas raptadas por extraterrestres. En la Biblioteca Colman de Norwich, Norfolk, Inglaterra, se descubrió un documento que data del período de la Guerra Civil en Inglaterra (de 1642 a 1648). Contiene un relato claro y detallado de lo que los testigos describieron como campanarios que despegaban hacia los cielos, acompañados de un ruido parecido al de un regimiento de tambores tocando al unísono. ¿Así describiría el motor de un cohete un testigo del siglo XVII?

El documento empieza así:

> *"El 21 de Mayo por la tarde, en este año de 1643, se observaron cosas muy extrañas, y se escucharon en el aire sonidos poco usuales. Esto ocurrió en varios lugares como...*

Después describe cómo "*...varias personas confiables de Norfolk, Suffolk y Cambridgeshire...*" comprobaron la verdad de estos fenómenos. En el distrito que está entre Thetford y Newmarket, por ejemplo dijeron que:

Las antiguas y misteriosas "trampas para lobos", ahora inundadas, de la aldea de Woolpit, dónde los extraños niños verdes salieron de un túnel perdido.

"...un pilar de nubes ascendió de la tierra; tenía la brillante empuñadura de una espada en la parte inferior; y el pilar ascendió como en forma de pirámide, y tomó la forma de la aguja en la torre de un campanario, terminada en punta."

Unos soldados de la aldea de Comberton, cerca de Cambridge:

"Vieron la forma de la aguja de un campanario en el cielo, con varias espadas a su alrededor."

También se dijo que en Brandon:

"...los habitantes salieron de sus casas para contemplar un espectáculo tan extraño como la aguja de un campanario ascendiendo de la tierra.

"...también descendió del cielo la forma de una lanza, muy puntiaguda, que se encontró con ella. Además, a distancia, apareció otro objeto parecido a una lanza muy puntiaguda que estaba lista para encontrarse con la aguja del campanario, pero no lo hizo.

"...En Newmarket lo vieron varias personas honestas y sensatas, y hombres confiables. En Ayre, tres hombres que luchaban y tiraban juntos, uno de ellos desenvainó su espada y la tenía en la mano.

"...en Marshland, a tres millas de King's Linne, un capitán y su teniente, con muchas otras personas confiables, escucharon un sonido parecido al de todo un regimiento de tambores tocando con notas y pausas perfectas, para admiración de todos los que lo escucharon. Y ese sonido militar fue escuchado en Suffolk el mismo día".

Con el fin de argumentar, supongamos que la evidencia que se preserva en el documento es básicamente confiable, ¿nos da una idea general de lo que un testigo del siglo XVII diría si viera o escuchara una nave espacial aterrizando, despegando y realizando cierto tipo de maniobras que involucraran miembros de su tripulación con trajes espaciales, encontrándose con una segunda nave y realizando reparaciones y ajustes?

En el caso de los Niños Verdes de Woolpit, el cronista es Ralph, que era Abad del monasterio Cisterciense de Coggeshall. Él vivía y trabajaba lo bastante cerca del reino de Stephen como para conocer a los testigos oculares del episodio de Woolpit.

El nombre de Woolpit es en sí interesante y se presta a varias posibles interpretaciones. Simplemente podría referirse a un propietario anterior llamado Ulf; podría significar que ahí se excavaban trampas (del inglés, "pit"), para los lobos salvajes (del inglés "wolf") que solían merodear los bosques al oeste de Inglaterra; o podría referirse al próspero comercio de lana (del inglés "wool") que había en esa zona.

En un libro de título *Suffolk en el Siglo XVII: un Breviario sobre Suffolk,* existe cierta evidencia de que la actual aldea de Woolpit

El signo de la aldea de Woolpit, que conmemora a los dos extraños niños que aparecieron ahí de la nada hace muchos siglos.

fue la antigua población romana de Sitomagus. Los romanos eran muy hábiles en la fabricación de ladrillos, y Woolpit tiene muchos hornos de ladrillos muy antiguos.

Hubo un importante hecho de tipo religioso relacionado con Woolpit mucho antes de la época de Ralph. En 1006, la aldea pertenecía a Ulfketel, Conde del Este de Anglia, pero él se la otorgó a la Abadía de San Edmundo, en cuyo poder permaneció hasta que Enrique VIII disolvió los monasterios; a raíz de lo cual, la Mansión de Woolpit se rentó a la familia Darcy, en 1542.

Durante el reinado de Stephen, el personaje local de mayor importancia parece haber sido Sir Richard de Calne, originario de Wikes o de Wyken Hall (la ortografía inglesa del siglo XII es muy variable). Y el cronista Ralph pudo haber conocido a uno de sus descendientes, aunque según la tradición, obtuvo su relato de Sir Richard mismo.

Otro cronista fue William, del Priorato de Newburgh (o Newbridge). Su relato se preserva como el Manuscrito Número 3875 en la Colección Harleian, en el Museo Británico. La traducción libre del latín dice:

"En lo que concierne a los Niños Verdes... no parece correcto o adecuado omitir un milagro, desconocido durante siglos, que se dice ocurrió en Anglia durante el reino de Stephen. Por mucho tiempo dudé incluirlo en mi relación, aunque muchas personas supieron y hablaron de él. No existe una explicación racional del hecho, y me parecía absurdo presentar a las personas un asunto tan obtuso, como si mereciera que se creyera en él. Sin embargo, al final decidí aceptarlo a causa del peso abrumador de la evidencia. Me asombran los hechos que no puedo entender o desentrañar aunque me concentre en ellos. En el este de Anglia, existe una aldea que está a unas cuantas millas del Monasterio del Bendito Rey Edmundo, Mártir. Cerca de esta aldea, hay unas excavaciones antiguas que en inglés se denominan "Wolfpitts", lo que significa trampas para lobos. De ahí se deriva el nombre de la aldea. En el tiempo de la cosecha, cuando los campesinos estaban ocupados en los campos levantándola, aparecieron dos niños, un niño y una niña, de cuerpos completamente verdes. También llevaban ropa de color y material muy extraño. Cuando estos azorados niños caminaban por los campos, los campesinos los atraparon y los llevaron a la aldea. Mucha gente se reunió para verlos. No comieron en mucho tiempo, aunque era obvio que estaban a punto de desmayarse de hambre. Se les ofrecieron muchos alimentos, pero no los tocaban. Cuando se estaban cosechando frijoles en un sembradío, se descubrió por accidente que los niños trataron de comer la médula dentro de los tallos. Lloraron con mucha tristeza cuando no la encontraron. Pero uno de los campesinos tomó médula de una vaina y se las dio. La comieron ávidamente. Durante algunos meses sólo comieron eso, pero poco a poco se acostumbraron al

pan, y su color cambió hasta que llegó a ser como el nuestro. También aprendieron a hablar nuestra lengua, y fueron bautizados. El niño, que parecía ser el menor, murió poco después, pero la niña, que al paso del tiempo no se podía distinguir de nuestras mujeres, se casó con un hombre de King's Lynn. Cuando lograron dominar nuestro idioma, se les preguntó quiénes eran y de dónde habían venido. Dijeron ser de la Tierra de San Martín, un lugar donde se veneraba mucho a este santo. No tenían idea de dónde estaba su tierra, y tampoco sabían cómo habían llegado al campo donde los encontraron los aldeanos. Recordaban haber estado cuidando los animales de su padre en los campos de su propio país, cuando escucharon un fuerte ruido como si sonaran las campanas de nuestro monasterio de San Edmundo. Cuando estaban confundidos por este sonido, descubrieron que estaban en los campos de Woolpit rodeados de campesinos. Cuando se les preguntó sobre la religión de la gente de la Tierra de San Martín, dijeron que eran cristianos y que tenían iglesias. Cuando se les preguntó sobre los movimientos del sol, respondieron que en su tierra no salía el sol como en la nuestra. Dijeron que la luz era mucho más débil; como el amanecer o el anochecer. También dijeron que podían observar otro país al otro lado de un gran río. Los niños dijeron esto y mucho más cuando la gente les preguntaba sobre su país. Los lectores pueden opinar lo que quieran al considerar estos hechos extraños. Yo no me arrepiento de haber escrito sobre estos hechos asombrosos; el relato es demasiado extraño y complicado para que la inteligencia humana lo descifre".

Después de compilar registros y tradiciones, deducimos que los dos niños de piel verde y tal vez vestidos con ropa verde de un material poco usual, aparecieron en los campos. Ellos creían que habían llegado por un túnel o pasaje de cierto tipo. La descripción de su hogar en la Tierra de San Martín hace que parezca un lugar normal y terrestre, pero existen extrañas discrepancias. Si allá no había mucha luz, ¿cómo ocurría la fotosíntesis necesaria para que los animales de su padre pastaran? ¿Qué era el país brillante que dijeron ver a distancia? Si eran los sembradíos de Woolpit, en Suffolk, ¿qué gran río estaba entre su tierra y Suffolk? Pero si sólo era un túnel terrestre lo que dividía la tierra de su padre y Woolpit, ¿por qué ni los niños ni sus nuevos amigos de la aldea pudieron volver a encontrar la entrada?

En los mitos y leyendas, con frecuencia aparecen túneles misteriosos y pasajes subterráneos. En Grantchester, cerca de Cambridge, existe la entrada de un túnel que empieza en los sótanos de la antigua mansión, y se dice que iba de ahí hasta la Capilla de King's College. La teoría era que en tiempos de plagas o epidemias, los hombres de King's College pudieron escapar por ese túnel buscando el aire más limpio y sano de Grantchester. Sin embargo, una investigación que se realizó hace algunos años, reveló que lo que quedaba del túnel parecía ir hacia la iglesia de Grantchester, y no a Cambridge. En un mapa del siglo XVIII, un campo cerca de King's lleva el nombre de "Fiddler's Close" (Pasaje del Violinista), y había una leyenda de que anteriormente un violinista aventurero había explorado el extremo del túnel que está en King's College. Tocando su violín mientras avanzaba, se fue adentrando en el túnel mientras sus amigos y personas que le brindaban su apoyo, lo seguían por la superficie lo mejor que podían. Escucharon que su música se debilitaba poco a poco, hasta perderse en el silencio. El valiente violinista nunca regresó.

Una leyenda similar se relaciona con el Priorato de Binham en Norfolk, donde se decía que otro pasaje subterráneo muy largo conectaba Binham con Walsingham. Historias de fantasmas que datan de muchos siglos antes, hablaban del horrible espectro de un monje que caminaba por la superficie, sobre el túnel secreto, como si estuviera buscando algo que nunca pudo encontrar.

Al parecer, parte del túnel se derrumbó cerca de Binham durante los primeros años del siglo XIX, y mientras un gran grupo de curiosos se asomaba al pasaje, llegó Jimmy Griggs, el violinista, seguido de Trap, su perro fiel. Tocando su violín, como el valeroso violinista de la leyenda de King's College, Jimmy y Trap se

El centro de la aldea de Woolpit; los desconocidos niños verdes pasaron por estas mismas calles hace casi mil años. ¿Fueron los aldeanos de Woolpit los primeros seres humanos que vieron estos niños?

aventuraron dentro del túnel, mientras sus amigos y gente que los apoyaban, los seguían por la superficie. De nuevo, los sonidos se hicieron cada vez más débiles y más distantes hasta que desaparecieron por completo. Días después, regresó Trap, aterrado y tembloroso, con el rabo entre las piernas; pero nunca se volvió a ver al valiente Jimmy Griggs.

Al paso de los años, se han presentado varias teorías ingeniosas. Se asegura que hubo un episodio similar en España, donde aparecieron dos niños verdes en Banjos, Cataluña. En este relato, varios agricultores encontraron a dos niños extraños llorando a la entrada de una cueva. Hablaban un idioma que los aldeanos no podían entender. Tampoco lo entendieron los expertos de Barcelona. Los niños llevaban ropa de un material desconocido y su piel era verde.

Como los niños de Woolpit, estuvieron sin comer por varios días, hasta que finalmente comieron frijoles. El niño murió al poco tiempo, pero la niña sobrevivió y aprendió suficiente español para hablar a sus amigos de Banjos sobre su tierra natal. Su descripción fue idéntica a la de la Tierra de San Martín en el relato de Woolpit: el crepúsculo, un ancho río y un país brillante que se veía a lo lejos. También describió un fuerte ruido inmediatamente antes de su llegada a Banjos. Los aldeanos no pudieron encontrar la entrada del misterioso "túnel" que había traído a los niños verdes de Banjos. Como en Woolpit, la niña perdió su color verde, pero murió cinco años después, a diferencia de la niña de Woolpit que se casó con un hombre del lugar. Se dice que los niños verdes de España tenían ojos almendrados, pero en otros aspectos eran muy parecidos a los niños de Suffolk, tal vez se parecían demasiado. Se dice que el Alcalde de Banjos, que tomó la iniciativa de entablar amistad con ellos, era un tal Ricardo de Calno, que parece ser la versión española de Sir Richard of Calne, de Suffolk. De hecho, todo el relato español parece una versión importada del relato de Woolpit, y no parece basarse en hechos. Al parecer, ni siquiera existe en Cataluña una aldea llamada Banjos; a menos que se le busque con una lente de aumento.

¿Quiénes pudieron ser, entonces, los Niños Verdes de Woolpit, y de dónde vinieron?

Algunos investigadores creen que el relato podría ser una versión mal redactada en que se repite el mismo argumento de la leyenda de los Bebés del Bosque. Es una idea sensata y vale la pena investigarla, pero las fechas presentan un problema insuperable.

Thomas Millington de Norwich publicó la historia de los Bebés por primera vez en 1595, pero hay razones para sospechar que fue escrita por Thomas May, que adquirió Griston Old Hall, la Casa del Malvado Tío, en 1597. Existe una tradición muy arraigada entre los habitantes del lugar, de que, hasta 1805, la casa tenía unos grabados sobre este relato. La narración popular cuenta que unos niños, cuyos padres murieron, quedaron al cuidado de su tío. Éste recibiría la herencia si algo les pasaba a los niños. Contrató a dos asesinos para que los llevaran al Bosque Wayland y los asesinaran;

los asesinos pelearon porque uno de ellos se compadeció de los niños. Los dejaron errantes en el bosque hasta que, agotados, se recostaron bajo un roble y murieron. Unos petirrojos compasivos los cubrieron con hojas. El tío fue víctima de una maldición: sus hijos naufragaron, todas sus empresas fracasaron y murió en la pobreza.

La versión de la antigua balada es una variación imaginativa de un episodio histórico que ocurrió en Griston a finales del siglo XVI; la época de oro de Shakespeare y la Reina Isabel I. El pequeño Thomas de Grey perdió a su padre en 1562, a la tierna edad de siete años. Quedó bajo la tutela de la Reina Isabel y, como era costumbre, "fue vendido" en matrimonio a Elizabeth Drury. Este arreglo podría explicar la tradición del niño y la niña en la antigua balada, pero a diferencia de ellos, estos niños de hecho fueron prometidos en matrimonio, según la costumbre del siglo XVI.

El pequeño Thomas tenía un tío llamado Robert, quien recibiría como herencia las propiedades del niño si éste moría; y el testamento contiene cierta evidencia de una pelea entre el padre y el tío. Robert era un ferviente católico y los lugareños, que eran protestantes, lo odiaban. El pequeño Thomas fue a visitar a su madrastra (Temperance Carewe, segunda esposa de su finado padre, que se había vuelto a casar con Sir Christopher Heyden de Baconsthorpe), y murió en ese lugar o en su viaje de regreso a casa, incluso en el Bosque Wayland, como lo cuenta la balada original.

Los lugareños alegaron que en esto había perfidia, pero Robert siguió imperturbable. Reclamó las propiedades del niño muerto e incluso se excedió reclamando las tierras que eran la dote de la prometida del niño. Ella y su familia se rehusaron a ser desposeídas y el caso se peleó en los tribunales, involucrando a dos obispos. Se le ordenó a Robert que devolviera una porción importante de las tierras.

Después de que se calmó el furor, se le persiguió, se le encarceló y se le multó en repetidas ocasiones. Sus hijos trataron de recuperar la fortuna de la familia para su padre, dedicándose a expediciones de piratería. Tomaron como ejemplo la buena fortuna de Thomas Cavendish de Trimley St Mary, en la cercana Suffolk, quien reconstruyó su fortuna en 1586, dedicándose a la piratería y capturando un barco español que transportaba un tesoro. Los muchachos de Grey no fueron tan afortunados; ambos se ahogaron en el mar. El malvado tío Robert murió con una deuda de 1780 libras en multas, lo que en la actualidad sería como 100,000 libras. Los Niños Verdes de Woolpit llegaron sorpresivamente a los campos de Suffolk aproximadamente tres siglos antes de que Robert de Grey mandara asesinar a su sobrino huérfano. Sin embargo, la idea de que los Bebés y los Niños Verdes hayan sido las mismas personas, se relaciona con una teoría sobre el uso de veneno, y no con la hipótesis de que el niño haya muerto por haberse quedado a la intemperie. Se argumenta que si Robert hubiera tratado de usar cianuro con los Bebés, eso habría explicado su color verde. Por supuesto no explica su descripción que los Niños Verdes hicieron de la Tierra de San Martín y su luz crepuscular, ni su relato de haber estado cuidando los animales de su padre. Tampoco presenta una solución al problema de su dieta.

De modo que si se descarta la confusión con los Bebés del Bosque, ¿de dónde vinieron los Niños Verdes?

En lo que parece ser una versión del suceso que tiene validez histórica, aunque el niño murió poco después de ser rescatado por los aldeanos de Woolpit, su hermana creció, perdió su color verde por completo, se convirtió en una joven saludable y feliz y se casó con un hombre de King's Lynn. Sir Richard, con quien trabajó unos cuantos años antes de casarse (y es necesario recordar que en el mundo isabelino de Shakespeare, Romeo y Julieta se casaron muy jóvenes), dijo que se inclinaba a tener "una conducta de moral dudosa". El comportamiento sexual varía de una cultura a otra, y el comentario de Sir Richard podría ser uno de los factores más importantes en el caso. ¿Eran los Niños Verdes de un lugar (llámese o no Tierra de San Martín) en que regía un código de ética diferente? En los registros sobre Kaspar Hauser, el Muchacho Misterioso de Nuremberg defecaba en público sin tener idea de que eso no era aceptable en la cultura de Nuremberg a principios del siglo XIX. ¿Sería sensato preguntar si la Niña Verde no tenía inhibiciones sexuales porque se le había educado en una cultura más abierta que la de Suffolk en el siglo XII?

Es muy poco probable que los Niños Verdes hayan viajado a través del tiempo, hayan cruzado la barrera que pudiera existir entre mundos paralelos y líneas de probabilidad (si en realidad existen), y hayan llegado de otra dimensión o de otro planeta. Sin embargo, ¿de que otra manera se puede explicar el supuesto "túnel" que conecta a Woolpit con una tierra de crepúsculo rodeada de un río?

Quienes estudian tradiciones y leyendas populares, o mitos y leyendas, insinuarán que en el relato existen varios elementos que señalan una dirección legendaria o sobrenatural. Se llamaba "Martins" a los duendes o pequeños demonios. Entonces, ¿la extraña Tierra de San Martín alumbrada por una luz de crepúsculo era un símbolo de los límites del infierno? ¿Era tal vez el Purgatorio? C. S. Lewis, en su novela *The Great Divorce* (El gran divorcio), describe el Purgatorio como una enorme ciudad irregular, iluminada por el crepúsculo, en la gris y monótona zona industrial de la región central de Inglaterra, en la década de 1930.

Además, los frijoles eran el alimento tradicional de los muertos, y el verde es el color de las hadas, los gnomos, los duendes, los leprechauns y "la gente pequeña" en general. ¿Se puede dar una explicación sobrenatural a los Niños Verdes? Esto también parece muy improbable.

Se han presentado explicaciones de que eran fugitivos de una de las famosas minas de cobre de la antigüedad, donde se obligaba a trabajar a los niños. Algunos investigadores piensan que los Siete Enanos de Blanca Nieves eran niños mineros cuyo crecimiento se atrofió a causa del trabajo arduo y por estar expuestos a grandes cantidades de cobre. ¿Podrían esas condiciones producir una pigmentación verde en la piel?

El misterio es tan profundo como lo fue durante el reino de Stephen. Los investigadores están tan perplejos como lo estuvieron los campesinos de Woolpit hace casi nueve siglos.

¿QUIÉN GRABÓ LA PIEDRA YARMOUTH?

¿Se relaciona esta piedra con un viaje vikingo que cruzó el Atlántico?

Nuestro gran amigo George Young de Queensland, Halifax County, Nueva Escocia, fue el primero que hizo que nos interesáramos en la misteriosa Piedra Yarmouth de Canadá. Es una gran piedra de 400 libras que el doctor Richard Fletcher de Yarmouth, descubrió en una marisma de sal en 1812. Era cirujano del ejército; se había jubilado y se había ido a vivir a Yarmouth en 1809, murió ahí en 1819. De hecho, encontró la piedra cerca de la costa en un terreno que entonces estaba entre la desembocadura de Chegoggin Flats y el lado oeste del puerto de Yarmouth. La piedra tiene una inscripción de 14 caracteres y ha dejado perplejos a los expertos por casi doscientos años.

En la actualidad, la piedra se preserva y se exhibe en el fascinante Museo de Yarmouth County, ubicado en el número 22 de la Calle Collins. Su Director y Encargado, Eric J. Ruff, es historiador y posee muchísima información valiosa sobre la misteriosa piedra y sus posibles orígenes. Esto es lo que nos dijo durante una entrevista que nos concedió recientemente, y nos permitió grabar, la cual nos fue muy útil e instructiva.

"La Piedra Rúnica de Yarmouth es muy interesante en la historia de Yarmouth. La mayoría de las personas piensan que la dejaron los vikingos; esa es la teoría general, pero existen muchas otras teorías. Básicamente, el Doctor Fletcher la encontró cerca del puerto de Yarmouth en 1812. Algunas personas, en especial los descendientes del Dr. Fletcher, siempre han creído que él la grabó, porque al parecer era muy bromista. Muchas otras personas suponen que los vikingos dejaron la piedra, y varias personas la han traducido. Una de ellas fue Henry Phillips Junior, alrededor de 1875, y según él las runas dicen 'Hako habló con sus hombres' o 'El hijo de Hako habló con sus hombres' ".

(Posteriormente, como consta en una observación de Harry Piers, que antes fue Encargado del Museo Provincial, Phillips publicó un artículo sobre la piedra en 1884, y supone que Hako fue miembro de la Expedición Karlsefne en 1007.)

Eric Ruff también nos dijo que en 1934 Olaf Strandwold tradujo las runas de la piedra.

Esta traducción de Strandwold es particularmente interesante desde el punto de vista lingüístico. Olaf Strandwold era Superintendente de Escuelas en Benton County, Washington, y un eminente erudito noruego, que creía que los caracteres ciertamente eran rúnicos. Los interpretó como "Leif (levanta este monumento) a Eric". En este enunciado, la idea de "este monumento" está implícita. No está contenido en las letras de la inscripción rúnica en sí. El sentido de este tipo de estructura gramatical implícita también puede encontrarse en solicitudes de ayuda como: "Por favor sácame (de esta zanja)"; la idea "de esta zanja" está implícita, ya que las personas a quienes se dirije la petición pueden ver la zanja y la situación en que está la persona. Por estas dos razones, la frase implícita sería superflua. Como Confucio habría escrito con sabiduría en uno de sus aforismos: *"Quien graba letras en una piedra dura, elegirá menos palabras que quien escribe en papel con tinta suave y un pequeño pincel".*

En 1934, cuando Olaf Strandwold realizó su trabajo, Georges St Perrin tenía a su cargo la piedra y la Biblioteca de Yarmouth, donde

Patricia Fanthorpe con Eric J. Ruff (Encargado del Museo), junto a la Piedra Rúnica de Yarmouth, descubierta por el Dr. Richard Fletcher en Nueva Escocia en 1812.

estaba entonces. La descripción que Georges le hizo a Olaf en 1934 dice claramente: "...muestra pocas señales de erosión. Excepto en unos cuantos puntos aislados, los cortes muestran con claridad una sección en forma de V... la piedra tiene una textura muy dura... los cortes están tan bien hechos, que quien los grabó debió utilizar un instrumento muy bien templado..."

Lo que Strandwold hizo con mucha eficiencia fue analizar cuidadosamente los alfabetos rúnicos establecidos y localizar, en fuentes cuya autenticidad se había comprobado, equivalentes conocidos que correspondieran a las runas grabadas en la piedra de Yarmouth. Después las colocó en forma paralela, con una línea abajo que proporcionaba la letra del alfabeto que correspondía a cada runa. Strandwold utilizó varias páginas de correlaciones muy

Lionel Fanthorpe con Eric J. Ruff (Encargado del Museo) junto a la Piedra Rúnica de Yarmouth, descubierta por el Dr. Richard Fletcher en Nueva Escocia en 1812.

precisas para establecer y verificar cada una de las catorce runas que hay en la piedra, y al final llegó a esta versión latina:

LAEIFR ERIKU RISR

Reconociendo las pequeñas discrepancias entre los caracteres Rúnicos y de lengua Ogham, que se graban en ángulos ligeramente distintos, existe también un parecido notable entre el alfabeto Glozel del centro de Francia y la inscripción de la Piedra de Yarmouth, como se ilustra en el siguiente diagrama:

Piedra de Yarmouth

o

Alfabeto Glozel

H

Numeración de Morlet	4	16	15	31 o 44	24	65	41	32	15	16	14	24	43	1

Con el fin de mantener en equilibrio los diversos puntos de vista de varios expertos en runas, es necesario decir que en 1966, aproximadamente treinta años después de que se publicó el trabajo de Strandwold, el Dr. Liestol del Norsk Polarinstitutt de Oslo, expresó sus dudas de que las inscripciones fueran rúnicas.

Julius Frasch Harmon, en su artículo *Concerning the Carvings on the Braxton and Yarmouth Stones* (Relativo a los grabados en las piedras de Braxton y Yarmouth), que aparece en el Tomo XXXVI de *West Virginia History* (Historia de West Virginia), abordó el asunto desde un punto de vista erudito totalmente distinto. Harmon implica que las inscripciones son totalmente numéricas y se refieren a las estadísticas de una expedición que se realizó por orden del Rey Erik XVI de Suecia.

Después, Eric Ruff nos explicó otras ideas muy interesantes. "Existe una antigua teoría vasca según la cual la piedra dice: 'El pueblo vasco ha dominado esta tierra', y data del año 350 antes de Cristo. La teoría de Micenes, que es anterior, traduce la piedra como 'Trono excelso: los leones puros de la Casa Real enviados al ocaso para proteger, tomar y atravesar las poderosas aguas de las cumbres, han sido todos sacrificados'. Creo que es fascinante, ¿cómo puedes interpretar todo eso a partir de sólo unas cuantas runas? Como pueden ver, no le tengo mucha fe a esta versión. Otras relaciones incluyen la teoría japonesa, la teoría escandinava del siglo XIV, y la de las raíces. Así que puedes elegir. Me agrada que nuestros visitantes lleguen y pregunten: '¿es real?' y les digo: 'Sí, es una piedra real'. De hecho tenemos ciertos problemas con la piedra. En los años treinta, uno de los Presidentes de la Sociedad Histórica pensó que las inscripciones se estaban poniendo borrosas y utilizó un cincel para marcarlas de nuevo. A consecuencia de esto, hemos perdido lo que habríamos podido sacar del original. Así son las cosas. Naturalmente, la piedra pertenece a la Biblioteca Pública de Yarmouth, y la tenemos prestada desde que se inauguró este museo en la década de 1950.

"Mi teoría favorita es la Teoría Vasca porque he consultado un diccionario Vasco-Francés, he buscado las runas en un libro vasco de runas y entiendo lo que pueden significar las palabras en vasco. Me parece lógico. En verdad puedes ver 'vasco', puedes ver 'pueblo'; puedes ver 'tierra'. Se encontró otra piedra en Yarmouth en 1895. Tenía runas como la nuestra, pero tenía otras tres letras abajo; la traducción sería: 'El pueblo vasco ha dominado esta tierra y vive aquí'. Se especula sobre esa piedra, ya que se encontró en los terrenos de un hotel que abrió sus puertas en 1895, y en la actualidad está perdida.

"Nuestra piedra fue encontrada en 1812, una época en que la gente aún no pensaba en los vikingos. Podría ser vikinga. No dudo que los vikingos hayan estado aquí, estoy seguro de que sí estuvieron. Ciertamente estuvieron en Terranova".

Brigitta Wallace apoya este punto de vista completamente. Estaba trabajando con un grupo alemán de filmaciones en 1995, y les había mostrado la zona vikinga en L'Anse Aux Medows, en Terranova, que ella suponía era indudablemente auténtica. Luego los llevó a Nueva Escocia para filmar la piedra Yarmouth.

Eric también nos explicó cómo la piedra cruzó el Atlántico antes de la Primera Guerra Mundial.

"En una ocasión, llevaron la piedra a Inglaterra para ratificarla y traducirla. Fue antes de la Primera Guerra Mundial, y cuando llegó el momento de regresarla, estalló la guerra y se decidió no tratar de atravesar el Atlántico con ella mientras hubiera submarinos alemanes. Al parecer, permaneció en los muelles de Londres, dentro de una caja, durante la Primera Guerra Mundial.

"Se han tomado muestras de la parte trasera de la piedra para determinar su origen. Habría sido interesante pensar que era originaria de algún lugar de Escandinavia, pero resultó ser del Canadá."

Laura Bradley, encargada de los archivos en el Museo de Yarmouth County, que fue muy servicial y nos proporcionó mucha información, grabó otra entrevista para nosotros: "He visto a varios investigadores que vinieron especialmente para estudiar la piedra; trabajaron con fotografías y copias, y no pudieron determinar cuáles eran marcas naturales en la piedra y cuáles habían sido hechas por el hombre. Una teoría recurrente es que las marcas de la piedra son naturales; y es difícil determinarlo, ya que la integri-

La Piedra Rúnica de Yarmouth, descubierta por el Dr. Richard Fletcher en Nueva Escocia en 1812.

dad de las marcas originales se alteró cuando se les grabó de nuevo, y es difícil verlas de la misma manera. Sin embargo, en los últimos seis años, dos geólogos han visto la piedra y me han dicho que no creen que las marcas sean naturales. Además, Brigitta Wallace, nuestra experta local, que de hecho es la experta norteamericana en este campo y trabaja en Parks Canadá, opina que estas marcas definitivamente no son runas noruegas, sino marcas naturales. De modo que tenemos varios expertos calificados con puntos de vista opuestos.

"Desde mi punto de vista, el juicio no está aún completo. Sé que la piedra fue encontrada en 1812, y que quien la encontró era cirujano del ejército. La posibilidad de que él hubiera grabado la piedra me parece muy remota. Luego hablé con los geólogos y opinaron que las marcas no son naturales; hablé con el experto noruego y dijo que está seguro de que no son runas; en realidad siento que me gustaría tener una opinión basada en conocimientos, pero en este momento, por desgracia, no la tengo. Este es uno de los mayores misterios de Yarmouth, y en realidad, después de analizar los documentos con todos estos expertos... no sé cómo llegaron esas marcas a la piedra. Es un gran misterio para mí."

En resumen, ¿Cuál es el hecho histórico comprobado con el que se podría relacionar la antigua y polémica piedra de Yarmouth? Eric el Rojo, también conocido como Eric Thorvaldsson, floreció en los últimos años del siglo décimo antes de Cristo, como fundador del primer poblado escandinavo en Groenlandia. Su hijo, Leif Ericsson, fue el primer europeo que descubrió America del Norte, lo que se ha comprobado por completo. Eric el Rojo viajó al oeste en la primavera del año 981 con treinta personas que eran sus familiares, amigos y vecinos, llevando consigo ganado. Su barco vikingo de tingladillo medía menos de 100 pies, y las condiciones del mar en un viaje de ese tipo debieron ser bastante difíciles. Un muro de hielo a la deriva les impidió tocar tierra en la costa este, así que rodearon el extremo sur y subieron por la costa oeste de lo que en la actualidad es Julianehaab. Cuando encontraron la tierra de su agrado, la llamaron Groenlandia, y más tarde hablaron de ella con tal entusiasmo, que sus contemporáneos organizaron una expedición de aproximadamente veinticinco naves que transportaban posibles colonizadores y ganado. Sólo catorce de ellas, con aproximadamente 300 ó 400 colonos en total, se establecieron en lo que posteriormente se llamó Colonia Este.

En 999, Leif, uno de los hijos de Eric, a quien se conoce como Leif Ericsson, o Leif el Afortunado, navegó de Groenlandia a Noruega pasando por las Hébrides, en lugar de seguir la ruta de Islandia, que era más usual. A su regreso al año siguiente, hizo el viaje sin detenerse en puntos intermedios, y esperaba llegar al extremo sur de Groenlandia. No lo logró a causa del mal tiempo, pero llegó al territorio continental de América del Norte: Tal vez a Labrador o a Terranova, tal vez tan al sur como Nueva Escocia. Consciente de que no estaba en la tierra de su padre en Groenlandia, se dirigió hacia el norte siguiendo la costa y llegó a casa sano y salvo en el otoño. La pregunta tentadora sigue sin respuesta: ¿Tocó tierra Leif Ericsson en algún lugar cercano a Yarmouth y grabó la misteriosa piedra mientras estuvo ahí?

La Piedra de Yarmouth no es, de ninguna manera, el único grabado antiguo sin explicación que se ha encontrado en Nueva Escocia. En 1983, Edward Hare estaba utilizando equipo pesado para excavar, en sus tierras del Monte Hanley, cuando sacó una piedra muy extraña en forma de cubo. Esta piedra, de casi tres metros de largo, metro y medio de ancho y de profundidad, salió en dos mitades que embonaron a la perfección, y cuando Edward las juntó, notó varias marcas muy extrañas, cinceladas deliberadamente, que hicieron juego cuando se juntaron las dos mitades. Se le pidió a nuestro amigo George Young, que es un experto, que fuera a examinar la piedra, y gracias a sus extensos conocimientos de idiomas antiguos, en particular de Ogham, llegó a la conclusión de que la piedra grabada que Edwrd Hare había encontrado tenía una antiguedad genuina y que sus inscripciones tenían importancia histórica.

Es muy posible que los antiguos celtas hayan desarrollado la lengua Ogham en una época tan remota como 1000 años antes de Cristo, y que la llevaran consigo al viajar hacia el oeste. Con esto surge la pregunta de qué tan lejos pudieron llegar los antiguos comerciantes y guerreros celtas en sus viajes hacia el oeste.

Siguiendo la pista marcada por el Profesor Barry Fell, célebre pionero en el campo de las lenguas antiguas, George Young descifró la Piedra del Monte Hanley como un experto, y llegó a la conclusión de que el idioma de quienes la grabaron era Gaelic y que lo más probable es que fuera una piedra conmemorativa, cuyo estilo y propósito no eran muy distintos a las lápidas que usamos en los cementerios hoy en día. En su opinión, es muy probable que las letras MUI que encontró sean una versión antigua del nombre Muir, o Murray, y que el MAC o MC que aparece antes de ellas significan "hijo de", lo que equivale a los apellidos modernos McMuir o McMurrey. Pensó que las letras LU representaban el nombre Lew o Lewis, mientras que DAI MAB HU, podrían significar Dai, hijo de Hugh, que en la actualidad sería Dai Hewson o Dai McHugh.

Los descubrimientos posteriores de George Young en la inscripción de la piedra del Monte Hanley, revelaron otros nombres que parecen estar en Gaelic, entre los que tenemos: Loi, madre de Mu, y una referencia a un dios celta llamado Bel, del período anterior al cristianismo, que en cierta forma se relaciona con el dios Baal del medio oriente, y su consorte, Ashtoreth.

El trabajo de George en la Piedra del Monte Hanley suscita tres preguntas importantes. ¿De cuándo data la inscripción? ¿De dónde vinieron las personas que la grabaron? ¿Qué les sucedió?

Como respuestas, él ofrece algunas posibilidades interesantes. Observó que los más antiguos textos en Ogham que se encontraron en Iberia y en Norteamérica no tenían vocales. Encontró que su estilo característico estaba mezclado con otros caracteres en lenguas de la misma época: en especial, en púnico, que en un principio llegó de Líbano y Siria, se introdujo en Cártago, donde más tarde se mezcló con ciertos dialectos griegos. De ahí viajó a Cádiz, España.

Más tarde, la lengua Oghman de Irlanda y Escocia sí tenía vocales y es probable que date del período de 500 años que va del año 600 al año 100 antes de Jesucristo.

Con la llegada del Cristianismo a Irlanda, las inscripciones en Ogham y las piedras que las tenían, con frecuencia se destruyeron o se olvidaron, ya que se les consideraba de origen satánico, o en el mejor de los casos, de origen pagano.

George se inclina a pensar que la Piedra del Monte Hanley fue grabada por irlandeses, o por gente de una gran colonia irlandesa que se había establecido en la zona de New Hampshire y Vermont. Establece la fecha de la existencia de la colonia principal entre el año 600 y el año 300 antes de Cristo, y menciona que un pequeño grupo de pobladores vivió en el Monte Hanley aproximadamente en esa época.

George comenta que Herodoto, Plutarco y otros cronistas antiguos se refieren a las colonias de cartagineses y otros "griegos", en lo que debió ser Norteamérica y Canadá, en fechas tan lejanas como 250 años antes de Cristo. También menciona las referencias de las Epopeyas Nórdicas que hablan de la "Irlanda más Grande" al lado oeste del Atlántico. ¿Era este territorio Terranova o Nueva Escocia? George examina la posibilidad de que esta "Irlanda más Grande" pudiera ser el resultado de los viajes de colonización de Brendan, alrededor del cuarto siglo después de Cristo.

George también comenta varios hechos significativos relacionados con el hecho de que los romanos salieran de Inglaterra en el siglo V, y con las fieras tribus Scoti de Irlanda que saquearon Caledonia por mar en esa época. ¿Ellos, o algunos de sus contemporáneos, se dirigieron al oeste cruzando el Atlántico y fundaron la colonia del Monte Hanley?

Al parecer, ese poblado era permanente. Se han encontrado rastros de su sistema de drenaje, y los sistemas de drenaje hechos de piedra no eran característicos de un campamento transitorio de nómadas. En lo que se refiere a dónde fueron, o lo que fue de ellos, George piensa que la explicación más factible es que fueron conquistados o asimilados por una de las tribus indígenas.

Supone, por buenas razones, que la Piedra del Monte Hanley podría finalmente llegar a ser uno de los descubrimientos históricos más importantes que jamás se han realizado en Canadá.

Así, el enigma de las piedras grabadas de Canadá sigue sin resolverse. Algunas podrían ser fraudes. Otras podrían ser obra de la erosión natural, que en ocasiones puede ser muy parecida a los restos de una inscripción desgastada por factores climáticos. Algunas podrían ser celtas, noruegas, vascas o incluso fenicias. Podrían estar escritas en rúnico, en ogham, en glozelian, o en una escritura totalmente desconocida que representa el idioma perdido de una raza más antigua y más extraña, de un lugar lejano.

VAMPIROS Y CHUPACABRAS

¿Una temeraria jovencita y sus hermanos lucharon contra un repugnante vampiro, y lo destruyeron, en Cronglin Low Hall?

Las leyendas de vampiros se remontan a épocas muy antiguas. Algunas versiones de Lilith, o Lilis, que supuestamente fue la primera esposa de Adán, indican que era una especie de vampiro que representaba un gran peligro para los niños. En ocasiones, la palabra latina *strix*, se aplicaba a un vampiro, aunque era más apropiado utilizarla para referirse a la lechuza blanca, que también tiene una relación con el mito de Lilith. La literatura grecorromana contiene unos cuantos relatos de vampiros, pero existen rastros más antiguos en el Oriente. La palabra *vampir* existe en la lengua magiar, y la palabra lituana *wempti*, que significa "beber", también se relaciona con ella. Un documento ruso que data de 1027, utiliza la frase *upir lichy*, que significa "vampiro malvado". Algunas tradiciones antiguas aseguran que los vampiros son hijos de un brujo y una mujer lobo; otros indican que las brujas, los brujos y quienes practican magia negra se vuelven vampiros después de morir, o que los suicidas tienen el riesgo de convertirse en vampiros.

Es posible que la leyenda de los vampiros se haya originado en el lejano oriente y haya llegado a Europa por las rutas de la seda y las especies. La tradición de los vampiros llegó a los Cárpatos del Mediterráneo, y se popularizó entre los eslavos. Otra ruta pudo ser la que se cree siguieron las tribus originales de gitanos que vinieron del norte de la India, y se cree que llegaron a Bohemia y Transilvania durante los siglos XIII y XIV; y Transilvania ha sido el sinónimo de las leyendas de vampiros desde que Bram Stoker introdujo a Drácula en el mundo.

La forma original del nombre era Vlad Dracul, y también se le conocía como Vlad el Empalador. Vlad nació en Sighisoara, o Schassburg, alrededor de 1413. Su padre, "Vlad el Demonio" o "Vlad el Dragón", era miembro de la Orden de los Dragones, que prometían hacer guerra incesante contra los turcos. Esto nos recuerda el odio que el cartaginés Aníbal había jurado contra los romanos, ya que su padre, Hamlicar Barca, lo obligó a hacer un juramento solemne contra ellos cuando aún era un joven muy impresionable.

Supuestamente, el joven Drácula fue capturado por sus enemigos turcos cuando sólo tenía trece años, y durante ese cautiverio, al parecer, adquirió su característico placer por torturar y empalar a sus enemigos. Durante varias décadas, a partir de 1456, fue el terror de Valaquia, donde, dando margen incluso a las exageraciones y propaganda de sus enemigos, mandó a la eternidad a miles de víctimas empaladas bajo los muros de su castillo. Esto explica el título de *Tsepesh* o *Tepes*, que significa "empalador".

Se dice que Drácula fue muerto por uno de sus propios hombres por error; se había disfrazado de turco para observar el resultado de una batalla detrás de las líneas enemigas. Carecía de todo vestigio de misericordia y moralidad, pero al igual que Macbeth, poseía un gran valor físico. Viendo que el campo estaba prácticamente ganado, subió a la colina para ver cómo eran asesinados los últimos soldados turcos que quedaban, olvidando su disfraz. Lo confundieron con un turco y lo mataron.

Su tumba fue abierta en 1931; contenía un esqueleto a punto de desintegrarse, un collar de serpiente, una capa de seda roja con un

Croglin Low Hall, escenario del supuesto ataque de un vampiro a Amelia Cranswell y sus hermanos en el siglo XVII.

anillo cosido a ella y una corona de oro. Estas posesiones únicas de Drácula fueron posteriormente robadas del Museo de Bucarest y nunca se han recuperado.

Pasando del Vlad histórico a la tradición de vampiros en general, se les temía, no sólo porque eran asesinos mortales y secretos, capaces de asumir la forma de un murciélago y volar a la recámara de la víctima, sino porque llevaban en sí la infección mortal del vampirismo: una vez que se le inyectaba a la víctima, quedaba destinada a formar parte de los vampiros. Según la tradición, los vampiros no se reflejan en un espejo, no tienen sombra y no pueden estar ante una luz brillante. La luz del sol es fatal para ellos.

Se creía que los vampiros no eran capaces de entrar a una casa a menos que se les invitara; pero una vez que el dueño de la casa había cometido ese error fatal, podían entrar y salir a voluntad.

La longevidad tradicional de los vampiros era tal que casi era equivalente a la inmortalidad, y esto se combinaba con una fuerza física extraordinaria y una relativa invulnerabilidad. Sin embargo, no todas las reglas del juego favorecían al vampiro. Se desintegraba casi instantáneamente ante la brillante luz del sol. Un golpe certero con una estaca en el corazón también era fatal; el hierro y la madera tenían los mismos resultados. También se consideraba eficaz decapitarlo, desmembrarlo y quemar partes del torso desmembrado. Se dice que algunos vampiros no son capaces de cruzar el agua; ciertas sutilezas de esta tradición dicen que el agua debe estar *fluyendo* para detener al vampiro. Están indefensos durante el día y deben descansar en sus ataúdes sobre parte de la tierra en que se les sepultó originalmente. El agua bendita los marchita como si fuera ácido concentrado. Si se les toca con una cruz, de preferencia si es de plata y el que la sostiene es un sacerdote ordenado que tiene una fe sincera, los vampiros se queman como si se les tocara con hierro candente. Al igual que a los hombres lobo, se les puede disparar con balas de plata o se les puede cortar con un cuchillo de plata. El ajo los aleja, pero no los detiene por completo.

Las tradiciones sobre vampiros existen en casi todo el mundo. Por ejemplo, en las leyendas ashanti se les llama *Asasabonsam* y viven en los árboles en lo profundo del bosque. Esta tradición africana sobre los vampiros dice que tienen dientes de hierro y pies que parecen garfios, con los que se cuelgan de los árboles para atrapar a los incautos.

Los estados del sur de Estados Unidos, en especial Louisiana, tienen leyendas sobre un monstruo llamado *Fifollet* o *Feu-follet*, que es parecido a un vampiro.

En Australia hay relatos sobre *Yara-ma-wha-who*, un pequeño humanoide rojo de un metro o menos de altura. Su boca es excepcionalmente grande y sus manos están cubiertas de ventosas. Cuando atrapaba a alguien, dejándose caer de su percha en una higuera, succionaba la sangre de su víctima hasta dejarla desvalida. El *Yara-ma-wha-who* regresaba más tarde, se tragaba a la víctima completa, tomaba mucha agua (un interesante detalle práctico en una zona donde el agua era muy escasa), y luego dormía. Cuando

Croglin Low Hall: la ventana (ahora cubierta de ladrillo) que estaba a la derecha de la puerta, saliendo del edificio, es según la tradición, por la que el vampiro entró para atacar a Amelia.

despertaba, regurgitaba la parte de la víctima que no había digerido, la cual *aún estaba viva*. Este proceso de tragar y regurgitar se repetía hasta que la víctima se encogía hasta tener el tamaño de un *Yara-ma-wha-who* y poco a poco se convertía en uno. Aunque mucho de esto difiere de las leyendas Europeas sobre vampiros, el *Yara-ma-wha-who* comparte el poder tradicional de infectar y transformar a su víctima.

Un vampiro búlgaro muy interesante se conocía como *Ustrel*, y se creía que era el espíritu de un niño sin bautizar. Salía lentamente de su tumba nueve días después de su muerte para atacar a las ovejas y al ganado, con el fin de succionar su sangre.

Esto se relaciona con el siniestro *chupacabras*, del que hace poco se habló en México, Puerto Rico y partes de América Central y América del Sur. Muchos testigos confiables y honorables descri-

Lionel Fanthrope camino a Croglin Low Hall en Cumbria, donde el supuesto vampiro atacó a Amelia Cranswell hace trescientos años.

bieron al *chupacabras* que vieron como algo parecido a un enorme puerco espín, pero con patas traseras muy poderosas, como las de un wallabi o un canguro, y con extraños apéndices, casi como cuernos delgados, a lo largo de la espina dorsal. Ataca de día al igual que de noche, y parece vivir de cabras, pollos y animales domésticos. A pesar de los esfuerzos de las autoridades, nunca se ha capturado ni se ha dado muerte a un espécimen de *chupacabras*. Algunos investigadores han implicado que podría ser el resultado de experimentos de ingeniería genética que salieron mal y que se escapó del laboratorio; ¿estaban tratando de crear un monstruo ideal para atacar a un ejército enemigo? Si se pudiera producir una criatura de este tipo y programarla para atacar en forma selectiva, desde el punto de vista militar, sería mucho menos peligrosa para el usuario que lanzar gérmenes sin distinción o utilizar armas de guerra química. También sería preferible, como táctica, a desatar cualquier tipo de radiación nuclear que se esparciría sin distinción durante años después del conflicto, contaminando a aliados y a enemigos con una terrible imparcialidad.

Otras teorías proponen que tiene origen extraterrestre; algunos informes lo describen como el híbrido de uno de los tripulantes "grises" de ovnis, y un animal terrestre no especificado.

Hasta la fecha, el *chupacabras* no ha atacado a ningún ser humano, pero una niña de Cumbria, Inglaterra, no fue tan afortunada.

Algunos relatos populares del vampiro de Croglin Grange, o de Croglin Low Hall, que la atacó, datan de la década de 1870. Augustus Hare presenta la mayoría de los hechos en *The Story of my Life* (La historia de mi vida), y dice que obtuvo su relato de un tal Capitán Fisher que vivió en Croglin Grange.

Todo el relato de Croglin está lleno de misterio y falta de comprensión. Para empezar, existe una novela barata de mediados del siglo XIX que se titula *Varney the Vampire, or the Feast of Blood* (Varney el vampiro, o el festín de sangre). Fue escrita por James Malcolm Rymer (1804-1882) y ciertamente contiene algunos puntos paralelos al relato de Croglin y algunos investigadores han considerado a *Varney* una evidencia para invalidar todo el relato de Croglin.

Rymer fue un autor prolífico y de éxito; sus 220 capítulos, publicados por primera vez en 1847, se volvieron a publicar como "episodios" en 1853. En ese entonces llegaban a casi 900 páginas.

Tratar de desacredirar un verdadero episodio histórico basándose en que alguien escribió una novela que tiene una semejanza vaga con él, y que, por lo tanto, la verdadera historia no lo es en absoluto, sino que sólo es ficción que se basa en la primera pieza literaria, no es un argumento sólido. Los relatos *ficticios* de espionaje, de detectives, de guerra y de romance no pueden invalidar la verdad histórica de Rahab y los espías israelitas que visitaron su establecimiento cerca de las murallas de Jericó, ni el valeroso arresto del asesino multiple Charles Peace, realizado por Edward Robertson, ni del ataque galante de la Brigada Ligera en Balaclava, ni la elección que hizo Eduardo VIII, casándose con la dama que amaba y renunciando a la corona británica.

Sería igual de racional como argumentar que el *Titanic* nunca existió sólo porque, en 1898, Morgan Robertson escribió una novela en que un gran transatlántico llamado *SS Titan* golpeaba un iceberg y se hundía en el Atlántico durante su viaje inaugural, causando muchas pérdidas en vidas humanas.

Surge otra confusión porque hay *dos* Croglins. Cuando realizamos nuestra primera visita de investigación a la aldea a principios de la década de 1970, nos fue muy obvio que la Parroquia de San Juan Bautista no era la iglesia hacia donde el vampiro había volado. La iglesia que estudiamos en esa ocasión había sido construida en 1878 en el lugar donde antes había estado una antigua iglesia normanda, que a su vez había reemplazado a una iglesia sajona. Hubo habitantes en Croglin y sus alrededores durante la Edad de Bronce; en la década de 1880, se encontró uno de los moldes con que hacían las puntas de sus lanzas. Frente a la iglesia, está una casa llamada *La vieja Pele* que data de 1400 y que una vez fue Rectoría.

En visitas de investigación subsecuentes, descubrimos que a una milla o dos río abajo, estaba la *segunda* Croglin, la pequeña aldea de Croglin Parva. Lo único que queda de ella son dos granjas grandes conocidas como Croglin High Hall y Croglin Low Hall. El episodio histórico de vampiros se relaciona con Croglin Low Hall en Croglin Parva, y con la antigua iglesia de viejas cúpulas que una vez estuvo cerca de ahí. Y hay indicaciones de que el ataque ocurrió mucho antes de 1870. Croglin Low Hall es tan antiguo como el Castillo Carlisle, y (habiendo sido una granja fortificada) debe ser en la actualidad una de las "granjas operantes" más antiguas de Cumbria.

El tercer problema relacionado con el episodio del vampiro de Croglin es la dificultad para decidir *qué* Capitán Fisher de Croglin le dio los hechos a August Hare, y exactamente quiénes eran los tres Cranswell (si en realidad el nombre era Cranswell) que estuvieron en Croglin Low Hall después de los Fisher, durante un periodo de arrendamiento de siete años, que es parte integral del relato. Es también de gran importancia tratar de descubrir en *qué época* vivieron ahí.

n el dialecto inglés del noroeste, "crog-lin" podría significar "río sinuoso" o "río torcido". ste es el riachuelo que pasa cerca de Croglin Low Hall. ¿Pueden los vampiros atravesar el gua que fluye?

Croglin fue en un principio parte de la Baronía de Gilsland. Su dominio pasó a la familia Vallibus, y de ella a la familia Hastings. En 1214 volvió a cambiar de dueño y llegó a pertenecer a los Wharton de Westmoreland. En tiempos más recientes, llegó a ser propiedad de los Fisher, y la casa conocida como Croglin Low Hall parece haber pertenecido a la familia Fisher al menos desde 1730. El Capitán Edward Fisher que se relaciona con el relato de vampiros, cuyo nombre completo era Edward Rowe Fisher-Rowe, Capitán de los Cuartos Guardias Dragones, parece haber sido nieto de Edward y Debora Fisher, cuyas tumbas están en el cementerio de Ainstable. Conoció a Augustus Hare en 1874 cuando se casó con la prima de Hare, Lady Victoria Liddel. Más tarde, los recién casados se mudaron a Thorncombe, cerca de Guildford, donde años después, Edward murió el día que cumplió setenta y siete años, el 8 de noviembre de 1909. Victoria le sobrevivió hasta 1935, y ahora yacen juntos en el cementerio de La Santísima Trinidad en Bramley.

La dificultad relacionada con las fechas en el relato de Augustus Hare, pudo haber surgido porque naturalmente supuso que la narración del Capitán Fisher coincidía con su cambio de residencia de Croglin a Thorncombe. Existen muchas evidencias, sin embargo, que parecen indicar que Fisher conocía bien el relato, y que era una antigua tradición establecida en Croglin; y cuando Fisher lo escuchó por primera vez en su niñez, se consideraba que el relato del ataque del vampiro a Amelia tenía más de cien años de antigüedad.

Los antepasados de Fisher que vivieron en esa época elegían a los inquilinos de Croglin Low Hall con mucho cuidado. Por conveniencia, vamos a utilizar el nombre de Cranswell, ya que es el nombre que los residentes locales con quienes hablamos en la aldea de Croglin relacionan con el episodio del vampiro. La familia constaba de dos hermanos, Michael, robusto y musculoso, y Edward, más delgado y atlético. Los hermanos Cranswell vivían con su atractiva hermana Amelia, una chica inteligente y práctica, ingeniosa y de gran valor.

Los Cranswel eran populares en ese distrito. Tenían la reputación de ser muy generosos y serviciales con sus vecinos menos afortunados, y eran miembros de la sociedad local; siempre se les recibía con agrado como invitados a comer, a las fiestas, a los conciertos o a las tardes en que se jugaba a las cartas. Se les consideraba personas sociables, sensatas y, en general, aceptables.

Una tarde de verano, después de un día especialmente caluroso, que no es el clima usual de Cumberland, cenaron y se acostaron temprano. Amelia estaba recargada en sus almohadas, contemplando el prado en dirección a la abandonada iglesia en ruinas que se veía más allá. Su ventana estaba cerrada pero no había sujetado los postigos. No era una zona donde se necesitaran tantas medidas de seguridad.

Vio lo que después describió como dos puntos de luz que se acercaban a la casa y venían del antiguo cementerio abandonado. Parecían brillar como a veces brillan los ojos de los animales cuando reflejan la luz de una linterna. Al acercarse las luces, Amelia pudo ver que sin lugar a dudas eran ojos, y estaban en uno de los rostros más aterradores que jamás había visto.

En ese momento, lo que más habría deseado tener era la presencia tranquilizadora de sus dos leales hermanos quienes la habrían protegido, pero la puerta de su habitación estaba cerrada con llave desde dentro, y antes de que pudiera abrirla, el ser de brillantes ojos estaba desprendiendo el engarce de plomo de la ventana de su recámara, que estaba en la planta baja.

Lo que después describió como la mano de un esqueleto, parecida a una garra, entró por la apertura que quedó después de que la criatura había desprendido un cristal en forma de diamante y había abierto el pestillo. Algo parecido a un espantapájaros viviente entró a la habitación, la tomó de los cabellos e hizo que inclinara la cabeza hacia atrás. Para cuando Michael y Edward despertaron por los gritos, la había mordido en forma salvaje en la cara y el cuello, ella estaba inconsciente y sangrando profusamente. Cuando los hermanos derribaron la puerta y corrieron a ayudar a Amelia, la criatura escapaba por el prado. Edward corrió tras ella, y se sorprendió por la velocidad con que avanzaba. Por lo que pudo ver, iba en dirección al cementario, y *pensó* haber visto que desaparecía detrás del muro con un salto que le sorprendió por su fuerza. Ya no siguió persiguiéndola, sino que regresó con rapidez para ver cuánto había dañado a Amelia.

Aunque sentía mucho dolor, estaba bajo el efecto de un gran impacto emocional, y sangraba profusamente por las mordidas en la cara y el cuello, la fuerza y el valor de Amelia la ayudaron a superar la crisis. En una época muy anterior al descubrimiento de los antibióticos, las infecciones causadas por mordidas podían ser mortales, pero la mente fuerte de Amelia y su buena constitución la ayudaron a recuperarse en unas cuantas semanas. Por supuesto, está la cuestión de cicatrices permanentes en una época en que la cirugía reconstructiva era muy primitiva o inexistente. La apariencia de una chica, y su efecto en la posibilidad de matrimonio, era de gran importancia.

En los días que siguieron, el ataque a Amelia se convirtió en el tema central de conversación en la zona de Croglin. Dos o tres de sus vecinos visitaron a los Cranswell y les informaron de ataques similares que habían ocurrido en los últimos dos o tres años.

El doctor aconsejó que la familia se tomara unas vacaciones largas para que Amelia pudiera atenderse durante su convalescencia y recuperarse por completo. Los Cranswell tenían una buena posición económica y decidieron pasar varias semanas en Suiza. Estando allá Amelia insistió en regresar a Croglin Low Hall en lugar de desperdiciar el resto de su período de renta de siete años, y por lo que se sabe, fue la misma Amelia, de mente ágil y muchos recursos, quien diseñó un plan de contingencia que se pondría en acción si su atacante regresaba.

Otro de los problemas relacionados con la investigación de la aventura de Croglin es que se dice, por tradición, que la casa sólo tenía un piso, (y esto es un factor importante para la investigación). En la actualidad Croglin Low Hall no es de un solo piso, como lo muestran con claridad las fotografías que tomamos durante una reciente visita de investigación. Sin embargo, cuando el escritor e investigador F. Clive-Ross examinó el edificio con cuidado en 1962, observó un gran voladizo en la habitación de la ventana tapada con ladrillos que la tradición relaciona con el vampiro. El propósito arquitectónico más común de un voladizo de ese tipo es sostener un techo. Por lo tanto, es muy probable que en cierto periodo muy *anterior* al siglo XIX Croglin Low Hall fuera un edificio de un piso cuando el vampiro atacó a Amelia, como asegura la leyenda.

El plan de Amelia era que los tres durmieran en recámaras adyacentes de la planta baja para que sus dos hermanos la oyeran al instante si gritaba pidiendo ayuda. Además las puertas de las recámaras se mantendrían abiertas para que pudieran llegar a ella si los necesitaba. Mientras estaban en Suiza, los Cranswell compraron un juego de dos pistolas con todo y munición, y equipo para limpiarlas. El plomo con que estaban hechas las balas tenía un tinte verde muy característico, muy distinto al plomo británico estándar, y eso hacía que se les identificara con mucha facilidad. Las pistolas se guardaban cargadas en las mesas de noche de los hermanos.

Si regresaba el atacante de Amelia, el plan era que Michael corriera de inmediato a su lado para protegerla con una de las pistolas, mientras que Edward salía corriendo para detener al monstruo con la otra.

Los Cranswell regresaron a Croglin, y al poco tiempo Amelia *volvió a ver* los extraños ojos brillantes acercarse a su ventana viniendo del otro lado del prado. Su plan funcionó a la perfección. Michael, como un bulldog, estuvo a su lado en unos cuantos segundos con la pistola en la mano. Edward salió por la puerta principal y corrió tras el intruso antes de que se diera cuenta que estaba en peligro. Apuntándole a las piernas, Edward le disparó de cerca. Se escuchó un grito de dolor y la criatura empezó a cojear por el prado en dirección a la iglesia abandonada, que en esa época estaba cerca de Croglin Low Hall.

Edward lo persiguió con tenacidad, pero su pistola ya estaba vacía. No era cobarde, pero no era tan fuerte como Michael, y por lo que Amelia había dicho después del primer ataque, sabía que la criatura, sea lo que fuere, era peligrosa y tenía una fuerza fuera de lo normal. Observó cómo saltaba la barda del cementerio abandonado y desaparecía dentro de una tumba. Su reacción en este momento, la cual es muy comprensible, da a todo el relato un toque de verdad. Sin saber qué hacer después, Edward se quedó de pie en la oscuridad frente a la antigua cripta siniestra escuchando y observando. Su dilema era ir en busca de ayuda y correr el riesgo de que su presa escapara, enfrentarla en un combate cuerpo a cuerpo, o esperar y vigilar con la remota esperanza de que alguien pasara por ahí para enviarle un mensaje a Michael.

Pasó el tiempo y siguió indeciso, pero pensó que lo mejor sería ir en busca de ayuda. Tal vez la bala había dañado a la criatura más de lo que parecía al principio. ¿Estaba ya muerto su oponente o estaba muriendo por la pérdida de sangre? Finalmente Edward dejó la tumba sin vigilancia y fue en busca de Michael y otros que pudiera encontrar.

Poco después, un grupo decidido formado por los Cranswell y sus amigos más aventurados, entraron a la tumba donde Edward había visto entrar a la criatura herida hacía más o menos una hora. Su interior estaba lleno de viejos ataúdes rotos y su contenido en descomposición, con una excepción. Según la tradición de Croglin, los hombres vieron una especie de tablado elevado en el centro de la cripta, en el que había un sólo ataúd antiguo y fuerte que estaba abierto y contenía un cadáver seco y enjuto, pero muy bien preservado. La luz de sus linternas reveló sangre fresca en los labios y en los dedos del esqueleto. Además, de acuerdo a la tradición de Croglin, los hombres llevaron el cuerpo a un cruce de caminos, donde lo desmembraron y lo quemaron. Durante este rito macabro de destrucción, descubrieron una bala de plomo verdoso de Suiza en una de las piernas acartonadas de la criatura.

Demasiados factores hacen difícil, si no imposible, que esta aventura haya ocurrido en el siglo XIX. Las pistolas de un sólo tiro y de avancarga eran más comunes en los siglos XVII y XVIII que a finales del siglo XIX. De haber comprado sus armas en la década de 1870, es más probable que los hermanos Cranswell compraran el revólver de seis cámaras.

Existe una evidencia histórica muy convincente que se obtuvo de la Sra. Parkin, cuyo esposo, Inglewood Parkin, fue dueño de las tierras donde está Croglin Low Hall en la década de 1930, de que la vieja iglesia de Croglin Parva fue destruída por Ireton, cuñado de Oliver Cromwell, durante la guerra civil. Ella recuerda que cuando acababa de llegar ahí, había muchas piedras de esta iglesia en un área cercana a Croglin Low Hall, que entonces se conocía como el Campo de la Iglesia. La tradición local asegura que antes había tumbas en ese lugar, lo que incluye la cripta de la familia Fisher.

Después de que se quemó el cuerpo desmembrado, no se habló de ataques de vampiros en la aldea y sus alrededores.

Si el relato del Vampiro de Croglin se transporta al siglo XVII, donde es más probable que pertenezca desde el punto de vista histórico, todo el relato se vuelve más comprensible y creíble. Pero

¿qué *era* esa horrible criatura parecida a un espantapájaros que casi mató a la joven Amelia Cranswell en esa cálida noche de verano?

Cuando dimos una plática sobre el fenómeno del vampiro de Croglin en la década de 1970, un ingenioso médico que estaba en el público presentó una teoría fascinante y completamente racional. Insinuó que no había nada paranormal en el caso: Amelia había sido atacada por un demente que, como parte de su demencia, se ocultaba en las tumbas que rodeaban la iglesia abandonada que estaba junto a Croglin Low Hall. Después de que Edward le disparó en la pierna, el psicópata se refugió en la cripta donde había estado viviendo por algún tiempo. Su enfermedad mental no implicaba que fuera estúpido, en absoluto. No tenía idea de lo que Edward estaba haciendo afuera de la cripta, así como Edward no tenía idea de lo que sucedía dentro de ella. Fue un juego de suposiciones para ambos. De pronto al "vampiro" se le ocurre una idea. Habiendo utilizado la cripta como escondite durante varias semanas, sabe todo acerca del único cuerpo que está bien preservado. Le llega la inspiración. Si esas personas quieren un vampiro, ¡tendrán un vampiro! El psicópata extrae la bala de plomo verdoso de la herida de su pierna. Embarra sangre fresca de esa misma herida en la boca y en las manos del viejo cadáver. Después su inspiración es aún mayor; toma la bala suiza de plomo verdoso que acaba de sacar de la herida de su pierna y la introduce en la pierna acartonada del ocupante del ataúd que está en medio de la cripta. Después se asoma con cautela por la puerta de la cripta... ¡es afortunado! ¡El peligroso joven de la pistola ya se fue! El psicópata se escabulle fuera de la cripta y se aleja de Croglin cuanto puede. "Y", dijo el doctor, en forma pensativa, "la gangrena que contrajo por tocar su herida con los dedos que acababan de tocar un cadáver, lo mató unos días después. Se encuentra a un pobre vago muerto en una zanja. Aparte de una discusión mordaz sobre la parroquia a que pertenece, que es la que deberá hacerse responsable de cubrir los gastos de su entierro, no se le pone mayor atención. No es sorprendente que no hubiera más ataques de vampiros en el distrito de Croglin. Los que ayudaron a desmembrar y quemar el viejo cadáver inofensivo en el cruce de caminos, están satisfechos de que su trabajo haya tenido tan buenos resultados. Nadie relaciona al vagabundo muerto que se encontró en una zanja a cuarenta millas de distancia con el vampiro de Croglin".

Como solían decir los propietarios de los puestos en una feria: "¡Pagas tu dinero y elijes!". Eso pasa con el vampiro de Croglin. El peso de la evidencia indica que ocurrió ahí *algo* extraño y perturbador hace más de tres siglos, que se relaciona con el ataque a una chica y a sus hermanos, y con la venganza final contra la criatura. El que haya sido algo paranormal, un extraterrestre, un viajero entre dimensiones, o sólo un vampiro tradicional como Drácula o Varney, no se puede decidir con justicia con la evidencia que se tiene a mano en la actualidad. Una mentalidad abierta, combinada con una evaluación aguda y crítica de *todos* los hechos conocidos, por lo general finalmente lleva a un investigador honesto a la verdad.

EL ALFABETO DE GLOZEL Y OTROS ALFABETOS EXTRAÑOS

En 1924, el joven Emile Fradin descubrió cerca de Vichy, Francia, un antiguo depósito de placas de barro grabadas con un alfabeto desconocido.

La granja de la familia Fradin se encuentra en el pequeño caserío de Glozel, cerca de Vichy, en el centro de Francia. El 1 de marzo de 1924, cuando Emile Fradin tenía sólo 17 años, estaba ayudando a su abuelo a rescatar a uno de sus animales que había caído por la aparentemente suave y segura superficie cubierta de césped de una de sus praderas. Debajo de ella había una cavidad artificial totalmente insospechada.

Estaba revestida con ladrillos entrelazados y varios de ellos estaban vidriados, como si se les hubiera expuesto a un calor intenso. La cavidad pudo haber sido un horno antiguo, o tal vez una antigua fábrica de vidrio.

Una vez que Emile y su abuelo pudieron rescatar a su vaca, Emile bajó a explorar la cavidad con más cuidado. En unos minutos había realizado varios descubrimientos interesantes. La cavidad tenía un gran número de estantes de ladrillo horneado y piedra, y también había muchos nichos de almacenaje. Todos estaban llenos de objetos poco usuales muy antiguos. Emile encontró estatuillas de deidades primitivas, cornamentas y huesos tallados, y placas de barro escritas en un alfabeto que nadie podía leer. Como en los alrededores también se encontraron muchos restos humanos, la zona llegó a conocerse como *Champs des Morts:* El Valle de los Muertos.

El coautor, Lionel Fanthorpe, con Emile Fradin, el granjero de Glozel que descubrió, en una cámara subterránea, los antiguos y misteriosos objetos grabados con un alfabeto desconocido.

El Dr. Albert Morlet era un médico que ejercía en Vichy cuando los Fradin hicieron su descubrimiento. También era un muy entusiasta arqueólogo aficionado. En *El Mundo Perdido* (1912) de Sir Arthur Conan Doyle hay dos personajes que forman una maravillosa antítesis: el Profesor Challenger y un rival académico, que discuten acaloradamente sobre sus teorías arqueológicas contradictorias. La gran fuerza del estilo de Doyle, ya sea que escribiera sobre Sherlock Holmes o alguno de sus otros personajes, era que sus personajes ficticios actuaban como personas reales. Sir Arthur llenó sus páginas con hombres y mujeres que podrían haber existido tanto en la historia como en la ficción. Challenger y su rival fueron el ejemplo perfecto de los eruditos de alto nivel que se lanzan comentarios mordaces cuando sus teorías están en conflicto. Morlet y los Fradin estaban del mismo lado cuando se discutía el hallazgo de Glozel, y la mayoría de los arqueólogos franceses del otro. Estas líneas de batalla, una vez establecidas, continuaron atacándose durante muchos años.

Morlet visitó la granja de los Fradin el 26 de abril de 1925, y lo que le mostraron le causó una fuerte impresión. Examinó el lugar y su contenido con cuidado y declaró que los objetos eran antiguos, genuinos y muy importantes.

Morlet hizo un trato con los Fradin. Ellos se quedarían con los objetos encontrados en la cavidad, y él tendría derechos exclusivos sobre los estudios científicos, la información y la publicación de lo que se había encontrado.

La noticia del asombroso descubrimiento de Glozel, y en particular de las placas con el misterioso alfabeto desconocido, llegó al Dr. Capitan, muy reconocido profesionalmente como uno de los arqueólogos más importantes de Francia. Visitó el lugar y *en un principio* estuvo tan impresionado como lo había estado el Dr. Morlet. En consecuencia, le escribió a Morlet: "Tiene Ud. aquí un estrato maravilloso. Por favor mándeme un informe detallado de sus hallazgos que pueda yo hacer llegar a la Comisión de Monumentos Históricos". Si Morlet hubiera hecho eso, la historia de la aventura de Glozel habría sido totalmente distinta. Pero no fue así.

La coautora Patricia Fanthorpe en el lugar en que se realizó el descubrimiento en Glozel, cerca de Vichy en el centro de Francia. De aquí se sacaron los extraños y antiguos objetos en 1924.

Él y los Fradin ignoraron al Dr. Capitan y produjeron una publicación independiente titulada: "*Nouvelle Station Néolithique*", un nuevo hallazgo neolítico.

El Dr. Capitan se sintió humillado porque no se le tomó en cuenta. Pensó que su autoridad y su reputación profesional estaban en riesgo. Pensó que Morlet era un aficionado, y consideró que él, Capitan, era la máxima autoridad en la arquelogía profesional de Francia en la década de 1920; se enfureció muchísimo porque este aficionado se había atrevido a *retarlo*, a él, que se consideraba el mayor de los expertos, a quien, con todo derecho, todos los expertos seguían y obedecían con humildad.

Con un ego de ese calibre, la venganza de Capitan fue enorme. Proclamó que el hallazgo de Glozel no era auténtico y que los Fradin habían "hecho" las piezas que se descubrieron.

estudió una de las mascarillas de piedra y pensó que se parecía mucho a Beethoven. El Profesor René Dussaud se unió a los partidarios de Capitan, que negaban la autenticidad de los hallazgos de Glozel, y declaró que Loth no había comprendido que esa máscara se parecía a Beethoven porque los Fradin habían *copiado* la mascarilla de Beethoven. Como éste había muerto en 1827, Dussaud argumentó que todo lo que se había descubierto en Glozel era un fraude; una conclusión demasiado generalizada sobre cornamentas y huesos tallados que eran muy parecidos a todas las piezas de museo autentificadas por líderes reconocidos en el campo de la arqueología; hombres como el mismo Capitan.

Un científico forense llamado Edmond Bayle se unió a la batalla; pensó que podía detectar hierba en algunas de las placas de barro. Dijo que probablemente eran falsas. El cazador Charles Rogers, notable falsificador de reliquias, como Dawson y el fiasco del Cráneo de Piltdown en Inglaterra, "confesó" que él había fabricado algunos de los objetos de Glozel, pero a Rogers no se le conocía por adherirse estrictamente a la verdad, y habría recibido con agrado la publicidad relacionada con la controversia de Glozel.

En la década de 1970, cuando Lionel era conferencista en la Universidad de Cambridge, nuestro trabajo de investigación para ese curso nos llevó a Glozel. Tuvimos una larga conversación con Emile Fradin, que había rescatado a la vaca y había hecho el gran descubrimiento casi medio siglo antes de que lo conociéramos. También tuvimos la gran oportunidad de estudiar directamente el sitio en sí y los objetos que están en el museo de Glozel. En nuestra opinión, Emile Fradin fue sincero y genuino, había encontrado el lugar por accidente cuando la vaca cayó en él en 1924, y los objetos que se descubrieron ahí eran antiguos, no falsificaciones hechas en el siglo XX. Sin importar cuál sea la extraña historia que está detrás de los objetos y el alfabeto, lo único que hizo Emile Fradin fue revelar el misterio: no tuvo nada que ver con su fabricación.

El descubrimiento de la termoluminiscencia cambió el curso de los acontecimientos a favor de quienes apoyaban la autenticidad del hallazgo de Glozel. El trabajo inicial y los primeros experimentos con termoluminiscencia se llevaron a cabo en las Universidades

Glozel	Cretense	Griego Antiguo	Rúnico
[illegible]	[illegible]	[illegible]	
B	B	[illegible]	[illegible]
[illegible]	[illegible]	[illegible]	[illegible]
▷ ▽ △	△	△	[illegible]
[illegible]	[illegible]	[illegible]	[illegible]
[illegible]	[illegible]	[illegible]	[illegible]
⧗	⧗	I	I
[illegible]	[illegible]	B	N И H
⊗ ⊕	⊕ ⊗	⊗ ⊕	[illegible]
[illegible]	[illegible]	[illegible]	[illegible]
K K	Y	[illegible]	Y
[illegible]	[illegible]	[illegible]	[illegible]
[illegible]	[illegible]	I	Π
⊙	· ⊙	o	

Cuadro de comparaciones alfabéticas entre la escritura desconocida de Glozel y otros sistemas antiguos de escritura.

de Edimburgo y Copenhague, pero en la actualidad se llevan a cabo en laboratorios de calidad en todas partes. Por ejemplo, el Laboratorio de Investigación TOSL en la Universidad de Dalhousie, está entre los mejores del campo que entregan servicios analíticos de termoluminiscencia a coleccionistas privados, galerías de arte y museos.

La termoluminiscencia, que con frecuencia se abrevia TL, funciona con base en el principio de que muchos cristales como el feldespato, el cuarzo, la calcita y el diamante, absorben la energía que proviene de la radiación ionizada, es decir de rayos cósmicos, alfa, beta y gamma. Esta energía libera algunos electrones de los cristales y se mueven en su configuración. Como ahí existen ciertas fallas e imperfecciones, es inevitable que un número de electrones quede atrapado en ellas. Al calentar el cristal o dirigir hacia él una luz poderosa, se desprenden los electrones atrapados y el cristal empieza a brillar. Midiendo la luz que emana del cristal, los científicos de TL pueden calcular cuántos años han pasado desde que la energía se perdió en una ocasión anterior; como cuando se cocieron al horno las piezas de cerámica de las que el cristal forma ahora una mínima parte.

Supongamos que una jarra se horneó hace 4,000 años. Toda la energía que sus cristales de cuarzo hayan tenido jamás habría salido con ese horneado original. Entonces, si la jarra permaneció en la tierra sin que nadie la tocara durante 4,000 años, sin que se le expusiera a la energía del calor o de la luz, la radiación natural del entorno gradualmente la volvería a cargar.

Al calentársele de nuevo en un laboratorio de TL en la actualidad, dentro de un cilindro resistente a la luz con un detector de luminiscencia, la pieza de cerámica volvería a brillar cuando se llegara a la temperatura adecuada. Esta información, junto con el nivel de radiación que aplica a la zona en que se encontró, haría posible que se determinara una fecha razonablemente exacta de la primera vez en que la pieza fue expuesta al calor. Los resultados de TL en los hallazgos de Glozel mostraron que las piezas más recientes tenían una antigüedad de varios siglos, y las menos recientes se remontaban a una antigüedad de milenios.

Se tomaron al azar veintisiete piezas de cerámica de entre las más de 300 que se han encontrado en Glozel al paso de los años. En promedio, sus fechas, cuando se les analizó con TL en varios laboratorios distintos de excelente reputación, resultaron ser de aproximadamente 100 años antes de Cristo. Un diente de buey que se encontró dentro de una de las urnas decoradas de Glozel, se sujetó a un análisis de fechas independiente usando radio-carbono, y el resultado fue similar. Una placa grabada ya estaba recubierta con cristal que se horneó en el siglo XVII o XVIII, cuando fue recuperada. No parece existir un método mediante el cual los Fradin hubieran podido grabar esa placa; incluso con la ayuda del Dr. Morlet.

Se reivindicó por completo al Dr. Morlet y sus amigos, los Fradin. Mientras que los eruditos discípulos de Capitan y sus sucesores quedaron ante un vergonzoso fracaso.

Sin embargo, en justicia a la arqueología establecida, es necesario aclarar que una de las bases principales de su escepticismo era la *extensión de la antigüedad* de los hallazgos. No todos eran del mismo período; en algunos casos los separaban siglos e incluso períodos más largos. La única explicación parece ser que era una especie de colección. Pero si lo era, *¿quién* la había reunido y *por qué*? Repito, en justicia a la arqueología establecida, hasta que la arqueología y paleontología científicas entraron en escena y establecieron las reglas fundamentales, la especulación más extraña e infundada dominó los criterios relacionados con el origen de los enigmáticos objetos antiguos que de tiempo en tiempo descubrían los labradores, poceros y mineros.

Los lugares donde se han encontrado evidencias de la edad de piedra, éstas se atribuían a los ángeles, los demonios, los gigantes, los magos y las hadas. Se decía que los enormes huesos de dinosaurios y mamuts extintos comprobaban el relato bíblico de que "había gigantes en la tierra en aquellos días". Cuando se encontraban puntas de flecha hechas con pedernal, se decía que los duendes y las hadas las habían fabricado.

Sin embargo, existe un argumento a favor de quienes dicen que los magos, las brujas, los chamanes y hechiceros, los taumaturgos y nigromantes del medievo coleccionaban estos extraños objetos antiguos *creyendo que su origen era mágico y que podían transmitir poderes mágicos a quienes los usaban.* ¿Un mago de la edad media tenía su centro de operaciones y su taller en Glozel? ¿Son sus hechizos y encantamientos lo que está grabado en el alfabeto desconocido? ¿Se fabricaban ahí talismanes y amuletos que se vendían a los clientes? ¿No era razonable suponer, en esa era anterior a la ciencia, que llevar una punta de flecha que las hadas habían fabricado con pedernal, envuelta con las hierbas apropiadas que se habían recolectado a la luz de la luna, protegería a la persona de los ataques de arqueros humanos, y haría que sus flechas dieran siempre en el blanco?

¿Y que hay de ayudar a un niño muy pequeño a volverse fuerte, robusto y alto alimentándolo con una poción que contenía polvo de huesos de gigantes? (tal vez restos de dinosauros, mamuts y mastodontes fosilizados.)

Una cámara subterránea, bien equipada con estantes de ladrillo y piedra sería ideal para un taller, una sala de consulta o una vivienda, como la que el Próspero de Shakespeare tenía en su isla. Glozel es un lugar remoto, incluso en la actualidad. En la Edad Media habría parecido aún más remoto: un escondite ideal para la cueva donde un mago almacenaba sus tesoros; muy lejos de la mirada curiosa de las autoridades civiles, y relativamente seguro ante la Santa Inquisición.

Existe otro misterio extraño que se relaciona con los límites de Glozel: su proximidad con el antiguo Château Montgilbert. Montgilbert, que colinda con Glozel, se construyó en el siglo XII cuando los templarios estaban a punto de alcanzar su máximo poder. Las construcciones de los templarios eran casi tan perfectas como sus batallas. Su habilidad como constructores era equiparable a su habilidad y valor en una batalla. ¿El almacén subterráneo que encontró el joven Fradin en 1924, tenía alguna conexión con Château Montgilbert y los numerosos códigos y misterios relacionados con los caballeros templarios?

Glozel está a sólo dos días a caballo de Rennes-le-Château, la diminuta aldea que está en la cumbre de una colina, y que se relaciona con la misteriosa riqueza del Padre Bèrenguer Saunière, párroco de ese lugar en 1885. Si existe un vínculo entre Glozel y el tesoro de Rennes, tambíen podría existir un vínculo entre Glozel y el igualmente misterioso tesoro de la Poza de Dinero en Oak Island, en la costa de Nueva Escocia. Si son ciertas las teorías sobre Henry Sinclair de Orkney y los refugiados templarios que él ayudó a cruzar el Atlántico, (y hay muchas razones para creer en las evidencias en que se apoyan), es casi seguro que los templarios estén relacionados con Montgilbert y con Rennes-le-Château. Entonces, los templarios bien podrían estar involucrados en el Misterio de Oak Island y en los enigmas de Rennes y Glozel. Los templarios eran expertos en claves y códigos secretos. El alfabeto enigmático que está grabado en las placas de Glozel podría describir secretos de los templarios.

Sea cual fuere la verdad definitiva sobre los misterios del alfabeto de Glozel, de ninguna manera es un caso aislado. Se cree que las llamadas placas Tártaras de Bulgaria, que las instituciones internacionales de arqueólogos han aceptado ampliamente como genuinas, tienen una antigüedad al menos 1000 años mayor que el alfabeto de Jemdet Nasr en la antigua Sumeria. Si las inscripciones de Glozel son antiguas y genuinas, lo que ciertamente parece ser el caso, son un reto a la historia tradicional sobre el desarrollo de la escritura.

En la Isla de Pascua también se descubrió otro sistema de escritura muy extraño; esta isla es uno de los lugares más misteriosos de la Tierra, y se localiza en una latitud de 27 grados, 8 minutos, 24 segundos sur, y 109 grados, 20 minutos oeste. La Isla de Pascua está a 2,700 millas de Tahití, y a 2,600 millas de Valparaíso. El Archipiélago de las Islas Galápagos, donde Darwin encontró mucha información importante para la teoría de la evolución, está a 2000 millas al norte de la Isla de Pascua. Sólo la Antártida queda al sur. La isla es tan pequeña que su superficie no llega a las cincuenta millas cuadradas, sin embargo en ella aún se ocultan tres grandes misterios.

Si se le observa desde el aire, tiene una costa triangular con lados de aproximadamente 10, 11 y 15 millas. Los frecuentes vientos de la Antártida no logran enfriar el clima de la isla, y siempre permanece agradablemente templado. De diciembre a mayo es seco y de junio a noviembre es lluvioso y frío.

La Isla de Pascua es de origen volcánico y tiene variaciones magnéticas poderosas. Los fondeaderos que existen en ella son peligrosos, y no tiene lo que se podría llamar un puerto. Las comodidades son limitadas. Existe un transmisor de radio, un pequeño hospital y una pista de aterrizaje que de ninguna manera compite con las pistas en que aterriza un Concorde.

El navegante Juan Fernández hizo un breve comentario, bastante engimático, sobre una visita a lo que debió ser la Isla de Pascua en 1576. Informó que había encontrado personas cuya cultura era más avanzada que la que había encontrado en Perú o en Chile. Fernández prometió regresar, pero murió antes de su segunda visita. El Capitán John Davis (un marino holandés a pesar de su apellido británico) vio lo que *pudo* haber sido la Isla de Pascua en 1680. Observó que grandes parvadas de aves volaban a su alrededor, y siguió navegando. Conforme a la costumbre del siglo XVII, la llamó Isla John Davis. Los historiadores de la navegación siguen discutiendo si la Isla de Pascua es realmente la Isla John Davis. Entre sus visitantes posteriores están los Capitanes Cook, González y La Pérouse.

Las leyendas históricas de la Isla de Pascua, que se han preservado ante todo mediante la tradición verbal, cuentan cómo, hace mucho tiempo, había un reino llamado Maraerenga muy lejos de la Isla de Pascua, hacia el oeste. Cuando murió el rey, sus hijos lucharon por el trono, y el hermano derrotado, Hotu Matua, huyó por mar con su familia, sus amigos, guardaespaldas y seguidores hasta que llegaron a la Isla de Pascua. Plantaron semillas que habían traído consigo, llamaron a su nuevo país Rapa Nui y prosperaron ahí.

Las leyendas describen a Hotu Matua como un hombre de apariencia muy aristócratica que usaba una capa de plumas rojas, y se da énfasis especial a sus grandes orejas, una característica de la clase alta que regía en Rapa Nui. Esta minoría culta había monopolizado la educación, y eran los únicos que sabían escribir y leer el misterioso *Rongo-rongo*, grabado en las sesenta y siete placas de piedra que Hotu Matua había traído consigo de Maraerenga. Cuentan las leyendas que el *Rongo-rongo* contenía ante todo himnos e historia: el equivalente, en Maraerenga, a los libros bíblicos de Samuel, las Crónicas y los Reyes, así como los Salmos.

En la década de 1860, los traficantes de esclavos sacaron a más de 1000 hombres de la Isla de Pascua, lo que incluye a los últimos aristócratas de grandes orejas que podían leer el *Rongo-rongo*. Tiempo después, se repatrió a un puñado de estos cautivos, que trajeron consigo la mortal epidemia de la viruela. En la actualidad, es muy poco probable que haya sobrevivido, en la Isla de Pascua, algo de la cultura erudita original del *Rongo-rongo.*

Cuando se les pregunta sobre el paradero actual del *Rongo-rongo*, los habitantes de la Isla de Pascua responden: "Está aquí pero no está aquí", lo que parece indicar que las placas están ocultas en algún lugar de la isla; lo más probable es que están en los lugares sagrados en que sólo se sepultaba a quienes podían leerlo. Al paso de los años, varios eruditos y personas cultas, hicieron unas cuantas copias de las placas del *Rongo-rongo* antes de su desaparición.

El Obispo Tepano Jaussen fue uno de los primeros que trataron de descifrar la misteriosa escritura; y muchos años después el Profesor Barthel de la Universidad de Hamburgo, llevó a cabo estudios posteriores muy profundos. Las placas del *Rongo-rongo* se niegan obstinadamente a revelar sus secretos.

Otro sistema de escritura antiguo y misterioso, que no obstante se entiende mucho mejor que la escritura de Glozel y la de *Rongo-rongo* de la Isla de Pascua, es el Ogham, o como en ocasiones se escribe, Ogam. Es la forma más antigua de la lengua Goidélica (una primitiva versión irlandesa del antiguo idioma celta). El Ogham se utilizó en Gales y en Escocia, además de Irlanda. Se han descubierto más de veinte inscripciones en Ogham al norte del Muro de Hadrian, se han encontrado más o menos treinta en el sur de Gales, y una o dos en Devon y Cornwall. Sin embargo, la gran mayoría de las 300 inscripciones que han salido a la luz, se han encontrado en Irlanda, principalmente en Kerry y Cork. Casi todas estaban en lápidas antiguas, y varios expertos consideran que el Ogham era más bien un código secreto, y no un alfabeto convencional.

El principio básico del Ogham es muy sencillo. Una línea se puede trazar en forma vertical y horizontal, y a partir de esta línea fundamental se hacen varios trazos en ángulo recto. Los pequeños trazos que se van alejando de la línea fundamental, tienen un ángulo de 90 grados con respecto a ella, aunque muy pocas líneas de Ogham forman ángulos, lo que es similar a algunos sistemas modernos de taquigrafía.

Una antigua rima irlandesa, que al parecer data de hace varios siglos, proporciona las instrucciones básicas para escribir Ogham:

Para la B, un trazo a tu derecha,
para la L, dos trazos siempre debe haber,
para la F haz tres; para la S, cuatro,
cuando quieres N, agregas uno más.

Nuestro amigo George Young de Nueva Escocia ha realizado un estudio largo y detallado de las inscripciones en Ogham, y ha llegado a la conclusión de que Nicholas Poussin, pintor esotérico del siglo XII, utilizó la versión manual del alfabeto Ogham. Al parecer, Poussin estaba involucrado en el misterio de Rennes-le-Château, y uno de los pergaminos en clave, que según se dice fueron encontrados en un antiguo pilar visigodo de un altar en la iglesia de ese lugar, afirmaba que Poussin y otro pintor llamado Teniers "...conservaban la clave..."

Mediante un examen cuidadoso y meticuloso de muchas de las pinturas de Poussin, George Young descubrió que la forma en que representaba las manos de quienes aparecían en sus pinturas, hacía que se pudieran leer mensajes en Ogham. La posición de la mano hacia arriba o hacia abajo, o si señalaba a la derecha o a la izquierda, y utilizando la mano en sí como el trazo principal de la letra, el número de dedos visibles, *podría* utilizarse para mostrar el número de trazos que forman una letra Ogham. Por ejemplo, un dedo señalando hacia arriba o hacia la derecha, sería la letra B; cuatro dedos y el pulgar serían la N, y así sucesivamente.

Algunos historiadores del arte que se especializan en obras del período de Poussin, han notado que sus composiciones tienden a basarse en diseños geométricos complicados. En el caso de "Los pastores de Arcadia", la pintura que se supone está relacionada con la clave de Rennes-le-Château, por lo menos un analista observó un pentágono que se relaciona con la medida del báculo del pastor, un pentágono que parece ser la base de la composición del cuadro, desde fuera. Por consiguiente, existe una gran posibilidad de que los enigmas que se dice encierran las pinturas de Poussin, no sólo se compliquen por el sistema de señales mediante las manos, sino también por la extraña geometría que los pintores de ese período solían utilizar.

Los alfabetos antiguos desconocidos están entre los misterios sin resolver más intrigantes y fascinantes que enfrenta un investigador. En ocasiones puede ser consolador suponer que una línea es el resultado natural de la erosión y que por coincidencia forma lo que parece una letra Ogham o un signo del alfabeto de Glozel, es parte del misterioso mensaje del pasado. Cuando se trabaja con alfabetos desconocidos, los requisitos esenciales para el éxito final son la paciencia, el cuidado, el estar dispuesto a admitir grandes posibilidades de error y empezar de nuevo con un enfoque completamente distinto.

LAS PROFECÍAS DE MOTHER SHIPTON Y NOSTRADAMUS

¿En realidad veían el futuro la extraña sabia de Yorkshire y el dotado doctor francés?

Mother Shipton, la mujer sabia de Knaresborough, Yorkshire, nació cerca de 1488. Su madre, Agatha Sontheil quedó huérfana siendo una jovencita y tuvo que arreglárselas sola. Existen varios relatos sobre quién fue el padre de su hija, Úrsula, quien al paso de los años llegó a convertirse en Mother Shipton. Una versión indica que el misterioso padre era un clérigo de alto rango; lo cierto es que el Abad de Beverley Minster fue personalmente a bautizar a la niña, y la vigiló durante años. Algunas versiones de la concepción y primera infancia de Mother Shipton dicen que su padre era un noble, un Caballero Andante, tal vez un trovador que conoció a Agatha cuando pasó por Knaresborough.

En un relato, Agatha le entregó el cuidado de Úrsula a una nodriza, cuando la niña tenía dos años, e ingresó a un convento. En otro, la nodriza se apiadó de la niña cuando su madre murió. Una de las leyendas más persistentes sobre la infancia de Úrsula mientras estaba bajo el cuidado de la nodriza, es que de alguna manera, ella y su cuna se movieron hasta la chimenea de la cabaña y se sostuvieron ahí sin nada visible en que se apoyaran: este tipo de episodios apoyaba el rumor de que su padre había sido un demonio, quizás el mismo Lucifer.

Lo que es de particular importancia, es la elección del nombre *Úrsula*, que significa "el oso". El legendario Rey Arturo estaba relacionado con el antiguo y misterioso Clan del Oso, como otras familias británicas antiguas. ¿Fue el padre de Úrsula miembro del enigmático Clan, y fue por su insistencia que el Abad de Beverley Minster asumió un papel de guardián, distante pero eficaz, para proteger a la pequeña Úrsula? De hecho, ¿fue por petición específica del padre ausente que el Abad viajó sesenta millas para bautizar a la niña, y además le dijo a Agatha qué nombre había escogido el padre para su nueva hija? ¿Pudo también haber sido el Abad miembro del Clan del Oso?

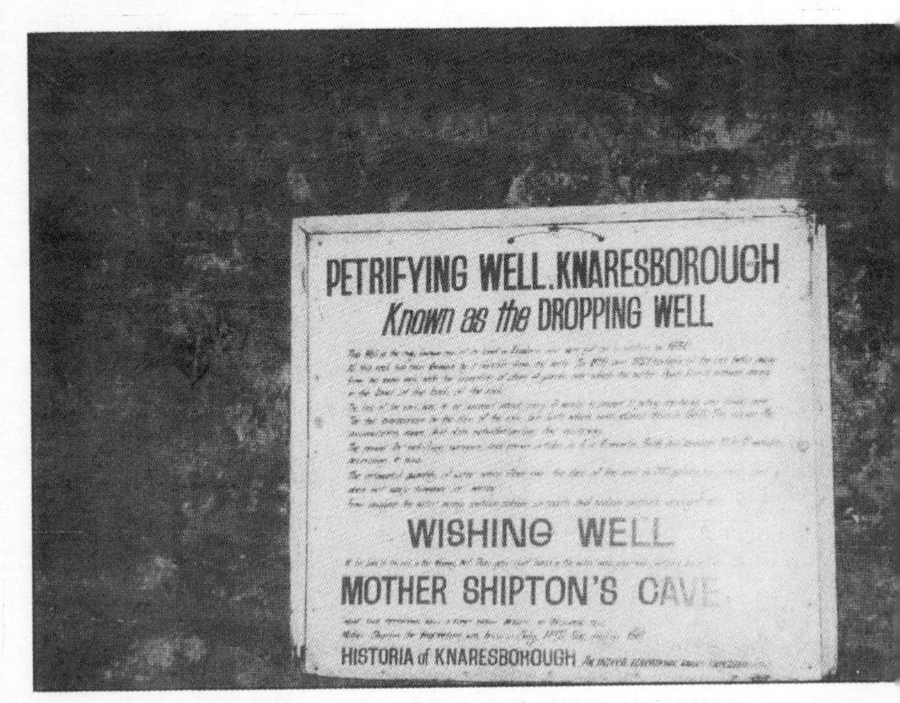

Letrero que está a la entrada de la Cueva de Mother Shipton en Knaresborough, Yorkshire, Inglaterra.

Úrsula fue enviada a la escuela en la zona de Knaresborough, donde su artritis, que quizá fue el resultado de vivir en una cueva húmeda cerca del Río Nidd, donde Agatha se había refugiado, hizo que los demás niños se burlaran de ella. A pesar de la actitud poco amigable de sus compañeros de escuela, Úrsula tuvo buena relación con sus profesores, y comprobó ser muy inteligente. También tenía el don poco usual de comunicarse con las aves y los animales.

A la edad de 22 años, conoció a Toby Shipton, un carpintero de buen corazón, que con gusto se casó con ella, a pesar de las deformaciones físicas que habían sido la causa de las burlas de sus compañeros de escuela. A partir de su matrimonio, se le dio el título de Mother Shipton.

Al parecer, uno de los primeros relatos de sus profecías y aforismos, fue compilado por Joanne Waller, quien murió en 1561 a la edad de 94 años; el mismo año en que murió Mother Shipton, después de haber profetizado su propia muerte con mucha anticipación, de haberse preparado para ella con tranquilidad y haberse acostado con calma para esperar lo que ella misma había profetizado.

Algunas de las primeras ediciones de las Profecías de Mother Shipton se publicaron en 1641, 1684 y 1686, lo que es un factor muy importante para quienes investigan casos como éste. Con frecuencia, las investigaciones revelan que las llamadas "profecías asombrosas" y "casos extraños de conocimiento del futuro" en realidad fueron escritos por otra persona mucho *después* del suceso, y la manera más adecuada de describirlos es decir que son una confusa historia anacrónica, y no conocimiento del futuro.

Las profecías de Shipton por lo general aparecían como rimas, como las de Nostradamus en sus enigmáticas cuartetas, y en ambos casos, el significado estaba en clave y era oculto. Un ejemplo típico es este dístico:

Cuando la Vaca monta al Toro,
entonces el Sacerdote se cuida de su cráneo.

La coautora Patricia Fanthorpe en la Cueva de Mother Shipton.

Los intérpretes implican, con ingenio, que la Vaca representa a Enrique VIII, a causa de una de las figuras en su escudo, y el Toro representa a Ana Bolena, cuyo apellido también se escribía *Bull*oigne (*Bull* significa "toro" en inglés). Su padre tenía una cabeza de toro en su escudo, y poco después de su matrimonio con Enrique, éste cerró los monasterios y otras casas religiosas, instigó la persecución de muchos sacerdotes y les causó muchas dificultades.

La profecía de Mother Shipton sobre el reinado de Isabel I, es mucho más clara:

Una dama reina por muchos años
Llevará el cetro guerrero de Inglaterra

En la misma época, surgió su profecía sobre la destrucción de la Armada Española por Drake:

Los caballos de madera del Monarca del Oeste
serán destruidos por las fuerzas de Drake.

Dos de sus profecías más notables se relacionan con la Gran Plaga y el Gran Incendio de Londres. Escribió:

La muerte triunfante cabalga a través de Londres
y los hombres suben a los techos de las casas...

Durante el pánico y confusión que creó el Gran Incendio, los hombres de hecho subieron a los techos de las casas para ver hacia dónde se dirigían las llamas, y el 22 de octubre de 1666, Samuel Pepys escribió en su diario, refiriéndose a Sir Jeremy Smith:

Dice que estaba a bordo del "Prince" cuando llegaron noticias del incendio de Londres; y lo único que dijo el Príncipe fue que ahora ya había salido la profecía de Shipton.

El Río Nidd, que pasa cerca de la Cueva de Mother Shipton.

Cuando algo de tanta solidez histórica como una nota en el Diario de Pepy niega la objeción de que la supuesta profecía de Shipton se escribió después del suceso, no supera la dificultad de la ambigüedad. Tal vez los hombres subieron a los techos de las casas a causa de una gran inundación, y si el Tames se hubiera desbordado en forma dramática, eso también se habría considerado el cumplimiento de las enigmáticas palabras de Shipton. Esta ambigüedad característica ha sido una peculiaridad de las profecías, desde tiempos remotos. Un ejemplo clásico fue la profecía que recibió Croesus de Lydia cuando le preguntó al Oráculo de Delfos qué pasaría si él atacaba a los persas. La respuesta fue "caerá un gran imperio". Suponiendo que esto significaba su victoria, lanzó un entusiasta ataque contra los persas. Sin embargo, el gran imperio que cayó fue el suyo.

Una de las profecías de Mother Shipton que carece por completo de ambigüedad se relaciona con el destino del Cardenal Wolsey, que había prometido quemarla en la hoguera a su llegada a York. Ella se había referido a él con desprecio como "el chico del carnicero". (El padre de Wolsey era carnicero en Ipswich) y como "el pavoreal con mitra". Cuando supo de las intenciones de Wolsey, ella se rió y dijo que él vería York pero nunca entraría. Al llegar al Castillo Cawood, el cardenal subió a la torre y contempló la ciudad. Esa noche, durante el banquete para celebrar la presencia de Wolsey en Cawood, llegó el Conde de Northumberland para arrestarlo por orden de Enrique VIII, y llevarlo a Londres para ser enjuiciado por traición, una experiencia que, durante el reinado de Enrique VIII, ¡casi invariablemente terminaba con una breve entrevista con el verdugo en el patio de la Torre! Wolsey fue más afortunado que la mayoría de quienes habían enfadado al irascible rey; murió por causas naturales camino a Londres.

Otra de sus trágicas profecías que se realizó fue su advertencia al Alcalde de York:

Cuando un Alcalde vive en Minster Yard en York,
que se cuide de una puñalada...

Un Alcalde de York que residió en Minster Yard, fue apuñalado de muerte por unos ladrones una noche.

Los galeces de Patagonia, Argentina, también se las han arreglado para preservar algunos de los dichos tradicionales de Shipton a lo largo de los siglos. Algunos investigadores, entre ellos David Toulson, implican que las siguientes líneas de una de sus profecías podían referirse a la Guerra de las Malvinas:

En tiempos por venir,
Nuestra tierra será gobernada por dos mujeres.
Un hijo nuestro será disputado
por un hijo de España...
En estos tiempos, se derramará sangre
Pero el hijo permanecerá.

En esa época, Inglaterra era gobernada por Margaret Thatcher y la Reina Isabel II. Se podría decir que el "hijo" de Inglaterra eran las Islas Malvinas. Los argentinos, "hijos de España", trataron de apoderarse de ellas, y se perdieron muchas vidas en ambos lados.

Aunque existe cierta controversia sobre la fecha de algunas de sus profecías más interesantes, que se supone son interpolaciones posteriores que se escribieron después de ocurridos los sucesos, vale la pena mencionar que predijo los automóviles, los trenes que atraviesan montañas, y pensó en vuelos alrededor del mundo en un abrir y cerrar de ojos: una breve afirmación que podría describir al Internet, los servicios de correo electrónico y la World Wide Web, tomando en cuenta que escribió esto casi 500 años antes de que existiera el Internet.

El niño Michel de Nostredame, que creció para convertirse en el casi legendario Nostradamus, nació el 14 de diciembre de 1503, en St Rémy, Provenza, Francia. Su padre, Jacques, tenía una buena posición y era notario. Su madre, Renée, era una gran ama de casa.

Cuando niño, el pequeño Michel estuvo rodeado de cariño, de la buena cocina provenzal, y la estimulante conversación de amigos y parientes que casi siempre estaban presentes en las comidas en casa de sus padres. Cuando creció, se convirtió en un entusiasta

El Castillo de Knaresborough, cerca de la Cueva de Mother Shipton. ¿Fue su padre un Caballero Templario que durante sus viajes se hospedó en este castillo?

estudiante de sus abuelos, Jean St de Rémy y Pierre de Nostredame, que le enseñaron hebreo, latín, griego, matemáticas y astrología. También le enseñaron una amplia gama de otras materias: lo que incluye medicina, herbolaria, historia y literatura. Lo más importante es que lo introdujeron a los secretos de la Cábala Hebrea y a la alquimia.

Sus familias habían aceptado el cristianismo obligatorio de la Europa de los siglos XV y XVI, sólo para escapar a la persecución. En secreto, en la intimidad de sus hogares, preservaron y conservaron la esencia de la sabiduría, la fe y la cultura judías.

Sus padres se conocieron gracias a la amistad de sus buenos abuelos. Los dos eran médicos personales del Rey René de Provenza, liberal y tolerante (conocido justamente como René el Bueno), y de su hijo el Duque de Lorena y Calabria. Con estos antecedentes, no fue sorprendente que la hija de Jean se casara con el hijo de Pierre.

Por desgracia, al morir el buen Rey René, el trono pasó a Luis XII de Francia, que no tenía la tolerancia y la ilustración del antiguo rey.

A los catorce años, Michel fue a Avignon donde estudió gramática, retórica y filosofía. Pero el Colegio estaba bajo la dirección de sacerdotes muy convencionales, y el interés del muchacho en la astrología y lo oculto, se consideró muy desfavorable. El joven también se dio cuenta de que Copérnico tenía razón al decir que el sol, y no la Tierra, era el centro de las cosas. Argumentó la idea sin temor, pero no eran tiempos propicios para involucrarse en una controversia de naturaleza científico-religiosa. Martín Lutero (1483 - 1546) estaba colgando su declaración en la puerta de la iglesia de Witenberg, e iniciando la Reforma Protestante. Juan Calvino (1509-1564) también estaba a punto de entrar al escenario con sus doctrinas sombrías y fatalistas. En años posteriores, Nostradamus, que aborrecía el estrecho puritanismo de Calvino,

El extraño pozo de petrificación, cerca de la Cueva de Mother Shipton.

se refirió al famoso teólogo de Ginebra y a su obra religiosa como *"...ese detestable olor..."*

El Abuelo Pierre, llamó a Michel a su casa y le dio prudentes consejos en cuanto a la política, sobre cuándo era conveniente *no* hablar con demasiado atrevimiento. Una raíz del problema era que el cristianismo de los siglos XV y XVI tenía una aversión irracional hacia los judíos, a quienes consideraba los asesinos de Cristo, olvidando convenientemente que Jesús también era judío. Torquemada (1420 -1498) y la Santa Inquisición habían torturado y asesinado a miles de judíos españoles, y los que podían, escapaban a Provenza para vivir bajo el benévolo reinado de René el Bueno. Cuando lo reemplazó Luis XII, la situación de los refugiados se deterioró, y no fue difícil para Pierre explicarle a su inteligente nieto la necesidad de "irse con pies de plomo" (con muchas precauciones).

Cuando era un joven, Michel expresó su profundo interés por llegar a ser astrólogo profesional, pero la familia lo convenció para que antes estudiara medicina y conservara su interés en la astrología como algo paralelo. En consecuencia, empezó sus estudios de medicina en 1522 en la Universidad Montpelier. Su insatisfacción juvenil con los sacerdotes que enseñaban en Avignon, se repitió a una mayor escala en Montpelier. Sus abuelos ya le habían enseñado más de lo que sabían los profesores de la Escuela de Medicina, y cuando, en muchas ocasiones estuvo en desacuerdo con los cultos profesores de Avignon, tuvo que recordar los consejos de Pierre sobre guardar silencio.

Nostradamus no compartía el entusiasmo de sus profesores por sangrar a los pacientes, y su preocupación por la limpieza se consideraba la peor herejía médica. Cuando se graduó en 1525, Nostradamus salió de Avignon con presteza y se fue a practicar su propio sistema de medicina, a su manera. Era un período difícil para hacerlo. La mayoría de las ciudades europeas estaban sobrepobladas, lo que era un terreno insalubre que favorecía a las plagas. El sur de Francia, en particular, sufrió la plaga *le Charbon*, una forma de infección bubónica que producía unas asquerosas pústulas negras.

Recuerdos petrificados de una boda en la época Victoriana, que quedaron atrapados en la cortina de piedra, afuera de la Cueva de Mother Shipton.

Nostradamus sorprendió a muchos de sus pacientes a quienes curó recomendando aire fresco, agua limpia para beber, y sus propias preparaciones de hierbas que eran poco comunes, lo había aprendido de sus abuelos.

Atendiendo sin temores a enfermos de quienes huían muchos médicos de esa época, los viajes de Nostradamus lo llevaron a casi todo el sur de Francia, lo que incluye Narbonne y Carcassonne, donde conoció al obispo Amenien de Fays, y se convirtió en su médico personal. ¿Será *posible* que Nostradamus haya tenido conocimientos sobre microorganismos patógenos por ser capaz de ver el futuro? De hecho, en sus extrañas profecías, nombró a Louis Pasteur, el gran investigador médico del siglo XIX: ¿es posible que lo haya visto en acción? Es irónico que sin importar qué habilidades médicas paranormales y futuristas tuviera, no fue capaz de salvar a su amada esposa y a sus hijos de la muerte por la plaga, a pesar de que sí fue capaz de detenerla con tanta efectividad en otras partes.

Al poco tiempo, Nostradamus estuvo en dificultades por un comentario que le hizo a un artesano que estaba haciendo una estatua de bronce de la Virgen María. El artesano se quejó ante las autoridades de la iglesia, y Nostradamus tuvo que irse de inmediato para evitar que se le citara ante la Inquisición de Tolouse. Durante los siguientes seis años, viajó con frecuencia y a muchos lugares para mantenerse fuera del alcance de las siniestras fuerzas de la Inquisición. Al parecer, sus poderes como profeta se desarrollaron notablemente durante estos viajes.

Una de sus profecías más específicas y sorprendentes se relaciona con su encuentro con un grupo de frailes Franciscanos. Se hizo a un lado con cortesía para dejar pasar a los hombres santos, por un angosto camino lodoso, y luego, de repente, cayó de rodillas ante un joven hermano llamado Felice Peretti. Explicó a los sorprendidos frailes que estaba rindiendo homenaje a un futuro Papa. Esto les pareció increíble: Felice había cuidado cerdos antes de unirse a los Franciscanos. Su oportunidad de siquiera una modesta promoción dentro de la iglesia parecía muy remota. Cuarenta años después, casi veinte años después de la muerte de Nostradamus, Peretti se convirtió en el Papa Sixto V.

Después de años de andar errante, Nostradamus finalmente se estableció en Salon, donde conoció a una adinerada viuda joven y se casó con ella: Anne Posart Gemelle. Compartían una hermosa casa en la Rue de la Poissonerie, donde Nostradamus convirtió el piso superior en un estudio. Aquí fue donde escribió la mayoría de sus famosas profecías.

De hecho, el inicio de sus métodos para tratar de estudiar el futuro fue el mirar fijamente una pequeña llama, hasta vaciar su mente tanto como era posible. Después, sentado en un trípoide de latón, miraba fijamente dentro de un recipiente de latón lleno de agua. Al entrar a un estado similar a un trance, veía y escuchaba cuadros y mensajes que venían del agua que estaba en ese recipiente. Técnicamente, al hecho de predecir el futuro mediante reflexiones en el agua, se le daba el nombre de hidromancia, que

Turistas visitando la Cueva de Mother Shipton. ¡La simbólica escoba de bruja está junto a la vieja silla!

estaba muy relacionado con la catoptromancia, o predecir el futuro utilizando espejos. J.R.R. Tolkien relaciona estas dos técnicas en *The Lord of the Rings* (El Señor de los Anillos), cuando se refiere al "Espejo de Galadriel", la Reina de los Elfos puede mostrarle a Sam Gamgee, el Hobbit, visiones reflejadas de su amada casa en Shire.

El dilema moral de Nostradamus era que aunque se sentía obligado a compartir sus visiones con otros, sabía que hacerlo era provocar la persecución y serias acusaciones de herejía y brujería. En 1550, publicó su primer Almanaque, un volumen que contenía doce cuartetos, uno sobre cada mes del año. El Almanaque tuvo mucho éxito y se convirtió en una publicación anual para el resto de su vida. La misteriosa precisión de sus cuartetos atrajo multitudes de visitantes ricos y distinguidos que buscaban su consejo.

Antes de esto, sin embargo, Nostradamus ya había tenido un éxito sorprendente con algunas profecías anteriores. Si el relato es cierto, y no existe una buena razón para dudar de su autenticidad, su predicción sobre los cerdos, negro y blanco, fue uno de sus mayores éxitos. Ocurrió cuando fue huésped del escéptico Seigneur de Florinville, quien le mostró dos cerditos, uno negro y uno blanco, y lo invitó a predecir su destino. Nostradamus dijo que ellos mismos se comerían al cerdo negro esa noche, pero que al blanco se lo comería un lobo. Para probar que el profeta estaba equivocado, de Florinville le ordenó al cocinero que preparara al cerdo blanco para la cena. Mientras lo comían, el Seigneur se rió de Nostradamus y le dijo que se estaban comiendo al cerdo blanco, lo que probaba que la profecía había sido falsa. Nostradamus le aseguró que se estaban comiendo al negro.

Mandaron llamar al cocinero para que aclarara el asunto. Llegó aterrorizado, y confirmó que se estaban comiendo al negro. Explicó que después de haber matado y preparado al blanco para el asador, un lobo doméstico que pertenecía a uno de los cazadores había entrado a la cocina, se lo había llevado y se lo había comido. Con el fin de que hubiera un banquete, había matado de inmediato al cerdo negro y lo había cocinado.

Otra de las profecías de Nostradamus, de extraordinario detalle y precisión se relaciona con la muerte del Rey Henry II de Francia. Había ordenado un torneo de tres días para celebrar la doble boda de su hija con Felipe II de España, y de su hermana Margarita con el Duque de Savoya.

Cuatro años antes, Nostradamus había publicado el siguiente cuarteto:

Le Lion jeune le vieux surmontera,
En champ bellique par singulier duelle
Dans caige d'or les yeaux lui crevera
Deux classes une, puis mourir, mort cruelle.

El león joven vencerá al viejo,
En un campo de pelea por singular duelo,
Dentro de una jaula de oro los ojos le traspasarán,
Dos heridas tendrá, y después una muerte cruel.

Toda la terrible profecía se realizó el 28 de junio de 1559. Casi al final del torneo, el Rey Henry, que estaba orgulloso de su valentía en las palestras, y que había competido con éxito hasta ese momento, convenció al joven Montgomery, su Capitán de guardia, que cabalgara contra él. Oscurecía y Montgomery se resistía a luchar contra el Rey, temiendo que ocurriera un accidente. Durante el tercer encuentro, la lanza de Montgomery se hizo astillas: una entró en el ojo del Rey y otra en su garganta. La agonía de Henry duró diez días, después de los cuales murió. Su casco tenía un visor parecido a una jaula de oro.

Nostradamus también profetizó lo que le ocurriría a Montgomery. Centurias Astrológicas 3, cuarteto 3, se traduce así:

El hombre que en el campo de pelea
ha alcanzado una victoria sobre un hombre mayor que él,
seis enemigos lo tomarán por sorpresa en la noche,
estará desnudo y sin su montura.

Aunque antes de morir, Henry había dicho claramente que no se debería culpar a Montgomery por el accidente fatal, el joven Capitán de la Guardia se fue de Francia. En Inglaterra se unió a los Hugonotes, y en consecuencia se involucró en la fallida invasión Protestante a Normandía. Catalina mandó a seis miembros de su Guardia Real para secuestrarlo por la noche. De acuerdo con la profecía, sacaron al desafortunado Montgomery de la cama desnudo. Era el 27 de mayo de 1574, casi veinte años después de que Nostradamus lo había predecido.

Una de sus predicciones más extrañas se relaciona con la forma en que habría de morir:

No podrá hacer nada más.
Se habrá ido con Dios.
Su familia, amigos y hermanos lo encontrarán
muerto entre su cama y su banca.

Y así lo encontraron; al parecer se cayó y murió ahí durante la noche del 2 de julio de 1566, una fiesta especial para Notre

Dame, Nostradamus, María, Nuestra Señora. ¿Fue eso, quizá, más que una coincidencia?

Dejó instrucciones explícitas de que se le debía sepultar de pie, dentro de uno de los muros de la iglesia de St. Laurent en Salon, y ahí permaneció hasta que su tumba fue abierta durante la Revolución Francesa. Estos entierros en muros están rodeados de hechos interesantes. Con frecuencia, los solicitan los adinerados benefactores del templo en cuestión, que no estaban muy seguros de su salvación eterna. Se creía que técnicamente un muro *no tenía ubicación*. No estaba ni dentro ni fuera de la iglesia. En consecuencia, los que serían sepultados así creían que esto impediría que Dios o el diablo los encontraran. ¿Estaba Nostradamus implicando que los milagros que realizó al profetizar sucesos eran el resultado de cierto tipo de pacto con el demonio, y que no quería que se le encontrara y se le hiciera pagar por sus acciones el Día del Juicio?

César, hijo de Nostradamus, pone en claro el hecho de que las profecías contenidas en *Centurias Astrológicas* no debían entenderse con facilidad. Él aseguraba que "sólo aquellos que tuvieran la clave podrían desentrañar las profecías". ¿Pero, a qué clave se refería? En 1927, se publicó un estudio interesante titulado *Le secret de Nostradamus* por P.V. Piobb; argumenta que la dedicatoria de la segunda edición de *Centurias Astrológicas* está llena de referencias bíblicas ocultas. Piobb sugiere que si se ordenan cronológicamente y después se añade una serie de cosas, sería posible establecer lazos entre los cuartetos de *Centurias Astrológicas* y así descubrir su verdadero significado con claridad.

Estaba describiendo Nostradamus la Burbuja del Mar del Sur o La Gran depresión de 1929 cuando escribió:

> Las copias de oro y plata perdieron su valor...
> ...todo está agotado y perdido por las deudas.
> Todas las notas y los bonos serán aniquilados.

¿O tal vez el verso (*Centurias Astrológicas* 8, cuartero 28) se refiera a la hiperinflación que destruyó a la República Weimar y llevó a los Nazis al poder? Ciertamente Nostradamus se refiere en repetidas ocasiones a un personaje llamado Hister, lo que ha llevado a los investigadores a preguntarse si más que un clarividente era un "clariauditivo".

Centurias Astrólogicas 4, cuarteto 80, se refiere a:

> ...una gran trinchera (o fortificación)
> de dónde se ha sacado la tierra
> ...dividida en 15 partes por el agua
> ...la ciudad capturada... sangre, fuego, gritos y batalla...

¿Será posible que sea la desafortunada Línea Maginot, construida en la década de 1930 para que Francia fuera impenetrable? La interrumpen quince ríos, de cualquier manera, y las tropas de Hitler simplemente la cruzaron pasando por Bélgica.

Centurias Astrólogicas I, cuarteta 26, se refiere a tres hermanos, el más grande de ellos "será aniquilado durante el día por un trueno". Algunos estudiosos de la obra de Nostradamus han sugerido que esto se refiere al asesinato de Kennedy. Las *Centurias Astrólogicas* ubican a estos tres hermanos en una época en que el Papa se llama Pablo, y el Papa Montini, Pablo VI, estaba en el Vaticano en esa época.

Otra de las profecías de Nostradamus que al parecer se refiere a un hecho del siglo XX, se centra en el héroe francés, el General Charles de Gaulle. Nostradamus dijo:

> ...alguien llamado De Gaulle
> será tres veces líder de Francia...

De Gaulle dirigió las unidades armadas en la Batalla de Francia con gran habilidad y valor durante la Segunda Guerra Mundial. Su segundo período de liderazgo fue cuando estuvo a cargo de las Fuerzas Libres de Francia y tuvo un papel tan importante en la derrota de Hitler. La tercera ocasión en que fue líder del país fue durante su memorable presidencia de 1958 a 1970.

Las profecías de Mother Shipton y Nostradamus hacen surgir preguntas muy importantes, no sólo para los teólogos, metafísicos y filósofos, sino para todos nosotros. En primer lugar, si los profetas son capaces de ver el futuro, ¿eso significa que el futuro ya existe en un estado inalterable? De ser así, entonces no existe la libertad y la autonomía. Lo que imaginamos es nuestra propia elección personal y nuestra toma de decisiones está tan lejos de nuestro control como el movimiento de los planetas o los electrones. Si no podemos elegir, entonces la ética está tan muerta como la libertad. A Jack el Destripador no se le puede culpar de ser Jack el Destripador, si sus horribles acciones de Whitechapel estaban predichas desde antes de su nacimiento. Los multimillonarios, los ganadores de Óscares o del Premio Nobel, no merecen agradecimiento ni reconocimiento, ya que alguna fuerza más allá de su control les dio el talento y abrió el camino de su éxito inevitable. Los Presidentes y Primeros Ministros nunca ganaron una elección; todo fue hecho para ellos... *si* es que el futuro ya está arreglado. Los amantes más apasionados y dedicados del mundo nunca sintieron libremente un afecto genuino y espontáneo... todo estaba planeado desde que nacieron... y así sucesivamente...

Esto resulta ser una burla fatalista y carente de esperanza de todos los esfuerzos humanos, y despoja a la vida de todo su significado... De modo que la situación debe ser otra...

Charles Dickens se acerca mucho a ella en *A Christmas Carol* (Cuento de Navidad). Al ver todo tipo de escenas desagradables en una Navidad que estaba por llegar, se pregunta con desesperación si podrían evitarse, y el espíritu le asegura que sí: nada es inevitable. Lo que vio Scrooge eran las sombras de lo que muy probablemente sucedería *si nada se hacía al respecto.* En otras palabras, se le estaba mostrando a Scrooge la línea de posibilidades más probable, la predicción más razonable del futuro basada en extrapolaciones de datos presentes. Esto parece ser lo que vieron Nostradamus y Mother Shipton. Por supuesto, esto hace surgir otra posibilidad fascinante: *el que esas realidades alternas existan en algún lugar... pero nosotros no estamos viajando en esa línea de experiencia en particular...* o tal vez los profetas estén viendo los planos de futuros imprecisos que nunca saldrán del restirador.

Como a Ebenezer Scrooge, nuestra mirada "profética" a la *posibilidad* de futuros indeseables, no debería volvernos fatalistas y pesimistas, sino llenarnos de una determinación dinámica. La mejor respuesta a las visiones paranormales de un panorama futuro no deseable es trabajar con todas nuestras fuerzas para evitar que lleguen a suceder. Como dice Shakespeare en *Julio César:* "La culpa no es de nuestras estrellas, sino nuestra..."

EL ENIGMA DE WROXHAM BROAD Y OTROS DESPLAZAMIENTOS DE TIEMPO

¿Sigue una antigua procesión romana cruzando Wroxham Broad hoy en día?

El origen de las zonas de deltas y estuarios conocidas como Norfolk Broads sigue siendo muy controvertido entre historiadores, arqueólogos y geógrafos históricos. La teoría tradicional más aceptada es que cuando terminó la Edad de Hielo, el nivel del mar subió e inundó las tierras del Este de Inglaterra donde los ríos Bure, Waveney y Yare siguen su curso hacia el Mar del Norte. El nivel del agua bajó y los aluviones empezaron a dejar grandes cantidades de depósitos. El ancho estuario que se formó al desbordarse los tres ríos se convirtió en un pantano. La vegetación que crecía ahí se convirtió en un estrato profundo de despojos de ramas secas, en forma de turba.

En la época de los romanos, toda esta zona se inundó y se volvió a formar el gran estuario. En el medievo, Norfolk tenía una población relativamente densa. Se habían talado los bosques y en esas tierras se cultivaban excelentes cosechas. Al no tener ya bosques, utilizaron turba como combustible.

Con las palas de astil largo que usaban en esa época, quienes buscaban combustible penetraban a través de la turba reciente y de mala calidad y de una capa de arcilla, para llegar a la turba de despojos de ramas secas que ardía bien. Se cortaba en forma rectangular y se ponía a secar antes de usarla como combustible. En las partes escarbadas se dejaban lomos de tierra entre los zurcos, en parte como senderos, en parte como límites entre una zona y otra.

Para los siglos XII y XIII, ya se había terminado la mayor parte del trabajo y la tierra se estaba sumiendo poco a poco. Las tormentas severas causaron inundaciones. En esos días no existían las famosas bombas de aire de Norfolk, y había muy pocas defensas en la costa; las excavaciones se llenaron de agua. Ahora era demasiado difícil y costoso sacar la turba que estaba debajo del agua, así que esta actividad quedó más o menos abandonada. Como ya no se les daba mantenimiento, los antiguos lomos de tierra, que marcaban los límites, se derrumbaron por sí solos; algunos fueron demolidos para ayudar a la navegación. El escenario que resultó casi ha sobrevivido hasta la fecha, aunque los carrizos se han extendido y con ellos se han formado muchas capas nuevas de turba al paso de los siglos.

Las fotografías aéreas tienden a apoyar la idea de que la zona de Norfolk Broads se excavó para sacar turba. Los registros medievales del Priorato de la Catedral de Norwich muestran que de hecho se sacaron grandes cantidades de turba. Un contrato de compraventa muestra que, a principios del siglo XIV se pagaban 19 libras por 400 000 bloques de turba. Registros posteriores muestran que hubo serias dificultades en la producción y que la turba tenía que sacarse con redes.

Lo importante es que el punto de vista de que la zona de Norfolk Broads fue construida por el hombre, cuenta con un substancial apoyo académico. El que sólo haya sido por extraer turba innocuamente, o el que otras personas hayan tenido otros propósitos, está abierto a debate y discusión posterior.

'ista de Wroxham Broad, Norfolk, Inglaterra.

Si los extraños informes que se concentran en Wroxham Broad son exactos y confiables, al menos esa zona fue un anfiteatro romano; su causa no es la extracción de turba. También parece haber sido el punto central de lo que sólo puede describirse como una serie de *posibles* desplazamientos de tiempo, que han persistido durante varios siglos. Los informes sobre el fenómeno de Wroxham Broad se remontan a épocas muy antiguas, y su autenticidad está bien documentada.

En resumen, lo que parece suceder es que una procesión romana pasa a través de esta zona o cerca de ella. Los relatos de testigos oculares aseguran que el fenómeno es audible al igual que visible, y que, en ocasiones, al parecer, ha habido conversaciones con un misterioso *custodio* o guardia romano, que de alguna manera perteneció tanto a la época del testigo humano, *como* al espectáculo romano que ocurrió hace mucho tiempo.

El río de Wroxham, que conecta el área misteriosa donde los testigos dicen haber tenido experiencias de desplazamiento de tiempo.

Benjamín Curtiss describió los extraños sucesos de Wroxham para los *Archivos de Norfolk de 1603:*

"...en la gran zona de Wroxham Broad, cerca de Hoveton, St John. Dos amigos y yo estábamos cruzando el lago a nado, desde Bure, cuando, aunque parezca extraño, sentimos que nuestros pies tocaban el fondo. En este lugar hay mucha agua, tiene una profundidad como de doce pies, y en otros lugares hasta de catorce. Permanecimos juntos y de pronto nos encontramos de pie en medio de una gran arena con muchos asientos, unos detrás de otros, a nuestro alrededor. Ya no había agua, y estábamos ahí de pie, vestidos como Oficiales Romanos. Lo que es aún más asombroso es que no nos sorprendimos, ni nos incomodó esta experiencia mágica, en lugar de eso sentíamos que estábamos acostumbrados a ella, y hasta se nos olvidó que estábamos nadando. La parte superior del anfiteatro estaba abierta, se veía el cielo; y muchas banderas de varios colores, que estaban colocadas en la parte superior de los muros, flotaban en el aire..."

Después siguió el relato detallado del espectáculo público que presenciaron Benjamín y sus amigos. La historia se repite, con una o dos variaciones interesantes, en el relato del Reverendo Thomas Josiah Penston en *The Gentleman's Gazette* (La gaceta del caballero) del 16 de abril de 1709:

> "...Estábamos en un día de campo a la orilla de un hermoso lago en Norfolk, aproximadamente a once millas de la antigua ciudad de Norwich, cuando, de pronto, una persona de aspecto indeseable, cuya apariencia y atuendo reflejaban su urbanidad y buenas maneras, nos ordenó terminantemente que saliéramos de ahí.
>
> "Como en cierta forma nos molestó la persistencia de esta persona, nos preparamos para retirarnos; pero de pronto tuvimos que hacernos a un lado para dejar pasar una larga procesión de gran esplendor; lo más importante era un carruaje de oro tirado por diez caballos blancos, en la que iba

isnes en el río cerca de Wroxham Broad.

un hombre de aspecto terrible vestido como general romano. También pasaron varios soldados romanos robustos que llevaban como una docena de leones encadenados, una banda de trompeteros tocando muy fuerte, seguidos de cientos de hombres de mar, o marineros, de pelo largo y parcialmente vestidos con armaduras, que iban encadenados juntos.

"Pasaron muy cerca de nosotros, pero al parecer ninguno de ellos nos vio. Debió haber setecientos u ochocientos jinetes en esta larga procesión de arqueros, lanceros y máquinas de artillería. No sé de donde vinieron ni hacia dónde iban, pero se desvanecieron del lado del lago. El ruido que se escuchó a su paso fue muy fuerte e inconfundible."

Existe otra referencia al fenómeno de Wroxham Broad que se encuentra en un poema de Calvert, publicado en 1741 y que lleva el título de *Legend of the Lake* (Leyenda del lago).

Mientras entre los árboles de aquel lago
se acerca un grupo de jinetes;
amigo, no miréis a estos romanos,
porque sus ojos podrían encontrarse con los vuestros.
Alejáos, alejáos mucho y dejad pasar
a estos habitantes de la muerte; cerrad los ojos,
para que no se posen en una escena de muerte,
miseria desventurada para quienes han representado
su papel durante casi un milenio.
Destinados a volver a representar la vida que vivieron,
los papeles que tuvieron, durante cierto período;
No vayáis con ellos, no los miréis, pero
orad por ellos, querido amigo, porque...
están muertos.

La crónica del este de Anglia de 1825 contiene una extraña referencia críptica al fenómeno de Wroxham Broad.

"El desfile Real de Carausius... ha pasado por...
La villa de Wroxham... camino a Brancaster".

Señal de la aldea de Wroxham.

La siguiente evidencia viene de las cartas personales de Lord Percival Durand, y proporciona una relación de algunas experiencias que él y varios amigos compartieron el 21 de julio de 1829. En esa fecha, Lord Durand y su grupo estaban a bordo de su yate *Amaryllis*, que estaba anclado a 200 yardas de la entrada este a Wroxham Broad. Bajaron a tierra y se sentaron a contemplar el paisaje. Cuentan las crónicas que era un día muy caluroso. Según el relato de Durand, se presentó un viejo que parecía estar "...muy arrugado y agotado, apoyándose en un bastón largo...". Nadie del grupo de Durand lo vio llegar, y nadie vio dónde fue después. Le preguntaron quién era y aseguró ser Flavious Mantus, el Custodio Rotulorum de la zona de Bretaña ocupada por los romanos.

Advirtió a Durand y a sus invitados que estaban ilegalmente en tierras que pertenecían al Emperador del Oeste, Marcus Aurelius Carausius. Al grupo de Durand le pareció obvio que el viejo estaba loco, pero aún así le pidieron más explicaciones. Les dijo que en cierto sentido, Roma nunca había renunciado a sus derechos sobre Bretaña, que él seguía siendo el Custodio, y que hoy se iba a llevar a cabo un gran desfile para celebrar el natalicio del Emperador.

Después, Lord Percival describe cómo, para su asombro, las aguas del lago parecieron retirarse, y el viejo extraño se transformó en un Oficial Romano con un atuendo espléndido. Cuenta Durand que él y sus amigos vieron un gran anfiteatro romano donde se llevaba a cabo una procesión como la que habían descrito los testigos anteriores. Al final, el espectáculo se desvaneció de nuevo; su extraño visitante se fue hacia el bosque y caminó con lentitud entre los árboles hasta que desapareció de su vista. El libro *Unsolved Mysteries* (Misterios sin resolver) de Valentine Dyall contiene una narración sobre el fenómeno de Wroxham Broad, muy bien escrita, mesurada y basada en una investigación muy cuidadosa; y en *Ghosts of the Broads* (Fantasmas de Broads), Charles Sampson menciona detalles sobre las fechas en que es más probable ver este fenómeno: el 13 y el 16 de abril, el 7 y el 21 de mayo, el 1, el 4 y el 11 de junio, el 5, el 13 y el 19 de agosto, y también menciona varias fechas en septiembre y en octubre; es decir, entre las "Ides" de marzo (que Shakespeare hizo famosos en *Julio César*) y las "Nonas" de octubre. Según el antiguo método romano para fechar, las "Nonas" caían el 5 de algunos meses y el 7 de otros. Las "Ides" siempre eran ocho días después de las "Nonas".

Una extraña experiencia, que bien pudo ser un desplazamiento de tiempo similar a los que se han reportado en Wroxham, se relaciona con John y Christine Swain, y sus hijos, de Ilminster, Somerset. Conducían por caminos tranquilos cerca de la Abadía Beaulieu, en el Nuevo Bosque de Hampshire, buscando un lugar para un día de campo, cuando vieron un extraño lago cubierto de niebla, con una gran piedra en el centro. En la piedra había una espada, casi igual a la de las leyendas del Rey Arturo, y como es natural, lo primero que se les ocurrió, fue que era un monumento en honor al Rey Arturo. *Aunque lo han buscado durante años, nunca han podido encontrar ese lago otra vez.*

a iglesia de Pyrford, en Surrey, Inglaterra, donde la Sra. Turrell-Clarke experimentó un esplazamiento de tiempo.

La Iglesia de Pyrford, Surrey, es otro lugar donde al parecer ocurrió otro desplazamiento de tiempo. La testigo en este caso fue la Sra. Turrell-Clarke, que iba camino a las oraciones vespertinas un domingo por la noche, cuando, al parecer, el camino moderno cambió y se convirtió en una vereda. Recuerda con claridad que un hombre vestido a la usanza medieval, se hizo a un lado amablemente para dejarla pasar. Entonces se dio cuenta de que ella parecía estar vestida como monja. Terminó la experiencia, y ella regresó a su propia época como si nada hubiera pasado.

La pequeña iglesia de Pyrford había estado relacionada con una abadía cercana, y de alguna manera sobrevivió mejor que otras a la destrucción de Enrique VIII.

Unas semanas después de su extraña experiencia en el camino que se convirtió en vereda, la Sra. Turrell-Clarke estaba en la Iglesia de Pyrford donde el coro estaba cantando un himno monástico.

Mientras cantaban, sintió como si la iglesia en sí estuviera pasando por el mismo proceso que el camino. Las ventanas de arco, el piso de tierra y un altar de piedra, le dieron una apariencia medieval. Vio una procesión de monjes vestidos con túnicas color marrón, cantando el mismo himno que el coro moderno había cantado hacía unos segundos. También le pareció que ahora ella estaba en la parte posterior de la iglesia, y que ya no estaba cantando. La extraña experiencia se desvaneció, como se desvanecía el fenómeno de Wroxham ante los testigos que lo presenciaban, y todo regresó a la normalidad del siglo XX.

Intrigada por estos misteriosos sucesos, la Sra. Turrell-Clarke empezó a investigar la historia de la iglesia de su aldea. Por lo que sabía, los monjes de la cercana Newark, usaban hábitos negros, no marrón. Sin embargo, los registros mostraban que en 1293, se concedió el uso de la Capilla de Pyrford a monjes de hábito marrón, de la Abadía de Westminster.

Colin Ayling y John England son fanáticos de los detectores de metales y tienen experiencia con ellos, y, en 1997, el extraño desplazamiento de tiempo que experimentaron se presentó en mi programa de televisión en Inglaterra, en el Canal 4. Una tranquila tarde de otoño, estaban en el campo, trabajando en una propiedad de aproximadamente 2000 acres; todo empezó con una taza de té y unos bocadillos antes de salir a explorar. Colin tomó una ruta diagonal a través del terreno, mientras que John lo rodeaba. Fue una tarde de hallazgos importantes. Colin encontró un denario romano de plata de la época de Julio César, varias piezas romanas de bronce y otro denario de la época de Rutilius Flaccus. Encontraron otros artefactos antiguos de cuya naturaleza no estaban seguros, y la punta de una javalina romana con el nombre "NIGEL" grabado en ella.

Un instante después, ambos escucharon el galope de caballos que venían directamente hacia ellos. Corrieron a resguardarse en direcciones opuestas, y escucharon a los caballos pasar por dónde habían estado. Ni Colin ni John vieron a los caballos que producían los inconfundibles sonidos del galope.

Grabado en la parte exterior de la Iglesia de Pyrford en Surrey, Inglaterra, que fue construida al estilo normando en 1150.

Esta experiencia los desorientó en forma muy extraña y se preguntaban si todavía estaban en el mismo terreno donde habían iniciado su búsqueda; el lugar se llama Boulder Field (campo de piedras), por el montón de piedras que hay en uno de sus vértices.

Lo que realmente los confundió, fue la repentina aparición de lo que parecía ser un impenetrable seto de aproximadamente diez metros de altura, a una distancia de más o menos 40 metros frente a ellos. Se acercaron con cautela y caminaron cerca del seto por una distancia de casi 100 metros antes de regresar a su coche.

Cuando amaneció, fueron a buscar huellas de los caballos y el extraño seto. *No había huellas de caballo. No había un seto.* Sin embargo ambos podían distinguir sus propias huellas, y vieron que habían tenido que rodear un obstáculo que ahora había desaparecido.

Más tarde, Mike Stokes, el arqueólogo del Museo Rowley House, en Shrewsbury, identificó algunas de las piezas que Colin y John habían encontrado cerca de la punta de javalina. Dijo que eran partes de aparejos romanos. ¿John y Colin habían escuchado una patrulla de la caballería romana saliendo de su fortaleza? ¿Y el misterioso obstáculo en Boulder Field, sería parte de esa fortaleza romana? ¿El nombre "Nigel" que estaba grabado en la punta de la javalina, era una abreviatura de Nigelus? ¿Fue éste uno de los jinetes invisibles que galoparon a través del tiempo?

La Sra. Anne May, maestra de escuela en Norwich, estaba de vacaciones en Inverness con su esposo, donde estaban estudiando las Piedras de Clava, que datan de la Edad de Bronce y son un pequeño grupo de tres sepulcros. Al final de su recorrido, la Sra. May descansó un momento en una de las piedras, donde al parecer experimentó un desplazamiento de tiempo como los de Wroxham y Pyrford. Vio un grupo de hombres de pelo oscuro, con túnicas de material burdo y pantalones sujetos con jarretes. Estaban arrastrando una de esas enormes piedras. En ese momento, un grupo de turistas llegó al lugar y todo regresó a la normalidad.

Joan Forman, autora del interesante estudio sobre desplazamientos de tiempo: *The Mask of Time* (La máscara del tiempo), tuvo una experiencia de desplazamiento de tiempo cuando visitaba Haddon Hall en Derbyshire. Vio a cuatro niños jugando felices en la escalinata de piedra del gran patio de Haddon Hall. La niña mayor tenía como nueve o diez años, su cabello era rubio y le llegaba a los hombros. Tenía un vestido gris verdoso con un atractivo cuello de encaje, y un sombrero blanco estilo holandés. Al principio, Joan sólo podía verle la espalda, pero antes de que terminara el desplazamiento de tiempo, la niña se volvió de tal manera que la Sra. Forman pudo ver su cara con claridad. Tenía facciones muy definidas, maxilar ancho y nariz respingona. Cuando la investigadora se acercó al grupo, éste desapareció; casi como si al moverse un poco, Joan hubiera apagado sin querer una extraña corriente electrónica que hacía visibles a los niños.

Dentro de Haddon Hall, Joan buscó por todas partes un retrato de los niños que había visto, en especial de la niña mayor con

Ruinas de la Abadía de Newark, a poca distancia de la iglesia de Pyrford.

facciones tan definidas. Encontró un retrato; el vestido gris verdoso era igual, lo mismo que el sombrero y el cuello de encaje. Se identificó a la niña como Grace Manners, que había estado en Haddon Hall hacía siglos.

Lo que se conoce como desplazamiento de tiempo y otras experiencias "fuera del cuerpo", son tan dramáticas que casi adquieren las dudosas características de mitos urbanos similares a una anécdota. Pero cuando en relación a uno de estos episodios se tienen documentos, nombres y lugares definidos, su impacto es poderoso. Estábamos impartiendo una serie de conferencias sobre Fenómenos Inexplicables para la Sociedad Científica y Literaria Lowestoft, en Suffolk, Inglaterra, cuando A.M. Turner, uno de los asistentes, nos dio la siguiente información sobre su bisabuelo.

Este documento se publicó en la revista *The Mercurian,* del Colegio Lowestoft, Número 11, Periodo de Verano, 1910; impresa por Flood e Hijo, Ltd, Imprenta Borough, Lowestoft. El artículo que escribió el bisabuelo del Sr. Turner empieza en la página 29 y se titula *"Coincidencias Extrañas":*

> "Sin duda, casi todos hemos experimentado alguna vez la sensación de haber estado antes en un lugar en particular, exactamente en la misma posición, con la misma compañía y diciendo las mismas palabras, y sin embargo, tal vez la persona en cuestión nunca ha estado ni a 100 millas de ese lugar... Una dama estaba visitando una casa en Escocia por primera vez, pero cuando se acercaba en su coche, los alrededores le parecieron familiares. Cuando llegó a la casa, le pareció aún más familiar, y hasta podía decir con exactitud lo que había detrás de la puerta del vestíbulo, y cómo estaban dispuestos los muebles. Entonces se dio cuenta que era un lugar que ella había soñado. El portero abrió la puerta, y cuando la vio estaba tan aterrado que por unos minutos pareció estar casi paralizado. La dama, al ver su terror, le preguntó qué pasaba.
>
> 'Nada' respondió el hombre, 'sólo que usted es la dama que se aparece en esta casa' ".

La dama a quien se refiere este artículo era la Sra. Emma Turner, bisabuela de nuestro amigo, A.M. Turner. Vivió de 1840 a 1917, y su tumba todavía está en el Cementerio de la Iglesia de St. Margaret en Lowestoft. Pero sus extrañas experiencias en la casa de Escocia, no fueron, en absoluto, sus únicos contactos con lo paranormal. Una noche despertó y vio a su padre, que era capitán de una jávega, parado a los pies de su cama, y vestido con un impermeable mojado.

"Por Dios, Emma, ¡estamos acabados!" dijo con una voz sepulcral, luego desapareció. Ella despertó a su esposo, quien trató de consolarla diciéndole que sólo había sido un sueño. Unos días después, él llegó a casa muy serio. Antes de que pudiera hablar, Emma le dijo: "Sé lo que vas a decir; mi padre se ahogó, ¿verdad?". Él asintió y la tomó en sus brazos para consolarla.

"Tuvieron una colisión en el canal, con una embarcación mucho más grande, justo a la hora en que me despertaste", le dijo suavemente.

En otra ocasión, Emma soñó que estaba de pie en un acantilado muy poco usual. Abajo había mucha niebla, y sobre la niebla podía ver la punta de los mástiles de un velero grande que se dirigía al acantilado y a las rocas que estaban abajo. Les gritó con fuerza y vio que el velero se alejaba hacia mar abierto, justo antes de que ella despertara. Le habló de esto a su esposo, y describió en detalle la isla y su peculiar acantilado. "Creo que sé dónde podría estar", dijo él y juntos estudiaron algunos de sus mapas y cartas marinas. El esposo hizo unos cálculos de navegación rápidos y se dio cuenta de que Jack Hellings, su cuñado, podría haber estado en esa zona en ese momento. En vista de su experiencia anterior, él escribió minuciosamente el sueño de su esposa y la posible posición del barco de Jack.

A su debido tiempo, recibieron a Jack en su casa, cuando regresó de su viaje. Sus primeras palabras fueron: "Pensé que nunca los volvería a ver..." Antes de permitirle contar su historia, le entregaron la relación de la extraña experiencia en el acantilado, que Emma había soñado.

"Estábamos un poco fuera de curso por la niebla", explicó Jack, "y nos dirigíamos a las rocas abajo del acantilado. No teníamos idea de que estábamos tan cerca hasta que escuchamos los gritos de una mujer. Sacamos el barco de ahí justo a tiempo, y regresamos a mar abierto."

En la familia Turner, los dones psíquicos no se limitaban a Emma. El mismo Sr. Turner había tenido un sueño extraño en que se vio con un uniforme naval esperando un camión. Cuando le preguntaron si estaba esperando para abordar su submarino, contestó que sí, y le dijeron que había llegado tarde y que el submarino lo había dejado. El sueño fue tan impactante y vívido que recuerda haber estado preocupado porque tal vez le harían una corte marcial, y recuerda haber caminado por las calles oscuras preguntándose cómo limpiar su nombre. Durante estas caminatas, se topó con el mismo misterioso informante, que ahora le dijo que era afortunado, ya que el submarino había naufragado y todos los que estaban a bordo habían muerto. Al día siguiente, un submarino naufragó con toda su tripulación en el Estuario del Río Támesis.

¿Qué tipo de *relación* existe entre experiencias como las del Sr. Turner y su bisabuela, y los sucesos que ocurieron a los testigos de Wroxham Broad, a las damas de Clava, de Haddon Hall y Pyrford? Si es posible que una parte de la consciencia personal de un individuo, que no es física, viaje casi instantáneamente a largas distancias, ¿podría también viajar en el *tiempo*? Por supuesto, el problema de que viaje al futuro, es que es casi seguro que el futuro sea infinitamente flexible y no esté resuelto: en el mejor de los casos, lo único que se podría visitar serían algunas amorfas *alternativas* futuras, universos paralelos o líneas de probabilidad. Tal vez eso explica el que *algunas* visiones del futuro se cumplan y otras no.

¿O existe una solución totalmente distinta, al menos en lo que se refiere a las escenas del *pasado*? ¿Será porque la piedra, el metal, la madera y la tierra, de alguna manera absorben y registran las vibraciones dinámicas de todo lo que ocurre a su alrededor y en su interior, y luego lo reproducen para ciertas personas sensibles, cuando las condiciones externas son adecuadas?

Tal vez, el desplazamiento de tiempo más enigmático es la visita a Versalles de "las señoritas Lamont y Morrison" como se llamaron en *Una Aventura*, aunque sus nombres verdaderos eran Anne Moberley y Eleanor Jourdain. Anne era directora del Colegio St Hugh en Oxford; Eleanor era Jefe de una Escuela para niñas en Watford. En agosto de 1901, estaban visitando el Palacio de Versalles, y habían ido a descansar un poco en la Galerie des Glaces. Las ventanas estaban abiertas y el perfume de las flores del verano las indujo a salir y caminar hacia el Petit Trianon, que es una pequeña mansión, construída originalmente por orden de Luis XV, y entregada a Luis XVI y a su esposa María Antonieta.

En el relato de Anne y Eleanor, ellas caminaron cierta distancia por la avenida rodeada de bosques y llegaron al Grand Trianon, construído por el ilustre Luis XIV, el "Rey Sol". Dejando este edificio a su izquierda, llegaron a un camino amplio cubierto de césped. Al no conocer el lugar, lo atravesaron y bajaron por otro camino que estaba a un lado. Si se hubieran quedado en el camino con césped, éste las habría llevado al Petit Trianon que estaban buscando.

La primera anomalía verdaderamente extraña que encontraron fue una mujer sacudiendo una tela blanca por una ventana. Anne vio a la mujer con bastante claridad, y se sorprendió un poco de que Eleanor no se detuviera a preguntarle cómo llegar al Petit Trianon. Después, Eleanor le dijo a Anne que ella no había visto a esa mujer. Lo más perturbador fue que no había visto el *edificio* en el que estaba la ventana donde la mujer estaba sacudiendo la tela blanca.

Hasta este momento, ninguna de las dos visitantes inglesas se había dado cuenta de que algo era extraño o extraordinario. Dando vuelta a la derecha cuando pasaron por unos edificios, vieron momentáneamente una escalinata tallada a través de una puerta que se había quedado abierta. Eligieron el camino central de los tres que estaban ante ellas, y encontraron a dos hombres que, según describieron, estaban trabajando con una carretilla y una pala. Anne y Eleanor pensaron que eran jardinaros, pero su ropa les sorprendió un poco: largos sacos verdes y sombreros de tres picos. Supusieron que los jardineros les señalaban la ruta que estaba directamente frente a ellas, y las dos amigas siguieron su caminata.

A partir de ahí, empezaron a sentirse deprimidas, sin poder explicarse por qué; aunque ninguna le dijo a la otra lo que sentía en ese momento. Otro factor muy extraño fue el cambio del paisaje en sí. Lo describieron como de *dos* dimensiones; como si estuvieran caminando en un escenario rodeadas de telones pintados, en lugar de estar en un mundo normal y sólido de tres dimensiones.

Estas sensaciones fueron empeorando gradualmente, y alcanzaron su nadir cuando Eleanor y Anne llegaron a un kiosco circular en el jardín, donde descansaba un hombre de apariencia extraña. Ambas sintieron un miedo y desagrado instintivo hacia él, y no pasaron por el kiosco sólo porque esa ruta las habría hecho acercarse a él.

Cuando detrás de ellas escucharon los pasos de alguien que corría, se volvieron con ansia, para recibir al recién llegado, sin importar quien fuera; pero descubrieron que no venía nadie. Sin embargo, ahora Ann vio cerca de ellas a otro hombre que antes no estaba ahí. Ambas lo describieron como de apariencia refinada: un hombre blanco de grandes ojos oscuros y pelo negro rizado. Las dirigió hacia la casa, pero parecía sonreir en forma extraña. Cuando voltearon para darle las gracias, ya no estaba ahí.

De nuevo, escucharon los pasos de alguien que corría muy cerca de ellas, pero cuando buscaron a la persona, no encontraron a nadie.

Al final, cuando llegaron al Petit Trianon, Anne vio a una mujer sentada en el césped, que al parecer estaba ocupada dibujando. Parecía ver directamente a las dos visitantes inglesas cuando se acercaban. Más tarde, Anne la describió en detalle: llevaba un vestido escotado con cuello de fichu, su cabello era rubio y su peinado elegante; llevaba también un sombrero blanco. Después volvió a verla por detrás, y se alegró de que su compañera no le hubiera preguntado cómo llegar a donde iban. Sin embargo, también en esta ocasión, sólo Anne había visto a la mujer del sombrero blanco; Eleanor no la había visto.

La siguiente persona que encontraron, y ambas la vieron y la escucharon con claridad, fue un joven lacayo que les preguntó si querían que les mostrara el camino. Poco después, llegó un alegre grupo de invitados a una boda, y Anne y Eleanor sintieron que la inexplicable depresión desaparecía.

Cada una escribió una relación cuidadosa y detallada de lo que habían visto y oído ese día; pero sus experiencias no eran idénticas en absoluto.

Eleanor estaba tan intrigada por todo el asunto que hizo una segunda visita en enero de 1902, cuando, de nuevo, varios aspectos de la zona parecieron tener extrañas cualidades fantasmagóricas de irrealidad. Pero los *detalles* eran extraños de manera ligeramente distinta.

Una prolongada investigación de las extrañas experiencias que compartieron Anne y Eleanor (y las controversias mordaces que siguieron a la publicación de *Una Aventura*), nunca resolvieron por completo qué fue lo que les pasó en Versalles. En resumen, ciertamente es posible que hayan experimentado un desplazamiento de tiempo en el que pudieron ver y escuchar sucesos de hacía más de un siglo.

Las evidencias de desplazamientos de tiempo en lugares como Wroxham Broad, Lowestoft, Surrey, Derbyshire, Inverness, las afueras de París, y cientos más, aumentan continuamente. Tal vez aún no se ha comprobado, pero la extraña naturaleza del tiempo y la posibilidad de que en su comportamiento existan irregularidades, e incluso *inversiones*, parecería implicar que el tiempo sea vulnerable a sesgos, fisuras y movimientos impredecibles, como los de la corteza terrestre que al parecer es tan estable. Es posible que al final del próximo milenio se entiendan los temblores de tiempo tan bien como ahora se entienden los temblores de tierra.

Parece casi imposible que el controvertido Sir James Jean, cuya imaginación era brillante, escribiera *The Mysterious Universe* (El Universo Misterioso) en 1930. Jeans pertenece a la misma categoría que Einstein y Hawking, y aborda el enigma del tiempo como algo central para nuestra comprensión del Universo como un todo, y el lugar de la humanidad en él. Si, como argumenta Jeans con toda razón, la determinación y la causa, *no* son tan inalterables como "Las Leyes de los Medos y los Persas", de las que se hace tanto alarde, si no se nos entregan como letras de oro incrustadas en tablas de piedra, entonces *¿por qué ocurren las cosas?*

En sus propias palabras:

> "Si nosotros, y la naturaleza en general, no respondemos de una manera única a los estímulos externos, ¿qué determina el curso de los sucesos? ... No es probable que lleguemos a conclusiones definitivas sobre estos temas hasta que tengamos una mejor comprensión de la verdadera naturaleza del tiempo... Es el enigma de la naturaleza del tiempo lo que hace que nuestros pensamientos se detengan".

¿A DÓNDE FUE BEN BATHURST?

Sólo caminó detrás de los caballos y nunca se le volvió a ver.

El joven Benjamín Bathurst, nacido en 1784, fue el tercer hijo del entonces Obispo de Norwich, y un prometedor miembro del Servicio Diplomático Británico, cuando le ocurrió una misteriosa tragedia el 25 de noviembre de 1809. Desapareció de forma tan repentina e inexplicable como si lo hubieran secuestrado unos extraterrestres, o como si hubiera entrado al círculo encantado de las hadas, como le ocurrió a un caballero medieval en una balada.

Aunque todavía no cumplía treinta años, el Gobierno Británico lo nombró Enviado Especial con una misión importante en la Corte de Viena. El propósito principal de su viaje era tratar de persuadir a los austriacos para que atacaran a Napoleón desde su territorio, mientras los británicos lanzaban un ataque a través de la Península Ibérica. Esto habría sumergido a Napoleón en una guerra con dos frentes simultáneos, y si los espías franceses hubieran descubierto quién era Bathurst, y lo que estaba a punto de hacer, habrían hecho todo lo posible por evitarlo... lo que incluye deshacerse de él.

En la Europa de 1809, los sistemas de transporte eran lentos, caóticos y peligrosos. Los caminos eran atroces; abundaban los bandidos y los espías. Las bestias de carga y los carruajes avanzaban con lentitud hacia su destino.

A pesar de los problemas, Bathurst llegó a Viena sano y salvo, transmitió su mensaje e inició su viaje de regreso a casa. Lo único que los austriacos lograron en el frente fue una o dos escaramuzas sin éxito contra los franceses, seguidas de una fuerte derrota en la Batalla de Wagram, después de lo cual no tuvieron mucho interés en las propuestas de los ingleses que Bathurst les había presentado.

El siguiente problema de Ben era elegir un camino seguro a casa, que evitara contacto directo con los franceses. Decidió seguir la ruta de Berlín a Hamburgo y se disfrazó de agente viajero utilizando el nombre de Koch. Llevando pistolas en los bolsillos y un pequeño arsenal oculto en la parte trasera de su carruaje, inició su viaje acompañado de su asistente y su secretario.

Más tarde ellos dijeron que Ben parecía nervioso, tenso y deprimido durante el viaje. Era evidente que estaba asustado y nervioso por algo, y se comportaba con una precaución poco usual, como un animal atrapado que percibe que se acerca un peligroso depredador.

El 25 de noviembre de 1809, Bathurst y sus compañeros llegaron a la pequeña aldea de Perleberg, que estaba en su ruta directa de Berlín a Hamburgo. Se detuvieron en la Casa de Postas para cambiar caballos, y exploraron el lugar buscando dónde comer. El White Swan Inn estaba a dos minutos a pie de la Casa de Postas y cerca de las puertas de la aldea. Cerca de ahí también había unas cuantas casas y cabañas en malas condiciones. Ese distrito tenía mala reputación; había ahí criminales desesperados que habrían asesinado a un transeúnte por el valor de su abrigo.

Bathurst decidió comer en el White Swan, y ordenó comida para él y sus compañeros. Según las evidencias que ellos presentaron después, Bathurst parecía triste y silencioso en ese momento. Cuando terminó de comer, le preguntó al anfitrión quién era el Comandante local de la Policía Militar en Perleberg, y dónde se le podía localizar. El anfitrión lo mandó a casa del Capitán Klitzing, cerca del palacio municipal.

Al llegar, Bathurst le dijo a Klitzing que había decidido pasar la noche en Perleberg, en el White Swan, pero sentía que estaba en grave peligro. Pidió dos guardaespaldas que Klitzing estuvo de acuerdo en mandarle, aunque era bastante escéptico. Los soldados franceses más cercanos estaban en Magdeburg, y en realidad Klitzing no creía que los guardaespaldas fueran necesarios. Sin embargo, Bathurst estaba tan nervioso que el Capitán pensó que lo mejor era concederle lo que pedía.

De regreso a la posada, Bathurst fue a su cuarto y se encerró con llave. Al parecer pasó ahí mucho tiempo escribiendo cartas y quemando documentos en la chimenea. Su asistente y su secretario pensaban que estaba trabajando tanto que se provocaría una enfermedad de tipo mental. Estaban muy conscientes de que Bathurst estaba aterrado por *algo*, pero no sabían qué era.

De pronto, Bathurst cambió de opinión, y casi al atardecer decidió que, después de todo, era mejor reanudar el viaje a Hamburgo esa misma noche,

Retrato en silueta del Obispo Henry Bathurst de Norwich, Norfolk, Inglaterra, dibujada en 1826. El Obispo Bathurst era el padre de Benjamín Bathurst que desapareció misteriosamente en Perleberg.

(Proporcionada amablemente por el Sr. Neal Wood, de la Iglesia de St Germán, Cardiff, Walles, Reino Unido.)

viajando en una oscuridad relativa y en el anonimato. Era un argumento que tenía dos aspectos contradictorios. La noche tenía ventajas tanto para los cazadores como para sus presas, pero Bathurst creía que la balanza se inclinaba a favor de las presas. Dio las órdenes necesarias y despidió a los dos guardaespaldas. Se les proporcionaron caballos frescos y se llevó el equipaje de Bathurst al carruaje. Él esperaba impaciente y nervioso mientras subían el equipaje y preparaban el carruaje para la travesía. El posadero tenía una antorcha; algunas luces brillaban a través de las ventanas de la posada. La luz tenue de una lámpara de aceite iluminaba la calle. El escenario general era sombrío y tenebroso, incluso cuando los ojos se acostumbraban a él.

En cuanto todo estuvo listo, el asistente se puso de pie junto a la puerta del carruaje para ayudar a Bathurst a subir. El secretario estaba cerca de la puerta abierta de la posada, charlando alegremente con el propietario a quien acababa de pagar por sus servicios. Todos estaban esperando que Bathurst subiera al carruaje, *pero nunca lo hizo.* Por lo que pudieron decir los testigos, Bathurst sólo caminó detrás de los caballos *y nunca se le volvió a ver.*

Esperaron un tiempo razonable y luego fueron a ver si había regresado a su cuarto; no estaba ahí. Después pensaron que había regresado con el Capitán Klitzing para pedirle una escolta armada hasta Hamburgo, o que había vuelto a cambiar de opinión y quería que regresaran los guardaespaldas. Pero no había señales de él en casa del Capitán.

Klitzing mismo entró en acción de manera muy eficiente. Embargó el carruaje y el equipaje para que estuvieran seguros hasta que se pudiera resolver el asunto, después transfirió al asistente y al secretario a otra posada, la Golden Crown, que estaba en el extremo opuesto de la aldea. Puso un guardia a su puerta, en parte para protegerlos y en parte para asegurarse de que no abandonaran la población sin su permiso expreso. También asignó un guardia al White Swan Inn.

En cuanto amaneció, dio órdenes de que se llevara a cabo una minuciosa búsqueda, en la que él mismo participó. En una época en que la falta de responsabilidad, los sobornos, la corrupción y el *laissez faire* eran comunes entre las autoridades, el Capitán Klitzing era un modelo de dedicación, energía y eficiencia. Él y sus hombres peinaron Perleberg como hurones hambrientos en la madriguera de un conejo. Buscaron por todas partes, e incluso dragaron el lecho del río.

A causa de ciertos resentimientos políticos del jefe de la policía civil y del alcalde, Klitzing recurrió directamente a autoridades superiores en Berlín para obtener el permiso que le permitiera hacerse cargo del caso en su totalidad. Su energía dinámica le ayudó a encontrar tiempo para investigar los asuntos del jefe de la policía y del alcalde, y también para buscar al diplomático británico que había desaparecido. A su debido tiempo, sus dos oponentes perdieron su puesto: Klitzing era una de esas personas que son tan incisivas como el filo de su espada.

Una de las teorías relacionadas con la desaparición de Bathurst era que fue encontrado por el agente del espionaje Napoleónico, el Conde d'Entraigues. De haber existido este complot, habría sido lógico que los involucrados habrían deseado acabar también con Klitzing, ya que sus investigaciones finalmente habrían descubierto el complot. Por lo tanto, es interesante que no exista un registro de ninguna amenaza contra la vida del Capitán. Es indudable que entre los criminales se corrió la voz de que amenazar la vida del Capitán no era una buena idea.

Las preguntas que se le hicieron al propietario del White Swan revelaron que esa noche los únicos huéspedes, aparte de Bathurst y sus acompañantes, eran dos mercaderes judíos. Klitzing dio órdenes de que se les detuviera y se les interrogara. Al hacerlo, se descubrió que eran ciudadanos respetables y ya no se les consideró sospechosos en el caso.

Además de dragar el Río Stepnitz en repetidas ocasiones, Klitzing actuó como lo habría hecho Sherlock Holmes y utilizó sabuesos, pero no fueron capaces de encontrar al inglés desaparecido. No obstante, mediante una búsqueda rigurosa de casa en casa, se encontró el fino abrigo de piel de Bathurst en la casa de un personaje sospechoso llamado Augustus Schmidt. Su madre era sirvienta en el White Swan, y el mismo Augustus tenía la reputación de ser un malvado, un criminal sin importancia. La Sra. Schmidt explicó que había encontrado el abrigo y creyó que tal vez pertenecía a uno de los mercaderes judíos; dijo que lo estaba guardando con la esperanza de que ofrecieran una recompensa a quien lo encontrara. Sin embargo, según la evidencia presentada por el asistente y el secretario de Bathurst, él había dejado accidentalmente el abrigo en la Casa de Postas o lo traía puesto cuando lo vieron por última vez antes de su desaparición. Klitzing se encargó de que los Schmidt pasaran unos meses en la cárcel por estar involucrados con el abrigo oculto, pero aunque Augustus no pudo dar información satisfactoria sobre dónde estaba cuando Bathurst desapareció, no había suficiente evidencia para condenarlo por haberlo asesinado, especialmente porque no se encontró el cadáver.

La ropa continuó teniendo un papel primordial en la investigación: dos mujeres que estaban recogiendo leña, encontraron los pantalones de Ben en el bosque. Tenían orificios de bala, pero no manchas de sangre, y por la posición de los orificios, parecía que alguien había colgado los pantalones en una cuerda y les había disparado deliberadamente, como a un blanco. La pregunta intrigante es *¿por qué?* ¿Alguien usó los pantalones como una pista falsa? La pobreza que prevalecía en algunos sectores de la comunidad de Perleberg en esa época, habría hecho que la ropa de alta calidad que usaba Bathurst tuviera cierto valor, tanto para venderla como para usarla. Además, en la bolsa del pantalón había una carta escrita por Bathurst. Decía que si algo le pasaba, el responsable era el Conde d'Entraigues, conocido agente secreto francés. El Conde d'Entraigues fue asesinado poco después, pero no antes de que declarara con vehemencia no tener conocimiento alguno del caso Bathurst.

La opinión oficial de los alemanes era que seguramente los franceses fueran responsables. Se entrevistó cuidadosamente a casi todos los partidarios de Francia que vivían en Perleberg o sus alrededores, pero no se logró ningún progreso importante. La teoría más aceptada en Viena era que los agentes de Napoleón eran los responsables, pero como Bathurst iba de regreso a casa después de una misión diplomática prácticamente fallida, no tenían un motivo para hacerlo desaparecer, excepto, tal vez, por venganza.

Se libró entre Francia e Inglaterra una guerra de prensa tan violenta que se podría comparar con el ataque de la caballería en Waterloo. La prensa británica acusó a los franceses de haber asesinado a Bathurst por las razones más bajas y crueles. La prensa francesa hizo comentarios mordaces sobre la falta de inteligencia de los vanidosos jóvenes aristócratas que entraban al Servicio Diplomático Británico. Decían que Bathurst tenía un concepto totalmente erróneo de su propia importancia en el conflicto europeo del momento, y probablemente había sido tan estúpido que se había suicidado sin darse cuenta de lo que hacía. En su opinión, sus temores exagerados eran un síntoma de demencia. Esta cáustica batalla verbal continuó por un tiempo.

El gobierno británico ofreció una recompensa de mil libras esterlinas; una suma enorme en esos días que habría tentado casi a cualquier criminal o agente secreto a presentar información. La familia de Bathurst ofreció mil libras más, pero aún así ninguna información salió a la luz. El Príncipe Federico de Prusia estaba muy interesado en el caso de Bathurst, y también ofreció una recompensa; pero si alguien sabía qué le había sucedido a Bathurst, y quién era el responsable, o bien estaba demasiado aterrado o su nivel financiero superaba la tentación de obtener la recompensa, y por eso no respondió ante la suma colosal que se ofrecía.

En medio de la emoción que despertaron las recompensas que se ofrecían, y en medio de la propaganda creada por la prensa inglesa y francesa, Klitzing se aferró a su teoría de que uno o varios criminales de la localidad eran responsables de la desaparición. Es posible que el Capitán haya estado tan orgulloso de su propia eficiencia y meticulosidad que no podía creer que los franceses se hubieran atrevido a llevar a cabo un secuestro o un asesinato en su territorio. Klitzing continuó atacando a Schmidt; y Klitzing era un investigador implacable. El Capitán tenía fuertes sospechas porque Schmidt sabía que Bathurst tenía dos pistolas. Augustus explicó esto diciendo que cuando Bathurst y sus acompañantes estaban en el White Swan, habían mandado a su madre por pólvora.

Lo que más problemas les causó fue un testigo que dijo haber visto a Bathurst caminando por el callejón donde estaba la casa de los Schmidt. Era una evidencia muy extraña, ya que Bathurst no habría tenido ninguna razón para ir a un lugar tan peligroso, y en su estado mental de agitación y angustia, lo último que habría deseado serían riesgos adicionales. A menos, por supuesto, que la madre de Schmidt le hubiera dicho que su hijo era un tipo muy rudo a quien se podría contratar como protección en el viaje a Hamburgo.

Otra línea de investigación que Klitzing siguió vigorosamente, se relaciona con un zapatero de la aldea llamado Hacker, que se sabía era un criminal relacionado con los Schmidt. Hacker había salido de Perleberg casi inmediatamente después de la desaparición de Bathurst, y apareció poco después en Altona con más dinero que de costumbre. Esto parecía muy sospechoso, pero Bathurst no acostumbraba llevar dinero consigo; su secretario se encargaba de eso.

Klitzing evaluó con cuidado las evidencias disponibles, y las que faltaban, y decidió de mala gana que a pesar del peso de sus sospechas de que Augustus Schmidt había asesinado a Bathurst, no había suficientes evidencias para lograr que se le condenara. Había demasiados problemas que un buen abogado defensor presentaría al tribunal para favorecer a Schmidt. En primer lugar, ¿cómo pudo Schmidt, o cualquier otro secuestrador o asesino, llevarse a Bathurst de forma tan silenciosa y sin ser visto, cuando el lugar estaba lleno de testigos? En segundo lugar, ¿qué pudo haber hecho el criminal con Bathurst como prisionero o con su cadáver? Se había revisado minuciosamente, y en repetidas ocasiones, cada posible escondite que Klitzing y sus hombres imaginaron. El río se había dragado una y otra vez. Aunque se habían encontrado artículos como el abrigo y los pantalones de Bathurst, ¿cómo pudieron los criminales ocultar su cuerpo?

Cuando se interrogó a Hacker, su esposa dijo que un hombre llamado Goldberger era el asesino, pero esa "evidencia" no condujo a nada.

La familia de Bathurst se puso en contacto con el Emperador Napoleón, pero éste negó, por su honor, saber algo sobre el diplomático desaparecido, con excepción de lo que había leído en los periódicos.

Pasó el tiempo.

El 15 de abril de 1852 se demolió una casa que estaba a apenas 300 metros del White Swan. Se encontró un esqueleto entre los escombros. Era de un hombre de aproximadamente la edad y la estatura de Bathurst. La causa de la muerte había sido una fractura de cráneo. La hermana de Bathurst, la Sra. Thistlethwaite, visitó Perleberg valientemente para tratar de identificar los restos, pero después de haber estado ocultos por más de cuarenta años, no era posible reconocerlos.

Cuando se demolió el edificio, éste pertenecía a un mampostero llamado Kiesewetter, quien se lo había comprado a Christian Mertens, Hijo, en 1834. Éste lo había heredado de su padre, Christian Mertens, Padre. *Que había sido sirviente en el White Swan por algún tiempo.*

Klitzing no había mandado investigadores a esta casa en particular porque Mertens siempre había gozado de una reputación impecable y no sospechaba de él en absoluto.

Sin embargo, la gente de Perleberg se sorprendió mucho cuando la dote que dio a sus hijas era mayor que la que cualquiera de sus amigos y vecinos hubiera pensado posible, por el modesto salario que recibía en el White Swan.

Cuando la Sra. Thistlethwaite escribió su libro *Memoirs of Bishop Bathurst* (Memorias del Obispo Bathurst), mencionó que Mertens había dejado su empleo en la posada poco después de la desaparición de su hermano. Ella creía que Mertens había sido posadero en el White Swan, pero existen evidencias de que por un tiempo fue "limpiabotas". Como tal, tenía acceso a los huéspedes y a sus habitaciones, y la posibilidad de cometer el crimen sería mayor que si hubiera sido parte del personal externo que se encargaba de los caballos.

De hecho, si el abrigo robado de Bathurst se hubiera quedado en su cuarto en el White Swan y no en la Casa de Postas, se podría presentar una hipótesis totalmente distinta. Dimos unas charlas sobre la desaparición de Bathurst como parte de un seminario de fin de semana sobre Misterios sin Resolver en Holt Hall, Norfolk, Inglaterra, cuando nuestro buen amigo Peter Grehan, que asistió al seminario, presentó una de las teorías más ingeniosas que hemos escuchado sobre la tragedia de Perleberg. Peter tenía un interés particular en los detalles del abrigo de Bathurst, que tenía tanta importancia en el caso. Según él, Bathurst pudo desaparecer de forma tan repentina, silenciosa e inexplicable porque *el hombre que llevaba el abrigo y caminó "detrás de los caballos" no era Bathurst.* Se podría suponer que sea cual fuere la tragedia que le ocurrió al joven Benjamín Bathurst, le ocurrió cuando aún estaba en su habitación, y que ahí fue asesinado o sometido por Mertens, Schmidt y Hacker; después dos de los asesinos sacaron el cuerpo por la parte trasera, sin ser observados, mientras el tercero, probablemente Mertens, caminó tranquilamente cerca de los caballos, *y se alejó caminando en la oscuridad de la noche.* Varias horas después, le dieron el abrigo a la Sra. Schmidt para que lo ocultara y después lo vendiera cuando el furor se hubiera desvanecido. Los pantalones de la víctima fueron llevados al bosque y los asesinos descargaron sus pistolas en ellos, colgándolos en una rama. Los asesinos habían leído la carta que estaba en la bolsa acusando al Conde d'Entraigues. Si se encontraban los pantalones con orificios de bala junto con la carta, esperaban que la búsqueda se desviara de su fraternidad criminal en Perleberg.

Nos quedamos con cuatro teorías básicas sobre la desaparición de Bathurst. Estaba tan perturbado mentalmente que cometió suicidio en algún lugar y su cuerpo nunca fue encontrado. Schmidt, Hacker o Mertens, o los tres como grupo, lo asaltaron y lo asesinaron. El Conde d'Entraigues, u otros agentes secretos franceses lo mataron o lo secuestraron. El Servicio Secreto Británico le dio nueva identidad y otra misión en algún sitio, por razones que sólo ellos conocen.

Para poder ver la tragedia de Bathurst en perspectiva, es necesario considerarla en relación con otras desapariciones sin explicación. Cada año desaparecen *miles* de personas. Existe un site en Internet que se utiliza con frecuencia en la actualidad: *http://www.unsolved.com/oconnell.html.* Ayuda a encontrar personas desaparecidas. Tiene un éxito razonable al encontrar a algunas, pero incluso en la actualidad, en un mundo de comunicaciones electrónicas de alta velocidad que el Capitán Klitzing de Perleberg nunca soñó, un gran número de personas desaparece de forma tan misteriosa y radical como Benjamín Bathurst.

En 1880, un gran fraude se centró en la supuesta desaparición de David Lang del Condado de Summer, Tennessee, que se decía había desaparecido ante la vista de su mujer y otros testigos. Se suponía que un círculo en el suelo señalaba el lugar donde había desaparecido, y que sus hijos decían que cuando se paraban dentro del círculo, *creían* escuchar la angustiada voz de su padre pidiendo auxilio. Sin embargo, el brillante y experimentado investigador, Colin Wilson, llevó a cabo una investigación detallada, con ayuda de un colega que estaba en el lugar de la desaparición, y descubrió que aunque el relato sobre Lang era falso, se basaba en una relación histórica de una desaparición similar genuina que ocurrió en 1854 y fue registrada por Robert Jay Nash. Esto sucedió en Selma, Alabama. La víctima fue un ranchero llamado Orion Williamson, quien literalmente desapareció en el aire mientras dos de sus amigos se dirigían hacia él en un coche de un solo caballo. El Profesor George A. Simcox, que era Miembro de una Sociedad de Eruditos en Queen's College, Oxford, salió a dar un paseo en County Antrim y nunca se le volvió a ver. En 1913, desapareció el escritor Ambrose Bierce. Hubo rumores persistentes que implicaban que había sido en México, pero el misterio nunca se resolvió satisfactoriamente. Victor Grayson, miembro del parlamento, al parecer dejó de existir misteriosamente en 1920. Reginald Arthur Lee, que era diplomático como Bathurst, trabajaba en Marsella en 1930 cuando también desapareció. Otro episodio trágico de desaparición se centró en el niño Denis Martin, de siete años de edad. Desapareció ante la mirada de su padre y otros testigos adultos en el verano de 1969 mientras caminaban en las Montañas Smoky.

Charles Fort, que colecciona relatos extraños, reunió también una enorme colección de desapariciones sin explicación.

¡Sin importar donde haya ido Benjamín Bathurst, podemos suponer que no está solo!

BIBLIOGRAFÍA

Andere, Mary. *Arthurian Links with Herefordshire.* Gran Bretaña. Logaston Press. 1995.

Ashe, Geoffrey. Editor. *The Quest for Authur's Britain.* Londres. Granada Publishing. 1972.

Bord, Janet & Colin. *Alien Animals.* Londres. Granada Publishing. 1980.

Bord, Janet & Colin. *Mysterious Britain.* Gran Bretaña. Paladin. 1974.

Bradley, Michael. *Holy Grail Across the Atlantic.* Toronto. Hounslow Press. 1988.

Briggs, Katharine M. *British Folk Tales and Legends*: A Sampler. Londres. Granada Publishing in Paladin. 1977.

Brown, Michael. Editor. *A Book of Sea Legends.* Inglaterra. Puffin Books. 1975.

Brown, Theo. *Devon Ghosts.* Gran Bretaña. Jarrold Publishing. 1982.

Canning, John, Editor. *50 Great Ghost Stories.* Londres. Chancellor Press. 1994.

Carrington, Richard. *Mermaids and Mastodons.* Londres. Arrow Books Ltd. 1960.

Carter, MA George. *Outlines of English History.* Londres y Melbourne. Ward Lock Educational Company Ltd. 1962.

Cavendish, Richard. Editor. *Encyclopedia of The Unexplained.* Londres. Routledge & Kegan Paul. 1974.

Clark, Jerome. *Unexplained.* USA. Gale Research Inc. 1993.

Dunford, Barry. *The Holy Land of Scotland. Scotland.* Brigadoon Books. 1996.

Dyall, Valentine. *Unsolved Mysteries*. Londres. Hutchinson & Co Ltd. 1954.

Ehrlich, Eugene. *A Dictionary of Latin Tags and Phrases.* Londres. Robert Hale Ltd. 1986.

Enterline, James Robert. *Viking America.* Gran Bretaña. New English Library. 1973.

Fanthorpe, Lionel & Patricia. *The Oak Island Mystery*. Toronto. Hounslow Press. 1995.

Fanthorpe, Lionel & Patricia. *Secrets of Rennes-le-Château.* USA. Samuel Weiser Inc. 1992.

Fanthorpe, Lionel & Patricia. *Rennes-le-Château.* Inglaterra. Bellevue Books. 1991.

Fortean Times. Londres. John Brown Publishing Ltd.

Fowke, Edith. *Canadian Folklore.* Toronto. Oxford University Press Ontario. 1988.

Gant, T.H. & Copley, W.L. *More Dartmoor Legends and Customs.* Plymouth. Baron Jay Ltd. Publishers.

Gettings, Fred. *Encyclopedia of the Occult.* Londres. Guild Publishing. 1986.

Godwin, John. *This Baffling World.* Ciudad de Nueva York. Hart Publishing Company. 1968.

Goldsmith, Oliver. *A History of the Earth and Animated Nature*. Edinburgo. Thomas Nelson. 1842.

Graves, Robert. Introduction By. *Larousse Encyclopedia of Mythology.* Londres. Paul Hamlyn. 1959.

Green, John. *On the Track of the Sasquatch.* Nueva York. Ballantine Books. 1973.

Green, John Richard. *A Short History of the English People.* Londres. MacMillan & Co. 1978.

Gribble, Leonard. *Famous Historical Mysteries*. Londres. Target Books. 1974.

Harmon, J.F. (Ed.) *Concerning the Carvings on the Braxton and Yarmouth Stones*. West Virginia History. USA Vol. XXXVII enero. 1976.

Hancock, Graham. *The Sign and the Seal*. Londres. Mandarin. 1993.

Hancock, Graham. *Fingerprints of the Gods*. Nueva York. Crown Publishers. 1995.

Hapgood, Charles. *Maps of the Ancient Sea Kings*. USA. Adventure Unlimited Press. 1996.

Heywood, Abel. *Mother Shipton's Prophecies*. Reino Unido. George Mann. 1978.

Hitching, Francis. *The World Atlas of Mysteries*. Londres. Pan Books. 1979.

Hogarth, Peter & Clery, Val. *Dragons*. Londres. Penguin Books Ltd. 1979.

Hogue, John. *Nostradamus & The Millenium*. Nueva York. Doubleday Dolphin. 1987.

Knight, Gareth. *The Secret Tradition in Arthurian Legend.* Gran Bretaña. The Aquarian Press. 1983.

Lacy, N. J. *The Arthurian Encyclopedia*. Woodbridge, Suffolk. Reino Unido. Boydell Press. 1986.

Lampitt, L.F. Editor. *The World's Srangest Stories*. Londres. Publicado por Associated Newspapers Group Ltd. 1955.

MacDougall, Curtis D. *Hoaxes*. Nueva York. Dover Publications Inc. 1958.

Mahan, Joseph B. *North American Sun Kings*. USA. ISAC Press. 1992.

Maziére, Francis. *Mysteries of Easter Island*. Nueva York. Tower Publications Inc. 1968.

Metcalfe, Leon. *Discovering Ghosts*. Reino Unido. Shire Publications Ltd. 1974.

Michell, John & Richard, Robert J.M. *Phenomena A Book of Wonders*. Londres. Thames & Hudson. 1977.

Morison, Elizabeth & Lamont, Frances. *An Adventure*. Londres. MacMillan & Co., Ltd. 1913.

Moss, Peter. *Ghosts Over Britain.* Gran Bretaña. Sphere Books Ltd. 1979.

Newton, Brian. *Monsters and Men.* Inglaterra. Dunestone Printers Ltd. 1979.

Pohl, Frederick J. *Prince Henry Sinclair.* Halifax. Nimbus Publishing Ltd. 1967.

Poole, Keith B. *Ghosts of Wessex.* Inglaterra. David and Charles Ltd. 1976.

Porter, Enid. *The Folklore of East Anglia.* Londres. B.T. Batsford Ltd. 1974.

Rawcliffe, D.H. *Illusions and Delusions of the Supernatural and the Occult.* Nueva York. 1959.

Reader's Digest Book. *Strange Stories, Amazing Facts.* Londres. The Reader's Digest Ass. Ltd. 1975.

Reader's Digest Book. *Folklore, Myths and Legends of Britain.* Londres. The Reader's Digest Ass. Ltd. 1973.

Saltzman, Pauline. *The Strange and the Supernormal.* Nueva York. Paperback Library, Inc. 1968.

Sampson, Chas. *Ghosts of the Broads.* Noruega. Jarrold & Sons Ltd. 1973.

Sinclair, Andrew. *The Sword and the Grail.* Nueva York. Crown Publishers Inc. 1992.

Snow, Edward Rowe. *Strange Tales from Nova Scotia to Cape Hatteras.* Nueva York. Dodd, Mead & Company. 1946.

Spicer, Stanley, T. *The Saga of the Mary Celeste.* Nova Scotia. Lancelot Press Ltd. 1993.

Strong, Roy. *Lost Treasures of Britain.* USA. Viking Penguin. 1990.

Toulson, H. David. *Knaresborough. It's Murder, Mystery & Magic.* Leeds. Yorkshire Press Agency. 1991.

Trevelyan, George Macaulay. *History of England.* Londres. Longmans, Green and Co. Ltd. 1926.

Turner, Dr. Maurice. *A Brief History of Knaresborough.* North Yorkshire. The Bookshop 14, High St. 1990.

Underwood, Peter. *The Ghost Hunter's Guide.* Reino Unido. Blandford Press. 1987.

Whitehead, Ruth Holmes. *Stories From The Six Worlds.* Halifax. Nimbus Publishing Ltd. 1988.

Wilson, Colin & Damon. *Unsolved Mysteries.* Londres. Headline Book Publishing plc. 1993.

Wilson, Colin, Damon & Rowan. *World Famous True Ghost Stories.* Londres. Robinson Publishing. 1996.

Wilson, Colin & Dr. Evans, Christopher, (Editors). *The Book of Great Mysteries.* Londres. Robinson Publishing. 1986.

Wilson, Derek. *The World Atlas of Treasure.* Londres. Pan Books. 1982.

Wise, Leonard F. *World Rulers.* Inglaterra. Sterling Pub. Co. Inc. 1967.

X Factor. London Marshall Cavendish Partworks Ltd.

ÍNDICE

TÍTULOS DE ESTA COLECCIÓN

Grandes Misterios del Mundo sin Resolver.
Lionel y Patricia Fanthorpe

Los Grandes Misterios de la Biblia.
Lionel y Patricia Fanthorpe

Lugares Misteriosos en el Mundo.
Lionel y Patricia Fanthorpe

Los Personajes más Misteriosos del Mundo.
Lionel y Patricia Fanthorpe

Este libro se terminó de imprimir
en los talleres de Castillo
y Asociados Impresores,
Camelia 4, col. El Manto,
México, D.F.